Une logique de la communication

Paul Watzlawick,
Janet Helmick Beavin
Don D. Jackson

Une logique de la communication

Traduit de l'américain
par Janine Morche

Éditions du Seuil

EN COUVERTURE : dessin de Folon

ISBN 2-02-005220-2.
(ISBN 2-02-002713-5, 1re publication.)

Titre original : Pragmatics of Human Communication.
A Study of Interactional Patterns, Pathologies, and Paradoxes.

A Gregory Bateson
notre ami et notre maître

Introduction

Nous nous proposons d'étudier dans ce livre les effets pragmatiques de la communication humaine (c'est-à-dire ses effets sur le comportement), en nous attachant plus spécialement aux troubles du comportement. Alors qu'il n'existe même pas de formalisation des codes grammaticaux et syntaxiques de la communication verbale, et que la possibilité de faire entrer la sémantique de la communication humaine dans un cadre général suscite un scepticisme croissant, tout essai de systématisation de sa pragmatique peut apparaître comme une marque d'ignorance ou de présomption. Si, en l'état actuel de nos connaissances, nous ne disposons même pas d'une explication satisfaisante de l'acquisition du langage naturel, l'espoir de pouvoir conceptualiser les relations formelles entre communication et comportement n'est-il pas encore plus lointain?

Il est d'autre part évident que la communication est une condition *sine qua non* de la vie humaine et de l'ordre social. Il est non moins évident que l'être humain se trouve dès sa naissance engagé dans le processus complexe de l'acquisition des règles de la communication, mais qu'il n'a que très faiblement conscience de ce qui constitue ce corps de règles, ou ce *calcul* de la communication humaine.

Ce livre ne dépassera guère cette conscience minimale. Il n'a d'autre ambition que d'essayer de construire un modèle et de présenter certains faits susceptibles de l'étayer. La pragmatique de la communication humaine est une science dans l'enfance; loin d'avoir élaboré un langage cohérent qui lui soit propre, elle n'en est qu'aux premiers balbutiements. En particulier, son intégration aux diverses autres branches de la recherche scientifique est encore problématique. Cependant on peut espérer que cette intégration se fera un jour, et ce livre s'adresse à ceux qui, dans de multiples domaines de recherche, rencontrent des problèmes d'interaction entre systèmes au sens le plus large du terme.

On nous reprochera peut-être d'avoir négligé des études importantes ayant une relation directe avec notre sujet. On critiquera peut-être par exemple la rareté des références explicites à la communication non verbale, ou bien l'absence de référence à la sémantique générale. Mais ce livre n'est qu'une introduction à la pragmatique de la communication humaine, domaine qui jusqu'à présent n'a guère retenu l'attention, et il ne peut donc faire ressortir toutes les affinités possibles avec d'autres branches de la recherche sans courir le risque d'être encyclopédique au mauvais sens du terme. C'est également pour cette raison que nous avons dû limiter nos références aux nombreux ouvrages qui ont été consacrés à la théorie de la communication humaine, surtout lorsque ces ouvrages se bornent à étudier la communication comme un phénomène à sens unique (de l'émetteur au récepteur) sans parvenir à la concevoir comme un processus d'*interaction.*

Les implications interdisciplinaires de notre sujet se reflètent dans sa présentation. Nous avons choisi exemples et analogies dans des registres aussi étendus que possible dans la mesure où ils nous paraissaient s'appliquer à notre propos; toutefois la psychopathologie est restée notre terrain privilégié. En particulier, lorsque nous faisons appel à des analogies tirées des *mathématiques*, il doit être bien clair qu'il ne s'agit pour nous que d'un *langage*, langage éminemment apte à exprimer des relations complexes, mais cela ne signifie nullement que nous avons estimé déjà quantifiables les données dont nous nous sommes servis. Inversement, de nombreux lecteurs jugeront peut-être scientifiquement contestable l'abondance relative d'exemples empruntés à la littérature, car une preuve tirée des fictions de l'imagination artistique, n'est-ce pas une bien pauvre preuve? Mais en ayant recours à ces citations littéraires, ce n'est pas une preuve que nous avons voulu apporter, c'est une illustration et une élucidation d'un point théorique en un langage plus directement accessible; par elles-mêmes, ces citations ne veulent rien prouver. En résumé, disons qu'exemples et analogies sont des modèles de *définition*, et non des modèles prédicatifs (ou assertoriques).

En divers endroits de ce livre, des concepts de base empruntés à divers domaines demandent une définition que tout spécialiste en la matière jugera superflue. En pensant à lui, mais aussi au commun des lecteurs, nous allons brièvement tracer les grandes lignes des différents chapitres et de leurs paragraphes.

Le chapitre 1 tente de situer le cadre de référence. Il introduit des notions de base comme celles de fonction (§ 1-2 [1]), d'information et de rétroaction *(feed-back)* (§ 1-3), et de redondance (§ 1-4). Il postule l'existence d'un code non encore formalisé, ou d'un *calcul* (§ 1-5) de la communication humaine dont les règles sont observées dans le cas d'une bonne communication et rompues dans le cas d'une communication perturbée.

Le chapitre 2 définit certains axiomes de ce calcul hypothétique. Le chapitre 3 étudie les troubles pathologiques virtuellement contenus dans ces axiomes.

Le chapitre 4 étend cette théorie de la communication au niveau structurel, ou organique, en prenant comme modèle de base des relations humaines les *systèmes.* Ce chapitre est donc consacré pour l'essentiel à une discussion et une application des principes de la Théorie générale des Systèmes.

Le chapitre 5 n'est qu'une illustration de la matière première fournie par la Théorie des Systèmes, afin de donner vie et spécificité à cette théorie dont l'objet est en fin de compte les effets immédiats des êtres humains les uns sur les autres.

Le chapitre 6 traite des effets du paradoxe sur le comportement. Ce qui requiert une définition de la notion de paradoxe (§ 6-1, 6-2 et 6-3); le lecteur familier des antinomies, et notamment du paradoxe de Russell, pourra l'omettre. Le paragraphe 6-4 introduit le concept beaucoup moins connu de paradoxe pragmatique; il se réfère en particulier à la théorie du *double-bind* (double-contrainte), qui a aidé à mieux comprendre la communication chez les schizophrènes.

Le chapitre 7 est consacré aux effets thérapeutiques du paradoxe. Mises à part les considérations théoriques des paragraphes 7-1 et 7-2, ce chapitre a été écrit en pensant surtout à l'application clinique que l'on pouvait faire des modèles de communication de type para-

1. Si nous avons introduit cette subdivision décimale des chapitres, ce n'est pas pour embrouiller ou impressionner le lecteur, mais pour mettre en évidence la structure organique d'un chapitre, et faciliter les renvois à l'intérieur du livre.

doxal. Ce chapitre s'achève par une brève digression sur le rôle du paradoxe dans le jeu, l'humour et la créativité (§ 7-6).

Une conclusion traitant de la communication entre l'homme et le réel, au sens large, n'exprime que la position personnelle des auteurs. Nous y postulons qu'un ordre, analogue à la structure en niveaux des types logiques, pénètre la conscience que prend l'homme de son existence et détermine en fin de compte la « connaissabilité » de son univers.

A mesure que le manuscrit de ce livre était soumis à la critique de toutes sortes de spécialistes, psychiatres, biologistes, ingénieurs électroniciens, il nous est apparu qu'un paragraphe, élémentaire pour les uns, serait considéré comme trop spécialisé par les autres. De même, inclure des définitions — soit dans le corps du livre, soit en notes — pouvait faire injure à quelqu'un qui se sert quotidiennement de ce terme dans ses activités professionnelles, mais pour le commun des lecteurs, l'absence de définitions était fâcheuse parce qu'elle semblait insinuer : « Si vous ne savez pas ce que ça veut dire, tant pis pour vous. » C'est pourquoi nous avons décidé d'ajouter à la fin du livre un *glossaire*, ne comportant que les termes qu'on ne trouve pas dans les dictionnaires courants et qui ne sont pas définis dans le texte. (Pour retrouver une définition donnée dans le texte, se reporter à l'index, pagination en caractères gras.)

Les auteurs souhaitent exprimer leurs remerciements à tous ceux qui ont lu, en tout ou en partie, le manuscrit, et qui ont apporté leur aide, leurs encouragements ou leurs conseils, en particulier Paul S. Achilles, Ph. D., John H. Weakland, M. A., Carlos E. Sluzki, M. D., A. Russell Lee, M. D., Richard Fisch, M. D., et Arthur Bodin, Ph. D., nos confrères du Mental Research Institute; Albert E. Scheflen, M. D., Eastern Pennsylvania Psychiatric Institute et Temple University School of Medicine; Karl H. Pribam, M. D., Ralph J. Jacobs, M. D., et William C. Dement, M. D., de la Stanford University School of Medicine; Henry Longley, B. S. E. E., Project Engineer, Western Development Laboratories (Philco); Noël P. Thompson, M. D., M. S. E. E., directeur de l'Électronique médicale, Palo Alto Medical Research Foundation; John P. Spiegel, M. D., Center for Research in Personality, Harvard University. Bien entendu, la responsabilité des positions prises et des erreurs possibles incombe entièrement aux auteurs.

Ce travail a reçu l'appui du National Institute of Mental Health (Subvention M H 07 459-01), de la Robert C. Wheeler Foundation, du James Mc Keen Cattell Fund, et de la National Association for Mental Health. Nous leur exprimons nos vifs remerciements pour l'aide qu'ils nous ont apportée.

Palo Alto
mars 1966

1

Le cadre de référence

1 - 1

Considérons les différentes situations suivantes : l'augmentation et la diminution du nombre des renards qui peuplent une certaine région du nord du Canada manifestent une périodicité remarquable. Ces variations sont cycliques : en l'espace de quatre ans, le nombre des renards atteint un maximum, puis diminue presque jusqu'à extinction complète, et recommence à augmenter. Si l'attention du biologiste se limitait aux renards, ces variations cycliques demeureraient incompréhensibles; rien en effet dans la nature du renard ou de l'espèce dans son ensemble ne saurait justifier de telles modifications. Mais les renards se nourrissent presque exclusivement de lapins de garenne, et ces lapins n'ont pour ainsi dire pas d'autre ennemi naturel; une fois qu'on a saisi ce fait, la *relation entre* les deux espèces fournit une explication satisfaisante d'un phénomène qui sans cela resterait mystérieux. On peut en effet constater un cycle identique chez les lapins, à cela près que le sens de l'augmentation et de la diminution de leur nombre est inversé : plus nombreux sont les renards, plus élevé est le nombre de leurs victimes parmi les lapins; la nourriture finit par se faire très rare. Le nombre des renards décroît, ce qui donne aux lapins survivants une chance de se multiplier et de recommencer à prospérer en l'absence virtuelle de leurs ennemis. Lorsque les lapins prolifèrent à nouveau, les renards à leur tour peuvent survivre et se multiplier; et ainsi de suite.

Un homme s'affaisse subitement; on le transporte d'urgence à l'hôpital. Le médecin qui procède à l'examen note son état d'inconscience, sa tension artérielle très basse, et d'une manière générale les signes cliniques d'une intoxication aiguë d'origine alcoolique ou médicamenteuse. Pourtant les examens de laboratoire ne montrent aucune trace de substances de ce genre. L'état du patient demeure incompréhensible jusqu'au moment où, revenant à lui, le patient apprend au médecin qu'il est ingénieur des mines et qu'il vient de travailler pendant deux ans dans un gisement de cuivre des Andes situé à 5 000 mètres d'altitude. On comprend alors que l'état du patient n'est pas une maladie au sens ordinaire du terme, c'est-à-dire une altération d'un organe ou d'un tissu, mais pose le problème de l'adaptation d'un organisme cliniquement sain à un changement radical de milieu. Si l'attention du médecin restait centrée sur le patient seul, et si n'entrait en compte que l'écologie du milieu habituel propre au médecin, l'état du patient demeurerait un mystère.

Dans le jardin d'une maison de campagne, exposé à la vue des promeneurs de la contre-allée, on peut observer le manège d'un homme barbu qui se traîne accroupi à travers le pré, en dessinant des huit, et jetant sans arrêt un regard par-dessus son épaule, cancanant de surcroît continuellement. C'est ainsi que l'ethnologue Konrad Lorenz décrit le comportement qu'il s'est vu dans l'obligation d'adopter au cours de l'une de ses expériences d' « imprégnation » sur des canetons, une fois qu'il se fut substitué à leur mère. « Je me félicitais, écrit-il, de la docilité de mes canetons et de la précision avec laquelle ils me suivaient en se dandinant, quand tout à coup je relevai la tête et vis le long de la barrière du jardin une rangée de visages tout pâles : un groupe de touristes debout le long de la barrière fixait sur moi des regards horrifiés. » L'herbe haute masquant les canetons, ce qui s'offrait à la vue était un comportement totalement incompréhensible, pour dire le mot, un comportement de fou [1].

1. Konrad Lorenz, *Il parlait avec les mammifères, les oiseaux et les poissons*, Flammarion 1968, pour la traduction française.

Ces exemples, apparemment sans rapport, ont un dénominateur commun : un phénomène demeure incompréhensible tant que le champ d'observation n'est pas suffisamment large pour qu'y soit inclus le contexte dans lequel ledit phénomène se produit. Ne pas pouvoir saisir la complexité des relations entre un fait et le cadre dans lequel il s'insère, entre un organisme et son milieu, fait que l'observateur bute sur quelque chose de « mystérieux » et se trouve conduit à attribuer à l'objet de son étude des propriétés que peut-être il ne possède pas. A les confronter avec la biologie, où cette règle est très largement admise, il semble que les sciences du comportement soient restées fondées, dans une large mesure, sur une conception monadique de l'individu et sur la vénérable méthode qui consiste à isoler des variables. C'est tout particulièrement évident quand l'objet de l'étude est un trouble du comportement. Si on étudie isolément un individu qui manifeste un trouble du comportement (psycho-pathologie), la recherche portera sur la *nature* de cet état, et en un sens plus large, sur la *nature* de l'esprit humain. Si l'on repousse les limites de cette recherche pour y inclure les effets du comportement étudié sur autrui, les réactions d'autrui à ce comportement, et le contexte où tout ceci se déroule, l'accent se déplace de la monade artificiellement isolée à la *relation* qui existe entre les différentes parties d'un système plus vaste. L'observateur du comportement humain passe alors d'une étude de l'esprit par inférence à une étude fondée sur l'observation d'une relation dans ses manifestations.

Le véhicule de ces manifestations, c'est la communication.

Nous voudrions montrer que l'étude de la communication humaine peut, comme celle de la sémiotique (théorie générale des signes et des langues), se subdiviser selon les trois domaines distingués par Morris [1] et qu'a repris Carnap [2] : syntaxe, sémantique et pragmatique. Dans le cadre de la communication humaine, on pourrait dire alors que le premier de ces trois domaines recouvre les problèmes de transmission de l'information, et qu'il est par conséquent le domaine par

1. Charles W. Morris, « Foundations of the Theory of Signs » in Otto Neurath, Rudolf Carnap et Charles W. Morris, *International Encyclopedia of Unified Science*, vol. 1, n° 2, University of Chicago Press, Chicago, 1938, p. 77-137.
2. Rudolf Carnap, *Introduction to Semantics*, Harvard University Press, Cambridge, 1942, p. 9.

excellence du théoricien de l'information. Celui-ci a pour objet d'étude les problèmes du codage, des canaux de transmission, de la capacité, du bruit, de la redondance et autres propriétés statistiques du langage. Ces problèmes sont d'abord des problèmes de *syntaxe;* et le théoricien de l'information ne se préoccupe pas du sens des symboles qui constituent le message. Le problème du sens est l'objet principal de la *sémantique*. Quoiqu'il soit parfaitement possible de transmettre des séquences de symboles avec une précision syntaxique parfaite, ces symboles demeureraient vides de sens si l'émetteur et le récepteur ne s'étaient mis d'accord auparavant sur leur signification. En ce sens, tout partage d'information présuppose une convention sémantique. Enfin, la communication affecte le comportement, et c'est là son aspect *pragmatique*. Si donc il est possible d'établir une séparation conceptuelle claire entre ces trois domaines, ils sont néanmoins interdépendants. Comme le souligne George [1], « à beaucoup d'égards, il est vrai de dire que la syntaxe, c'est de la logique mathématique, la sémantique, de la philosophie ou de la philosophie des sciences, et la pragmatique, de la psychologie, mais en fait ces domaines ne sont pas entièrement distincts ».

Ce livre abordera ces trois domaines, mais il aura essentiellement pour objet la pragmatique de la communication, c'est-à-dire ses effets quant au comportement. A ce propos, il doit être bien clair dès le départ que nous considérerons les deux termes, communication et comportement, comme étant pratiquement synonymes. Car les données de la pragmatique ne sont pas simplement les mots, leurs configurations et leurs sens, données qui sont celles de la syntaxe et de la sémantique, mais aussi leurs concomitants non-verbaux et le langage du corps. Bien plus, nous voudrions intégrer aux actes qui relèvent du comportement individuel les signes qui sont de l'ordre de la communication et qui sont inhérents au *contexte* où se produit cette communication. Selon cette conception de la pragmatique, tout comportement, et pas seulement le discours, est communication, et toute communication — même les signes qui frayent la communication dans un contexte impersonnel — affecte le comportement.

1. F. H. George, *The Brain as a Computer*, Pergamon Press, Ltd, Oxford, 1962, p. 41.

De plus, nous n'avons pas seulement pour objet les effets d'un segment de communication sur le récepteur, ce qui est d'une manière générale l'objet de la pragmatique, mais, ce qui en est inséparable, l'effet qu'a sur l'émetteur la réaction du récepteur. Nous voudrions donc mettre moins l'accent sur les relations de l'émetteur (ou du récepteur) et du signe, que *sur la relation qui unit émetteur et récepteur, en tant qu'elle est médiatisée par la communication.*

Cette manière d'aborder sous l'aspect de la communication les phénomènes du comportement humain, normal et pathologique, étant fondée sur les manifestations observables de la *relation* au sens le plus large du terme, est, du point de vue conceptuel, plus proche des mathématiques que de la psychologie traditionnelle; les mathématiques sont en effet la discipline dont l'objet premier est non la nature des entités mais l'examen des relations entre elles. D'autre part, la psychologie traditionnelle a eu fortement tendance à considérer l'homme comme une monade, et par suite, à réifier ce qui apparaît maintenant de plus en plus comme des structures complexes de relations et d'interaction [1].

Nous soulignerons aussi souvent que possible l'affinité de nos hypothèses avec les mathématiques. Cela ne devrait pas décourager le lecteur qui ne possède pas de connaissances particulières en ce domaine, car il ne rencontrera pas de formules ou de symboles particuliers. En admettant même qu'un jour le comportement humain trouve son expression adéquate dans le symbolisme mathématique, ce n'est absolument pas notre intention de tenter une telle quantification. Mais nous ne nous interdirons pas de nous référer à l'énorme travail accompli dans certaines branches des mathématiques, chaque fois que les résultats obtenus sembleront offrir un langage commode pour décrire les phénomènes de la communication humaine.

1. Nous avons avec l'accord des auteurs choisi le terme de « structure » comme la meilleure traduction du mot anglais « pattern », d'autant plus que ce terme est bien connu du lecteur français familier des écrits structuralistes (notamment ceux de Lévi-Strauss) avec lesquels ce travail entretient beaucoup d'affinités *(N.d.E.)*.

1-2

LA NOTION DE FONCTION ET DE RELATION

La raison essentielle de faire appel à des analogies ou des principes explicatifs empruntés aux mathématiques réside dans la commodité du concept mathématique de *fonction*. Une brève digression dans la théorie des nombres est ici nécessaire.

Les philosophes des sciences admettent, semble-t-il, que l'émergence progressive d'un nouveau concept de nombre à partir de Descartes a été décisive pour le développement de la pensée mathématique moderne. Pour les mathématiciens grecs, les nombres étaient des grandeurs concrètes, réelles, sensibles, entendues comme les attributs d'objets tout aussi réels. Ainsi l'objet de la géométrie était la mesure, et celui de l'arithmétique la numération. Dans le chapitre de son livre [1] intitulé « Du sens des nombres », Oswald Spengler montre très bien ce qu'il y avait d'impensable dans la notion du zéro comme nombre et pourquoi les grandeurs négatives n'avaient pas leur place dans la réalité du monde antique :

Les grandeurs négatives n'ont pas d'existence. L'expression (— 2) × (— 3) = + 6 n'est ni concrète ni représentative de grandeur » (p. 76). Que les nombres soient l'expression de grandeurs est une idée qui pendant deux siècles a dominé la pensée mathématique, et, poursuit Spengler : « Il n'exista pas de seconde culture qui ait témoigné autant de respect que la nôtre à l'antique et dont la science fût aussi influencée par les œuvres de cette culture depuis longtemps éteinte. Il a fallu longtemps pour trouver le courage de penser notre propre pensée. A la base était le désir constant d'égaler l'antiquité. Malgré cela, chaque pas fait en ce sens nous éloignait en réalité de l'idéal souhaité. Aussi l'histoire de la science occidentale est-elle celle de notre *émancipation progressive* de la pensée antique, émancipation qui ne fut même pas voulue, qui fut arrachée par force des profondeurs de l'inconscient. *C'est ainsi que l'évolution de la mathématique moderne se transforma en lutte clandestine longue, finalement victorieuse, contre le concept de grandeur* (p. 85).

1. Oswald Spengler, *Le Déclin de l'Occident*, vol. I, « Forme et réalité », traduit de l'allemand par M. Tazerout, Bibliothèque des Idées, N.R.F., Gallimard, 1948.

Il n'est pas nécessaire d'exposer en détail comment cette victoire a été remportée. Qu'il nous suffise de dire que l'événement décisif s'est produit en 1591 quand Viète a introduit la notation symbolique à la place de la notation numérique. Par ce moyen, le nombre, conçu comme une grandeur discrète, a été relégué au second plan, tandis que naissait le concept si utile de *variable*, concept qui aux yeux d'un mathématicien grec aurait eu aussi peu de réalité qu'une hallucination. En effet, contrairement au nombre qui désigne une grandeur concrète, une variable n'a pas par elle-même de signification; une variable ne prend un sens que dans sa relation à une autre. Grâce à l'introduction des variables, on donnait une dimension neuve à l'information, et les nouvelles mathématiques se constituaient. La relation entre des variables (que l'on exprime généralement, mais pas nécessairement, sous la forme d'une équation) fonde le concept de *fonction*. Citons encore Spengler : « Les fonctions ne sont donc nullement des nombres au sens plastique, mais des signes pour exprimer une combinaison à laquelle les caractères de grandeur, de forme et de simplicité font défaut, soit une infinité de situations possibles de même caractère qui ne sont *nombre* qu'à condition d'être conçues ensemble comme unité. L'équation entière forme en réalité *un seul nombre* dans ce système graphique, où malheureusement les signes trompeurs abondent, et x, y, z ne sont pas plus des nombres que les signes $+$ et $=$ qui les lient » (p. 86). Ainsi, par exemple, l'équation $y^2 = 4\,ax$, en établissant une relation spécifique entre x et y, définit toutes les propriétés d'une courbe [1].

Il existe entre l'émergence du concept mathématique de fonction et l'ouverture de la psychologie au concept de relation un parallé-

1. Un récent article de J. David Stern * montre combien il peut être trompeur de comprendre les nombres pour des grandeurs, même lorsqu'on s'en sert expressément pour désigner des grandeurs concrètes, par exemple en économie. Parlant de la Dette publique, il montre que, considérée isolément, donc en termes de grandeur absolue, la Dette publique des États-Unis a subi une augmentation stupéfiante de 257 milliards de dollars en 1947 à 304 milliards de dollars en 1962. Mais si on la place dans son véritable contexte, c'est-à-dire si on l'exprime en relation avec le revenu net personnel disponible, on constate, pendant cette même période, une chute de 151 % à 80 %. Profanes et hommes politiques tombent facilement dans ce sophisme économique, alors que depuis longtemps les économistes n'évaluent que des systèmes de variables économiques, et non des unités isolées ou absolues.

* J. David Stern, « The National Debt and the Peril Point », *The Atlantic*, 213, 35-8, 1964.

lisme qui donne à penser. Pendant longtemps — en un sens depuis Aristote — on a conçu l'esprit comme un ensemble de propriétés ou attributs dont un individu était plus ou moins bien doté, à peu près comme le fait d'être gros ou mince, blond ou brun, etc. La fin du siècle dernier a été marquée par l'avènement de la psychologie expérimentale, ce qui a conduit à introduire un vocabulaire beaucoup plus compliqué, mais qui, en un sens, n'était pas fondamentalement différent : il était toujours constitué de concepts indépendants, à peu près sans lien entre eux. Pour désigner ces concepts, on a parlé de fonctions psychiques, ce qui est fort regrettable, car ils n'ont aucun rapport avec le concept mathématique de fonction; il faut dire qu'on ne songeait pas à un tel rapport. Comme on le sait, on a appelé fonctions psychiques la sensation, la perception, l'aperception, l'attention, la mémoire, et plusieurs autres entités de ce genre. On a dépensé, et on continue à dépenser, une somme de travail considérable pour les étudier dans des conditions d'isolement qui sont artificielles. Mais Ashby, par exemple, a montré que l'hypothèse d'une *mémoire* est fonction du caractère observable ou non d'un système donné. Pour un observateur disposant de toutes les informations nécessaires, toute référence au passé (et donc à l'existence d'une mémoire du système) est superflue. Il peut rendre compte du comportement du système d'après son état *actuel*. Il donne l'exemple concret suivant :

... Je me trouve chez un ami, une voiture passe dans la rue, son chien court se blottir dans un coin de la pièce. Ce comportement m'apparaît immotivé et incompréhensible. Mais mon ami me dit : « Il a été renversé par une voiture il y a six mois. » Le comportement du chien s'explique alors en se référant à un événement qui remonte à six mois. Dire que le chien fait preuve de « mémoire », c'est dire à peu près la même chose : son comportement peut se comprendre, non pas par rapport à son état actuel, mais par rapport à son état d'il y a six mois. Si l'on ne pèse pas le sens des mots, on dira que le chien « a » de la mémoire, et on pensera que le chien *a quelque chose*, de la même manière qu'il peut avoir le pelage noir par endroits. On peut être alors tenté de rechercher la chose, et l'on découvrira éventuellement que cette « chose » possède des propriétés bien étranges.

Il est évident que la « mémoire » n'est pas une chose objective qu'un système possède ou non; c'est un concept auquel *l'observateur* fait appel pour combler le vide provoqué par l'inobservabilité d'une partie du système. Si les variables observables sont très peu nombreuses, l'observateur sera davantage contraint de faire intervenir des événements du passé pour expliquer le comportement du système. La « mémoire », fonction du cerveau, n'est donc que partiellement objective. Aussi n'est-il pas étonnant qu'on lui ait parfois découvert des propriétés insolites ou même paradoxales. Il est évident que ce sujet demande à être entièrement ré-examiné sur d'autres bases (p. 117 [1]).

A notre avis, il n'y a là aucune dénégation des progrès considérables de la recherche neurophysiologique sur le stockage de l'information dans le cerveau. Il est clair que l'animal n'est plus le même depuis l'accident; une modification moléculaire a dû se produire, ou un nouveau circuit s'établir, bref, le chien « a » maintenant « quelque chose ». Ce qu'Ashby critique ici, c'est évidemment la construction intellectuelle et sa réification.

Une autre analogie, suggérée par Bateson [2], serait celle du jeu d'échecs en cours de partie. On peut comprendre à n'importe quel moment où en est la partie uniquement d'après la configuration actuelle des pièces sur l'échiquier sans aucun enregistrement, ou « mémoire », des coups passés (les échecs étant un jeu à information permanente). Même si cette configuration doit s'interpréter comme la mémoire du jeu, ce terme n'a de sens que par rapport au présent et à l'observable.

Le vocabulaire de la psychologie expérimentale a fini par s'étendre à des contextes interpersonnels, mais le langage de la psychologie n'en est pas moins demeuré monadique. Des concepts comme « leadership », dépendance, extraversion et introversion, maternage, etc. ont fait l'objet d'études approfondies. Le danger est, bien entendu, que tous ces termes, longuement examinés et répétés, finissent par acquérir une pseudo-réalité, et « leadership », construction intellectuelle, devient finalement le « Leadership », quantité mesurable de l'esprit humain, lui-même conçu comme un phénomène isolé. Une fois le terme ainsi réifié, on perd de vue qu'il n'est qu'une expression raccourcie pour désigner une forme particulière de relation en cours.

Tout enfant apprend à l'école que le mouvement est relatif; il ne peut être perçu que par rapport à un point de repère. Ce qu'on ne saisit pas toujours, c'est qu'il en va de même pour pratiquement toute perception, et donc pour l'expérience que fait l'homme de la réalité.

1. W. Ross Ashby, *An Introduction to Cybernetics*, Chapman and Hall, Ltd, Londres, 1956

2. Gregory Bateson, communication personnelle.

Les recherches sur l'activité sensorielle et cérébrale ont prouvé de manière décisive qu'on ne peut percevoir que des relations et des modèles de relations, et c'est là l'essence même de l'expérience. Ainsi la perception visuelle nette n'est plus possible si un dispositif ingénieux interdit les mouvements oculaires, de sorte que c'est toujours la même image qui est perçue par les mêmes points de la rétine. De même, il est difficile de percevoir un son continu et non-modulé, à la limite on peut même ne plus y faire attention. Ou bien encore, si l'on veut explorer la dureté et la texture d'une surface, il ne suffit pas de poser le doigt sur cette surface, il faut l'y déplacer; si le doigt reste immobile, il ne transmet aucune information utilisable, sauf peut-être une sensation de température, qui elle-même provient de la différence relative de température entre l'objet et le doigt. On pourrait aisément multiplier les exemples. Tous tendraient à prouver que d'une manière ou d'une autre, un processus de changement, de mouvement ou d'exploration intervient dans toute perception [1]. En d'autres termes, on établit une relation, on la met à l'épreuve dans des registres aussi étendus que possible, et on en tire finalement une idée abstraite, que nous tenons pour identique au concept mathématique de fonction. Ainsi, ce ne sont pas des « choses », mais des fonctions qui constituent l'essence de nos perceptions, et des fonctions, nous l'avons vu, ne sont pas des grandeurs isolées, mais « des signes pour exprimer une combinaison... une infinité de situations possibles de même caractère... » S'il en est bien ainsi, on ne doit pas trouver étonnant que même cette conscience que l'homme a de lui-même soit essentiellement conscience de fonctions, de relations dans lesquelles il est engagé, quelle que soit la manière dont par la suite il pourra réifier cette conscience. Entre parenthèses, tous ces faits, depuis les troubles sensoriels jusqu'aux problèmes de la conscience de soi, sont confirmés par les travaux, maintenant très nombreux, qui ont été effectués sur la privation sensorielle.

1. Jurgen Ruesch et Gregory Bateson, *Communication : The Social Matrix o Psychiatry*, Norton and Company, New York, 1951, p. 173.

1 - 3

INFORMATION ET RÉTROACTION (« FEEDBACK »)

En introduisant une théorie psychodynamique du comportement humain, Freud a rompu avec un certain nombre des réifications de la psychologie traditionnelle. Il est inutile que nous insistions sur l'importance de son œuvre. Il y a toutefois un aspect de cette œuvre qui concerne plus particulièrement notre sujet.

La théorie psychanalytique est fondée sur un modèle conceptuel qui était en harmonie avec l'épistémologie en vigueur au moment où elle a été formulée. Elle postule que le comportement est essentiellement le résultat de l'interaction supposée de forces intrapsychiques dont on pense qu'elles suivent étroitement les lois de la conservation et de la transformation de l'énergie en physique. Norbert Wiener [1], parlant de cette époque, dit que « le matérialisme semblait avoir fixé sa propre grammaire, et cette grammaire était dominée par le concept d'énergie ». Dans l'ensemble, la psychanalyse classique est restée avant tout une théorie des processus intrapsychiques, si bien que là où l'interaction avec des forces extérieures était évidente, elle a été considérée malgré tout comme secondaire; ce qu'on peut voir par exemple dans le concept de « bénéfice secondaire [2] ». Dans l'ensemble, la recherche psychanalytique a négligé l'étude de l'interdépendance de l'individu et de son milieu, or c'est en ce point précis que le concept d'*échange d'information*, autrement dit de communication, devient indispensable. Il y a une différence capitale entre le modèle psychodynamique (ou psychanalytique) et toute forme de conceptualisation de l'interaction entre un organisme et son milieu. L'analogie suivante [3] fera peut-être mieux comprendre cette différence. Si en marchant, on

1. Norbert Wiener, « Time, communication and the nervous system », in R. W. Miner, *Teleological Mechanisms*, Annals of the New York Academy of Sciences, vol. 50, art. 4, p. 197-219, 1947.

2. Ceux que l'on appelle les « néo-freudiens » ont, il est vrai, placé bien davantage l'accent sur l'interaction de l'individu et de son milieu.

3. Gregory Bateson, « The Group Dynamics of Schizophrenia », in Lawrence Appleby, Jordan M. Scher et John Cumming, eds. *Chronic Schizophrenia. Exploration in Theory and Treatment*, The Free Press, Glencoe, Illinois, 1960, p. 90-105.

heurte du pied un caillou, l'énergie se transmet du pied à la pierre; celle-ci va se déplacer et finira par s'immobiliser dans une position qui sera entièrement déterminée par des facteurs comme la quantité d'énergie transmise, la forme et le poids du caillou et la nature de la surface sur laquelle il roule. Mais si on donne un coup de pied à un chien, le chien peut bondir et mordre. Dans ce cas, la relation entre le coup de pied et la morsure est d'un ordre très différent. Il est évident que le chien puise l'énergie nécessaire à sa réaction dans son propre métabolisme, et non dans le coup de pied. Ce qui est transmis, ce n'est donc plus de l'énergie, mais de l'information. En d'autres termes, le coup de pied est un segment de comportement qui communique quelque chose au chien, et il réagit à cette communication par un autre segment de comportement qui a valeur de communication. C'est en cela que réside la différence essentielle entre la psychodynamique freudienne et la théorie de la communication en tant que principes explicatifs du comportement humain. Elles appartiennent, comme on peut le voir, à des ordres différents de complexité. La première ne peut être élargie jusqu'à devenir théorie de la communication, et celle-ci ne peut être dérivée de la psychodynamique. Il y a entre elles une « coupure épistémologique ».

Ce glissement conceptuel de l'énergie à l'information, qui a permis le développement quasi vertigineux de la philosophie des sciences depuis la fin de la Seconde Guerre mondiale, a eu un retentissement particulier sur notre connaissance de l'homme. Comprendre qu'une information sur un « effet », si elle est convenablement renvoyée à « l'effecteur », lui assurera stabilité et adaptation à une modification de son milieu, a ouvert la voie à la construction de machines plus complexes (comme les machines à contrôle des erreurs et les engins finalisés), et a conduit à voir dans la cybernétique une nouvelle épistémologie. Mais cela a jeté aussi une vue entièrement neuve sur le fonctionnement des systèmes à action réciproque, systèmes très complexes que l'on rencontre en biologie, en psychologie, en sociologie, en économie, et dans bien d'autres domaines. Si, pour le moment du moins, il est difficile d'évaluer, même provisoirement, la portée de la cybernétique, par contre les principes sur lesquels elle se fonde sont d'une simplicité étonnante, et nous allons les passer brièvement en revue.

Tant que la science a eu pour objet des relations causales linéaires, univoques et progressives, des phénomènes fort importants sont restés à l'extérieur de l'immense territoire conquis par la science pendant les quatre derniers siècles. En simplifiant, sans doute abusivement, les choses, on pourrait dire que le commun dénominateur de ces phénomènes réside dans les concepts connexes de *croissance* et de *changement*. Pour inclure ces phénomènes dans une conception unifiée de l'univers, la science a dû, depuis les Grecs, avoir recours à des concepts dont la définition a varié mais qui étaient toujours obscurs et peu maniables. Ces concepts reposaient sur l'idée qu'un dessein préside à la suite des événements, et que le résultat final conditionne « d'une manière ou d'une autre » les étapes qui y mènent; ou bien, on englobait ces phénomènes dans un quelconque « vitalisme », et ils se trouvaient par là même exclus de la science. Ainsi il y a quelque deux millénaires, le décor était planté pour l'une des plus grandes controverses épistémologiques, toujours aussi aiguë de nos jours : la querelle du déterminisme et de la finalité. Pour en revenir à l'étude de l'homme, il est évident que la psychanalyse appartient à l'école déterministe, alors que la psychologie analytique de Jung, par exemple, repose dans une grande mesure sur l'hypothèse de l'existence en l'homme d'une « entéléchie » immanente.

L'avènement de la cybernétique a tout changé en montrant comment ces deux principes pouvaient coexister dans un cadre plus large. C'est la découverte de la *rétroaction* (« feedback ») qui a rendu possible une telle conception des choses. Une chaîne d'événements dans laquelle A entraîne B, B entraîne C, C entraîne D, etc. aurait les propriétés d'un système linéaire déterministe. Mais si D renvoie à A, le système est circulaire, et fonctionne de manière totalement différente. Son comportement est en son fond analogue à celui de ces phénomènes qui avaient défié l'analyse en termes de déterminisme strictement linéaire.

On sait que la rétroaction peut être positive ou négative. Dans ce livre, nous parlerons plus souvent de rétroaction négative puisqu'elle caractérise l'homéostasie (ou état stable) et qu'elle joue donc un rôle important dans la réalisation et le maintien de relations stables. Par contre, la rétroaction positive conduit au changement, c'est-à-dire en un sens à la perte de la stabilité ou de l'équilibre. Dans les deux cas, une partie de ce qui sort (« output ») du système est réintroduit dans le système sous la forme d'une information sur ce qui en est sorti. La différence est que, dans le cas de la rétroaction négative, cette information a pour rôle de réduire l'écart de ce qui sort par rapport à une norme fixée ou déviation — d'où l'épithète de « négative » —, tandis que dans le cas de la rétroaction positive, la même information agit comme une mesure de l'amplification de la déviation de ce qui sort; elle est donc positive par rapport à l'orientation préexistante vers un point mort ou une rupture.

Dans le paragraphe 4-4, nous reviendrons plus longuement sur le concept d'homéostasie dans les relations humaines. Mais il nous faut dire clairement dès maintenant qu'il serait pour le moins prématuré et inexact de conclure un peu vite que la rétroaction négative est souhaitable, et que la rétroaction positive mène à une rupture. Ce que nous voulons souligner, c'est qu'on peut considérer comme des boucles de rétroaction les divers systèmes interpersonnels : groupes d'étrangers sans lien entre eux, couples, familles, relations psychothérapeutiques, et même relations internationales, puisque le comportement de l'un affecte celui de l'autre et est affecté par lui. Les entrées d'information (« input ») dans un tel système peuvent s'amplifier jusqu'à provoquer un changement, ou bien être contrecarrées pour maintenir la stabilité, selon que les mécanismes de rétroaction sont positifs ou négatifs. Les études de familles de schizophrènes ne laissent aucun doute : l'existence du malade est essentielle à la stabilité du système familial, et ce système réagit avec rapidité et efficacité à toute intervention, interne ou externe, visant à modifier son organisation. Bien sûr, nous ne dirons pas que ce soit un type de stabilité souhaitable. Puisque la vie se caractérise manifestement à la fois par la stabilité et le changement, les mécanismes de rétroaction négative et positive doivent y jouer un rôle sous des formes spécifiques d'interdépendance ou de complémentarité. Pribam [1] a montré récemment que la stabilité une fois acquise, tend à promouvoir de nouvelles formes de sensibilité, et que des mécanismes nouveaux se différencient pour y faire face. Ainsi, même dans un milieu relativement constant, la stabilité n'est pas un point-limite stérile; nous dirions plutôt, reprenant l'expression connue de Claude Bernard : « La stabilité du milieu interne est la condition de l'existence d'une vie libre. »

1. Karl H. Pribam, « Reinforcement revisited : A structural View » in M. Jones, ed., *Nebraska Symposium on Motivation*, 1963, University of Nebraska Press, Lincoln, 1963, p. 113-159.

On a dit très justement de la rétroaction qu'elle était le secret de l'activité naturelle. Les systèmes à rétroaction ne se distinguent pas seulement par un degré de complexité quantitativement plus élevé; ils sont également qualitativement différents de tout ce qui relève du domaine de la mécanique classique. Pour les étudier, il faut de nouveaux cadres conceptuels. Il y a une solution de continuité entre leur logique et leur épistémologie d'une part, et d'autre part certains dogmes traditionnels de l'analyse scientifique, par exemple la méthode de « l'isolement d'une variable », ou la conviction qui était celle de Laplace qu'une connaissance intégrale de tous les faits à un moment donné du temps permettrait de prévoir tous les états futurs. Les systèmes autorégulés, c'est-à-dire les systèmes à rétroaction, appellent une philosophie qui leur soit propre, philosophie dans laquelle les concepts de *modèle* (« pattern ») et d'*information* seraient aussi fondamentaux que ceux de matière et d'énergie au début du siècle. Pour le moment en tout cas, les recherches sur ces systèmes sont très entravées par l'absence d'un langage scientifique suffisamment élaboré pour permettre de les expliquer et quelqu'un comme Wieser, par exemple[1], a pu dire que ces systèmes étaient à eux-mêmes leur meilleure explication.

1 - 4

REDONDANCE

Si nous mettons en relief la solution de continuité entre la théorie des systèmes et les théories monadiques ou linéaires traditionnelles, il ne faut pas y voir pour autant la constatation d'une situation désespérée. Nous soulignons les difficultés conceptuelles pour bien faire sentir la nécessité de trouver de *nouvelles* méthodes, les cadres de référence traditionnels étant trop évidemment inadéquats. Cette recherche nous amène à constater qu'il y a eu des progrès dans des domaines qui sont en rapport direct avec l'étude de la communication

1. Wolfgang Wieser, *Organismen, Strukturen, Maschinen* (Organismes, structures, machines), Fischer Bücherei, Francfort-sur-le-Main, 1959, p. 167.

humaine. Ces isomorphies sont au centre de notre réflexion dans ce chapitre. L'homéostat d'Ashby [1] en est un excellent exemple; nous allons donc en parler, au moins brièvement.

L'homéostat est un dispositif constitué de quatre sous-systèmes autorégulés et identiques, intégralement interconnectés. Si donc une perturbation se produit en l'un d'eux, elle affecte les autres qui à leur tour y réagissent. Ce qui signifie qu'aucun sous-système ne peut trouver son équilibre indépendamment des autres. Ashby a pu mettre en évidence un certain nombre de traits de « comportement » tout à fait remarquables de cette machine. Les circuits de l'homéostat sont très simples comparés au cerveau humain, ou même à d'autres machines fabriquées par l'homme, et pourtant ils sont capables de 390 625 combinaisons de paramètres, ou pour dire la même chose en termes plus anthropomorphiques, ils possèdent 390 625 attitudes adaptatives possibles face à une quelconque modification du milieu interne ou externe. L'homéostat parvient à la stabilité en parcourant au hasard toutes ses combinaisons possibles jusqu'à ce qu'il trouve la bonne configuration interne. Ce qui est identique au comportement du type « essais et erreurs » de nombreux organismes placés dans des conditions de *stress*. Dans le cas de l'homéostat, le temps nécessaire pour parvenir au résultat peut aller de quelques secondes à quelques heures. On comprend que pour des organismes vivants, dans la plupart des cas, ce laps de temps serait trop grand, et constituerait un sérieux handicap à leur survie. Ashby pousse cette pensée à ses extrémités logiques quand il écrit :

> Si nous étions semblables aux homéostats, attendant sans bouger de recevoir d'un coup toute notre adaptation à la vie adulte, nous pourrions attendre longtemps. Mais le petit enfant n'attend pas longtemps; au contraire, la probabilité qu'il atteigne sa pleine adaptation à la vie adulte avant vingt ans est voisine de l'unité [2].

Il poursuit en disant que dans les systèmes naturels se réalise une certaine conservation de l'adaptation. Ce qui signifie que les adaptations anciennes ne sont pas détruites quand on en trouve de nouvelles, et qu'il n'est pas nécessaire de tout recommencer à chaque fois, comme si toute solution antérieure était nulle et non avenue.

1. W. Ross Ashby, *Design for a brain*, John Wiley and Sons, New York, 1954, p. 93 sq.
2. Id., *op. cit.*, p. 136.

Quel rapport tout cela a-t-il avec la pragmatique de la communication humaine? Les réflexions suivantes vont permettre de le comprendre. Dans l'homéostat, l'une quelconque des 390 625 configurations internes comporte à tout moment une probabilité égale d'apparaître grâce à l'action réciproque des quatre sous-systèmes. L'apparition d'une configuration donnée est donc rigoureusement sans lien avec l'apparition de la configuration suivante, ou d'une séquence de configurations. Une suite d'événements dans laquelle chaque élément possède, à tout moment, une chance égale d'apparaître est dite aléatoire. On n'en peut tirer aucune conclusion, ni aucune prévision pour la suite future des événements. Ce qui est une autre manière de dire qu'elle ne transmet aucune information. Mais si un système comme l'homéostat se trouve doté de la possibilité de stocker des adaptations antérieures pour s'en servir éventuellement plus tard, la probabilité propre aux séquences des configurations internes va subir une modification radicale : certains groupements de configurations seront répétitifs et donc plus probables que d'autres. Remarquons à ce propos qu'il n'est pas besoin de conférer un sens à ces groupements; leur existence est à eux-mêmes leur meilleure explication. Une suite du type que nous venons de décrire est l'un des concepts les plus fondamentaux de la théorie de l'information, on l'appelle *processus stochastique*. Un processus stochastique renvoie donc aux lois propres à une séquence de symboles ou d'événements, qu'il s'agisse d'une séquence très simple — la succession des boules blanches et des boules noires tirées d'une urne —, ou d'une séquence très complexe : les modèles spécifiques de tonalité et d'orchestration utilisés par tel compositeur, les idiosyncrasies linguistiques du style de tel auteur, ou les indications diagnostiques très importantes que l'on peut lire sur le tracé d'un électro-encéphalogramme. Dans la théorie de l'information, on dira que les processus stochastiques manifestent une *redondance ou une contrainte* (« constraint »), termes que nous considérons comme interchangeables avec le concept de *modèle* (« pattern ») que nous avons largement utilisé précédemment. Au risque d'une excessive redondance, nous répéterons que ces modèles n'ont pas de sens explicatif ou symbolique, et n'en ont pas besoin. Ce qui, bien entendu, n'exclut pas la possibilité de les mettre en corrélation avec d'autres faits, comme nous l'avons noté pour l'électro-encéphalogramme et certains troubles pathologiques.

Le phénomène de la redondance a été abondamment étudié dans deux domaines de la communication humaine : la syntaxe et la sémantique. Rappelons ici que des hommes comme Shannon, Carnap et Bar-Hillel ont été des pionniers en ce domaine. On peut tirer au moins une conclusion de ces études : chacun de nous possède un savoir considérable sur les lois et la probabilité statistique inhérentes à la fois à la syntaxe et à la sémantique des communications humaines. Ce savoir est d'un type psychologique fort intéressant, car il échappe presque complètement à la conscience. Personne, si ce n'est peut-être un spécialiste de l'information, ne peut énoncer les probabilités séquentielles ou l'ordre de succession des lettres et des mots d'une langue donnée, et pourtant nous sommes tous capables de repérer et de corriger une faute d'impression, de remplacer un mot manquant, et d'irriter un bègue en finissant ses phrases à sa place. Mais la connaissance d'une langue et un savoir *sur* cette langue sont deux ordres de connaissance très différents. On peut se servir correctement et couramment de sa langue maternelle, sans posséder pour autant une connaissance de sa grammaire et de sa syntaxe, c'est-à-dire des *règles* qu'on observe en la parlant. Si on vient à apprendre une autre langue — sauf si c'est de manière empirique comme sa langue maternelle —, on doit aussi acquérir un savoir explicite *sur* les langues [1].

Pour en venir maintenant aux problèmes de la redondance, ou contrainte, dans la pragmatique de la communication humaine, on constate, en parcourant les ouvrages publiés, que très peu jusqu'ici ont été consacrés à ce sujet, notamment quand il s'agit de la pragmatique comme *interaction.* Nous voulons dire par là que la plupart des ouvrages existants se bornent à étudier principalement les effets de A sur B, mais ne voient pas que tous les actes de B influencent les actes suivants de A, et que A et B sont dans une large mesure influencés par le contexte où a lieu leur interaction et l'influencent en retour.

Comprendre que la redondance pragmatique est en son fond ana-

1. Le grand linguiste Benjamin Lee Whorf n'a cessé d'insister sur ce fait, par exemple dans l'article « Science et linguistique » : « Les linguistes *stricto sensu* ont compris depuis longtemps que l'aptitude à parler une langue couramment n'implique pas nécessairement une connaissance linguistique de celle-ci. En d'autres termes, la compréhension de ses phénomènes d'arrière plan, de son fonctionnement systématique et de sa structure : de même, l'habileté à jouer au billard ne confère ni n'exige aucune connaissance des lois de la mécanique. » (Benjamin Lee Whorf, « Science et linguistique », in *Linguistique et Anthropologie*, Denoël, 1969.)

logue à la redondance syntaxique et sémantique ne présente pas de difficultés particulières. Là aussi nous possédons un savoir considérable qui nous permet d'évaluer, d'influencer et de prévoir un comportement. A vrai dire, en ce domaine surtout nous sommes exposés à l'illogisme : un comportement privé de son contexte, ou qui paraît de manière quelconque aléatoire, ou bien qui manque de redondance, nous frappe immédiatement, et nous y voyons beaucoup plus d' « impropriété » que dans les fautes purement syntaxiques ou sémantiques de la communication. Et c'est pourtant dans ce domaine que notre ignorance est la plus grande des règles qui sont observées dans une bonne communication, et rompues dans une communication perturbée. Nous sommes continuellement atteints et mis en question par la communication. Comme nous l'avons dit précédemment, même la conscience que nous avons de nous-mêmes dépend de la communication. Ce que Hora [1] a exprimé avec force en disant : « Pour se comprendre soi-même, on a besoin d'être compris par l'autre. Pour être compris par l'autre, on a besoin de comprendre l'autre. » Mais si les règles de la grammaire, de la syntaxe, de la sémantique, etc., fondent la compréhension linguistique, quelles sont les règles de ce type de compréhension dont parle Hora? On s'aperçoit là aussi que nous les connaissons sans savoir que nous les connaissons. Nous sommes continuellement en train de communiquer, pourtant nous sommes presque totalement incapables de *communiquer sur la communication*, problème qui sera un thème majeur de ce livre.

La recherche d'un modèle est le fondement de toute investigation scientifique. Là où il y a modèle, il y a sens. Cette maxime épistémologique est valable aussi pour l'étude de l'interaction humaine. Une telle étude serait relativement facile s'il ne s'agissait que d'interroger des personnes engagées dans une interaction et d'apprendre ainsi de leur propre bouche les modèles qu'elles ont l'habitude de suivre, ou en d'autres termes les règles de comportement réciproque auxquelles elles obéissent. La technique des questionnaires en est une application banale. Mais quand on sait que ce que disent les gens ne peut être pris pour argent comptant — surtout dans les cas psychopathologiques — qu'on peut parfaitement *dire* une chose et *signifier*

1. Thomas Hora, « Tao, Zen and existential Psychotherapy », *Psychologia*, 2, 236-242, 1959.

autre chose, et qu'il y a, nous venons de le voir, des questions dont les réponses peuvent échapper complètement à la conscience, la nécessité de disposer de méthodes différentes devient alors évidente. On peut dire en gros que les règles de comportement et d'interaction que l'on adopte sont plus ou moins conscientes et présentent une analogie avec ce que Freud a avancé pour les lapsus et les erreurs :

1° on peut en être parfaitement conscient, auquel cas la méthode des questionnaires et d'autres techniques simples par questions et réponses est valable;

2° on peut ne pas en être conscient, mais être capable de les reconnaître si on vous les signale;

3° elles peuvent être si éloignées de la conscience que même une fois correctement définies et l'attention attirée sur elles, on n'en reste pas moins incapable de les voir. Bateson a affiné cette analogie avec les niveaux de conscience, et énoncé le problème dans les termes du cadre conceptuel que nous avons personnellement choisi :

> ... à mesure que nous gravissons les degrés de l'échelle de la connaissance, nous parvenons dans des régions dont le modèle est de plus en plus abstrait, et qui sont de moins en moins justiciables du regard de la conscience. A mesure que les prémisses sur lesquelles nous construisons nos modèles deviennent plus abstraites, c'est-à-dire plus générales et plus formelles, elles se trouvent plus profondément immergées dans la neurologie et la psychologie, et de moins en moins accessibles à une maîtrise consciente.
> L'*habitude* de la dépendance est beaucoup moins perceptible pour un individu que le fait qu'à un moment donné il a reçu une aide. Cela, il est capable de le reconnaître, mais il peut être extrêmement difficile pour lui de regarder en face consciemment le modèle suivant, beaucoup plus complexe, qui le conduit d'ordinaire à mordre le sein qui l'a nourri, après avoir recherché une aide [1].

Fort heureusement pour notre compréhension de l'interaction humaine, la situation est sensiblement différente pour un observateur extérieur. Il ressemble à quelqu'un qui regarde une partie d'échecs et qui n'en comprend ni les règles ni le but. Dans le cadre de ce modèle conceptuel, représentons, en simplifiant les choses, l'inconscience des « joueurs » de la vie réelle en imaginant que l'observateur ne parle ni ne comprend la langue des joueurs; il ne peut donc leur demander

1. Gregory Bateson, « Exchange of information about patterns of human behavior », communication lue au *Symposium on information storage and Neural control*, Houston, Texas, 1962.

des explications. Assez vite, l'observateur va comprendre que le comportement des joueurs laisse apparaître une certaine répétitivité, une redondance, dont il pourra essayer de tirer des conclusions. Il pourra remarquer, par exemple, que la plupart du temps un coup de l'un des joueurs est suivi d'un coup de l'autre joueur. Il pourra donc en déduire sans peine que les joueurs suivent une règle d'alternance des coups. Les règles qui régissent le déplacement des pièces ne peuvent s'inférer aussi facilement, d'une part parce que ces déplacements sont complexes, d'autre part parce que la fréquence du déplacement de chaque pièce est très variable. Il sera plus facile, par exemple, d'inférer la règle qui préside aux déplacements du fou que celle d'une manœuvre aussi rare et inhabituelle que le roque, qui peut ne jamais avoir lieu au cours d'une partie donnée. Il faut noter d'ailleurs que roquer suppose que le même joueur joue deux fois de suite, ce qui paraît infirmer la règle d'alternance. Cependant, la redondance beaucoup plus marquée de l'alternance prévaudra dans l'élaboration théorique que fait l'observateur sur la redondance moindre du roque. Même si cette apparente contradiction reste sans solution, l'observateur n'est pas tenu pour autant d'abandonner les hypothèses jusque-là formulées. De ce que nous venons de dire, il ressort qu'après avoir observé une série de parties, l'observateur, selon toute probabilité, pourrait énoncer avec une précision suffisante les règles du jeu d'échecs, y compris le point final : échec et mat. Rappelons qu'il pourrait y arriver sans qu'il lui soit possible de demander des informations.

Cela signifie-t-il que l'observateur a « expliqué » le comportement des joueurs? Nous dirions plutôt qu'il a identifié un modèle complexe de redondances [1]. Si la pente de son esprit l'y portait, il pourrait naturellement conférer un *sens* à chaque pièce et à chaque règle du jeu. Il pourrait forger toute une mythologie compliquée à propos du jeu et de sa signification « profonde » ou « réelle », notamment des histoires fantaisistes sur l'origine de ce jeu, ce qu'on a d'ailleurs fait. Mais tout ceci est superflu pour comprendre le jeu lui-même,

1. Scheflen a fait une étude approfondie de modèles complexes de ce type, et de modèles de modèles, au niveau inter-personnel (dans une série d'entretiens psychothérapiques). Ses travaux, les premiers du genre, prouvent non seulement que de tels modèles existent, mais qu'ils sont de nature incroyablement répétitive et structurée. (Albert E. Scheflen, *Stream and Structure of communicational behavior*, Context analysis of a psychotherapy session, Behavional Studies Monograph, nº 1, Eastern Pennsylvania Psychiatric Institute, Philadelphie 1965.)

et une explication, ou une mythologie, de ce genre aurait autant de rapport avec les échecs que l'astrologie avec l'astronomie [1].

Un dernier exemple nous permettra de donner une unité à notre discussion de la redondance dans la pragmatique de la communication humaine. Comme le lecteur le sait peut-être, programmer un ordinateur consiste à ordonner un nombre relativement faible de règles spécifiques (ce qu'on appelle le programme); ces règles guident ensuite l'ordinateur et lui permettent d'effectuer un grand nombre d'opérations, très souples et conformes à des modèles. C'est exactement le contraire qui se passe lorsque, comme nous l'avons dit ci-dessus, on cherche à discerner la redondance dans l'interaction humaine. On commence par observer le système donné en action, et on tente ensuite de définir les règles qui président à son fonctionnement, nous dirions son « programme » par analogie avec notre ordinateur.

1-5

LA MÉTACOMMUNICATION ET LE CONCEPT DE CALCUL

L'ensemble des connaissances acquises par notre observateur supposé, étudiant la redondance pragmatique d'un comportement tel que « jouer aux échecs » fait apparaître une analogie évocatrice avec

1. Qu'il n'y ait pas de relation nécessaire entre le réel et l'explication qu'on en donne, c'est ce qu'illustre une expérience récente de Bavelas (Alex Bavelas, communication personnelle). On dit aux sujets qu'ils vont participer à une recherche expérimentale sur la « formation des concepts ». On donne à chacun la même fiche de carton gris, à propos de laquelle le sujet doit « forger des concepts ». Chaque couple de sujets est entendu séparément mais en même temps. A l'un, on affirme huit fois sur dix au hasard que ce qu'il dit à propos de cette fiche est juste. A l'autre, on affirme cinq fois sur dix au hasard que ce qu'il dit à propos de cette fiche est juste. Les idées exprimées par le sujet « récompensé » à 80 % sont restées d'un niveau simple. Par contre, le sujet « récompensé » à 50 % seulement a élaboré des théories complexes, subtiles et abstruses sur la fiche, prenant en considération les plus infimes détails de sa composition. On a mis en présence les deux sujets et on leur a demandé de discuter leurs observations. Le sujet dont les idées étaient les plus simples s'est immédiatement laissé prendre au « brillant » des concepts de l'autre sujet, et a reconnu qu'il avait fait une analyse exacte de la fiche.

le concept mathématique de *calcul*. Selon Boole [1], un calcul est une « méthode fondée sur l'emploi de symboles, dont les lois de combinaison sont connues et générales, et dont les résultats permettent une interprétation cohérente ». Nous avons déjà laissé entendre qu'on peut concevoir une représentation formelle analogue de la communication humaine, mais nous avons mis aussi en évidence quelques unes des difficultés d'un discours *sur* ce calcul. Quand les mathématiciens ne se servent plus des mathématiques comme d'un outil, mais font de cet outil lui-même l'objet de leur étude, ce qu'ils font, par exemple, en mettant en question la consistance de l'arithmétique comme système, ils utilisent un langage qui n'est plus une partie des mathématiques, mais un discours *sur* les mathématiques. Selon l'expression de David Hilbert [2], on appelle ce langage « métamathématique ». La structure formelle des mathématiques est un calcul; la métamathématique, c'est ce calcul rendu manifeste. Nagel et Newman ont exprimé avec une parfaite clarté la différence qui sépare ces deux concepts :

> On ne soulignera jamais trop combien il importe à notre propos de distinguer mathématiques et métamathématique. *Ne pas tenir compte de cette distinction a été la source de paradoxes et de confusion.* Reconnaître sa portée a permis de mettre en pleine lumière la structure logique du raisonnement mathématique. Cette distinction a le mérite d'obliger à une codification minutieuse des divers signes qui entrent dans l'élaboration d'un calcul formel, en le libérant des hypothèses cachées et des *associations de sens non-pertinentes*. Elle nécessite par ailleurs des définitions exactes des opérations et des règles logiques de la construction et de la déduction mathématiques, que beaucoup de mathématiciens *avaient appliquées sans être expressément conscients de ce dont ils se servaient* [3]. *(C'est nous qui soulignons.)*

Lorsque nous ne nous servons plus de la communication pour communiquer, mais pour communiquer *sur* la communication, ce qui est absolument nécessaire dans des recherches concernant la communication, nous avons recours à des conceptualisations qui

1. George Boole, *Mathematical Analysis of Logic; being an essay towards a calculus of deductive reasoning*, Macmillan, Barclay and Macmillan, 1847, Cambridge, p. 4.
2. David Hilbert et Paul Bernays, *Grundlagen der Mathematik* (Fondements des mathématiques), 2 vol., J. Springer Verlag, Berlin, 1934-39.
3. Ernst Nagel et James R. Newman, *Gödel's Proof*, New York University Press, New York, 1958, p. 32.

ne sont pas une partie de la communication mais un discours *sur* la communication. Par analogie avec la métamathématique, nous parlerons de métacommunication. Par comparaison avec la métamathématique, les recherches sur la métacommunication souffrent d'une double infériorité significative. La première, c'est que dans le domaine de la communication humaine, il n'existe rien de comparable, pour le moment, au système formel d'un calcul. Comme nous le verrons, cette difficulté n'est pas une raison d'écarter un concept commode. La deuxième difficulté est étroitement liée à la première : les mathématiciens, eux, possèdent deux langages (les nombres et les symboles algébriques en mathématique, et le langage naturel pour parler de la métamathématique); nous, nous nous trouvons presque exclusivement limités au langage naturel pour véhiculer à la fois communication et métacommunication. Ce problème ne cessera de se poser tout au long de notre réflexion.

Dans ces conditions, la notion d'un calcul de la communication humaine a-t-elle une utilité, si, de l'aveu général, la spécificité d'un tel calcul relève d'un lointain avenir? A notre avis, son utilité dans l'immédiat tient à ce que cette notion elle-même fournit un bon modèle de la nature et du degré d'abstraction des phénomènes que nous désirons identifier. Reprenons : nous cherchons à étudier des redondances pragmatiques; nous savons qu'elles ne peuvent être des grandeurs ou des qualités simples et statiques, mais des modèles d'interaction analogues au concept mathématique de fonction; enfin nous nous attendons à ce que ces modèles aient les caractéristiques qui appartiennent généralement aux systèmes à contrôle des erreurs et aux systèmes finalisés. Si donc, en possession de ces prémisses, nous examinons soigneusement des chaînes de communication entre deux ou plusieurs personnes, nous obtiendrons certains résultats qui, sans doute, ne pourront prétendre pour le moment constituer un système formel, mais qui seront analogues aux axiomes et théorèmes d'un calcul.

Dans l'ouvrage que nous avons cité, Nagel et Newman décrivent l'analogie qu'on peut établir entre un jeu comme les échecs et un calcul mathématique formalisé. Ils montrent que :

> les pièces et les cases de l'échiquier correspondent aux signes élémentaires du calcul; les positions réglementaires des pièces sur l'échiquier, aux formules du calcul; les positions de départ des pièces, aux axiomes et aux for-

mules de départ du calcul; les positions ultérieures des pièces, aux formules dérivées des axiomes (c'est-à-dire aux théorèmes); et les règles du jeu, aux règles d'inférence (ou de dérivation) utilisées dans le calcul [1].

Ils poursuivent en montrant que les configurations des pièces sur l'échiquier sont « dénuées de sens » comme telles, alors que les énoncés *sur* ces configurations sont, eux, lourds de sens. Les auteurs décrivent ainsi les énoncés formulés à ce niveau d'abstraction :

> ... On peut établir des théorèmes généraux des « méta-échecs » dont la preuve ne comporte qu'un nombre fini de configurations permises sur l'échiquier. On peut établir de cette manière le théorème de « méta-échecs » concernant le nombre de traits d'ouverture possibles des Blancs; on peut établir de la même manière le théorème de « méta-échecs » selon lequel si les Blancs n'ont que deux cavaliers et le roi, et les Noirs uniquement le roi, il est impossible que les Blancs forcent mat les Noirs [2].

Nous nous sommes étendus sur cette analogie parce qu'elle fournit une bonne illustration du concept de calcul, non seulement en métamathématique mais en métacommunication. Car si nous élargissons cette analogie de manière à y inclure les deux joueurs, nous n'étudions plus un jeu abstrait, mais des séquences d'interaction humaine, rigoureusement régies par un ensemble complexe de règles. La seule différence est que nous emploierions de préférence l'expression « formellement indécidable » plutôt que « dénué de sens » pour désigner un segment isolé de comportement (un « coup » dans l'analogie avec le jeu d'échecs). Un tel segment de comportement, *a*, peut être causé par une augmentation de salaire, le complexe d'Œdipe, l'alcool ou une averse de grêle, et toute discussion concernant les motifs qui sont « réellement » en cause a toute chance de ressembler à une querelle byzantine sur le sexe des anges. En attendant que l'esprit humain soit accessible à un examen de l'extérieur, déductions et témoignages personnels sont tout ce que nous possédons, et l'on sait que l'on ne peut se fier ni aux unes ni aux autres. Toutefois, si l'on remarque que, dans une communication, le comportement *a* de l'un des partenaires — quels que soient ses « motifs » — suscite en réponse le comportement *b*, *c*, *d* ou *e* de l'autre, mais exclut par contre absolument le comportement *x*, *y* et *z*, il devient possible de formuler un théorème de métacommunication. Ce que nous voulons

1. Ernst Nagel et James R. Newman, *op. cit.*, p. 35.
2. Id., *ibid.*

dire, c'est que toute interaction peut être définie par analogie avec un jeu, c'est-à-dire comme une succession de « coups » régis par des règles rigoureuses; il est indifférent de savoir si ceux qui communiquent ont ou non conscience de ces règles, mais à propos de ces règles, on peut formuler des énoncés qui ont un sens *du point de vue de la métacommunication.* Ce qui voudrait dire, comme nous l'avons avancé au § 1-4, qu'il existe un calcul de la pragmatique de la communication humaine, calcul jusqu'à présent non interprété, dont les règles sont observées dans une bonne communication, et rompues dans une communication perturbée. En l'état actuel de nos connaissances, l'existence d'un tel calcul peut être comparée à une étoile dont l'astronomie a établi l'existence et défini la position théorique, mais que les observatoires n'ont pas encore découverte.

1 - 6

CONCLUSIONS

Si l'on aborde la communication humaine en ayant présents à l'esprit les critères dont nous venons de parler, plusieurs modifications conceptuelles s'imposent. Nous allons les passer brièvement en revue dans le contexte de la psychopathologie. Nous ne voulons pas dire par là que la psychopathologie soit le seul champ de validité de ces questions, mais seulement qu'à notre avis, elles ont une pertinence et une évidence particulières en ce domaine.

1 - 61. *Le concept de « boîte noire »*

Seuls des penseurs particulièrement extrémistes nient l'existence de l'esprit, mais les recherches sur les faits psychiques sont rendues terriblement difficiles par l'absence d'un point fixe situé hors de l'esprit; tous les chercheurs en ce domaine en ont fait la pénible expérience. Plus qu'aucune autre, psychologie et psychiatrie sont en fin de compte des disciplines réflexives : sujet et objet sont identiques, l'esprit s'étudie lui-même, et toute hypothèse court le risque d'une autovalidation. L'impossibilité où nous sommes de voir l'esprit « en action » a conduit récemment à adopter le concept de « boîte noire », tiré du domaine des télécommunications. A l'origine, ce concept a désigné certains types d'appareils électroniques pris à l'ennemi et qu'on ne pouvait ouvrir pour les étudier dans la crainte qu'ils ne renferment des explosifs; plus généralement ce concept s'applique au *hardware* électronique, devenu si complexe qu'il peut être plus commode de laisser de côté l'étude de la structure interne d'une machine pour se concentrer sur les relations spécifiques existant entre l'information introduite dans la machine et celle qui en sort. S'il reste vrai que ces relations permettent de tirer des conclusions sur ce qui se passe « réellement » à l'intérieur de la machine, cette connaissance n'est pas essentielle pour comprendre *sa fonction dans le système plus vaste dont elle fait partie.* Ce concept transposé en psychologie et en psychiatrie présente une utilité heuristique; il n'est pas besoin en effet d'avoir recours à des hypothèses intra-psychiques, en fin de compte invérifiables, et on peut se borner à observer les relations entre les entrées (« input ») et les sorties (« output ») d'information, autrement dit à la *communication.* Cette approche caractérise, nous semble-t-il, une orientation importante et récente de la psychiatrie; les symptômes sont considérés comme une sorte d'entrée d'informations dans le système familial, et non comme l'expression d'un conflit intra-psychique.

1 - 62. *Conscience et inconscient*

Si l'on choisit d'observer le comportement humain en se servant du concept de « boîte noire », les sorties d'information d'une « boîte noire » seront considérées comme des entrées d'information pour une autre « boîte noire ». Se demander si un tel échange d'information est conscient ou inconscient perd l'importance capitale que prend cette question dans un cadre psychodynamique. Nous ne voulons pas dire par là qu'en présence de réactions à un segment spécifique de comportement, cela n'a aucune importance d'y voir un comportement conscient ou inconscient, volontaire ou involontaire, ou symptomatique. Si l'on me marche sur le pied, cela importe beaucoup que le comportement d'autrui soit délibéré ou involontaire. Mais l'importance que j'y accorde se fonde sur l'estimation que je peux faire des motifs d'autrui, donc sur des hypothèses concernant ce qui se passe dans son esprit. Et si je pouvais interroger autrui sur ses motifs, je n'aurais pas pour autant de certitude, car il pourrait prétendre que son comportement était inconscient, alors qu'il l'a fait exprès, ou même prétendre que son comportement était délibéré, alors qu'il était en réalité accidentel. Tout ceci nous ramène à la question du « sens », notion essentielle à l'expérience subjective de la communication avec autrui, mais cette question nous est apparue objectivement indécidable dans le cadre que nous avons choisi : les recherches sur la communication humaine.

1 - 63. *Présent et passé*

Le comportement est sans doute déterminé, au moins partiellement, par l'expérience antérieure, mais on sait combien il est aventureux de rechercher ses causes dans le passé. Nous avons mentionné plus haut (§ 1-2) les observations d'Ashby sur les particularités que présente la « mémoire », construction intellectuelle. Non seulement cette notion est essentiellement fondée sur des preuves subjectives, ce qui l'expose à subir cette distorsion même que l'investigation est censée supprimer, mais tout ce que A dit à B de son passé est étroitement lié à la relation actuellement en cours entre A et B et déterminé par elle. Si par contre on étudie directement la communication d'un individu avec les membres de son entourage (ce que nous avons suggéré par notre analogie avec le jeu d'échecs, et ce qu'on fait dans la psychothérapie conjugale ou familiale), on peut arriver à identifier des modèles de communication qui ont une valeur diagnostique et qui permettent de mettre au point une stratégie d'intervention thérapeutique aussi appropriée que possible. Ce mode d'approche est donc la recherche d'un modèle *hic et nunc*, plus que la recherche d'un sens symbolique, de motivations, ou de causes tirées du passé.

1 - 64. *Effet et cause*

Vues sous cet angle, les causes possibles ou supposées d'un comportement n'ont qu'une importance secondaire, mais par contre l'effet de ce comportement dans l'interaction d'individus étroitement liés, devient un critère d'une importance primordiale. Par exemple, on constate bien souvent qu'un symptôme, jusque-là réfractaire à la psychothérapie en dépit d'une analyse serrée de sa genèse, laisse percer brusquement sa signification si on le replace dans le contexte de l'interaction conjugale actuellement en cours entre un individu et son conjoint. Le symptôme apparaîtra alors comme une redondance comme une règle de ce « jeu »[1] spécifique qui caractérise leur interaction, et non comme le résultat d'un conflit non résolu entre des forces intra-psychiques supposées. D'une manière générale, nous estimons qu'un symptôme est un segment de comportement qui a de profonds retentissements parce qu'il influence l'entourage du patient. On peut formuler ici une règle empirique : quand la *cause* d'un segment de comportement demeure obscure, questionner sa *finalité* peut néanmoins fournir une réponse valable.

1 - 65. *Circularité des modèles de communication*

Toutes les parties de l'organisme constituent un cercle. Chaque partie est donc à la fois commencement et fin. Hippocrate

Si pour des chaînes causales linéaires et progressives, parler de commencement et de fin à un sens, ces termes pour des systèmes à rétroaction sont dénués de sens. Un cercle n'a ni commencement ni fin. Des systèmes de ce type obligent à abandonner l'idée qu'un événement *a* est premier et qu'un événement *b* est déterminé par l'existence de *a*, car ce vice de raisonnement pourrait amener à prétendre que l'événement *b* précède *a*, selon le point, arbitraire, où l'on

1. Nous ne saurions trop insister sur le fait que le terme de « jeu » ne doit pas être entendu ici en un sens ludique, mais tire son origine de la théorie des jeux en mathématiques, et renvoie à des séquences de comportement régies par des règles.

choisirait de rompre la continuité du cercle. Mais, comme nous le montrerons dans le chapitre suivant, les êtres humains engagés dans une interaction ont constamment recours à ce vice de raisonnement : A et B prétendent tous deux qu'ils ne font que réagir au comportement de leur partenaire sans s'apercevoir qu'ils influencent à leur tour leur partenaire par leur propre réaction. On utilise le même type de raisonnement dans cette controverse sans issue : la communication entre les membres d'une famille est-elle pathologique parce que l'un d'eux est psychotique, ou bien l'un des membres de la famille est-il psychotique parce que la communication est pathologique?

1 - 66. *Relativité du « normal » et du « pathologique »*

Les toutes premières recherches en psychiatrie ont été faites dans des hôpitaux psychiatriques, et avaient un but nosographique. Cette méthode a eu plusieurs résultats pratiques, dont le moindre n'est pas la découverte de l'origine organique de certains états, comme la paralysie générale. L'étape suivante, d'ordre pratique, a été d'incorporer cette différenciation conceptuelle du normal et du pathologique dans la langue juridique, par exemple dans les expressions « sain d'esprit » et « aliéné mental ». Mais si l'on admet que, du point de vue de la communication, on ne peut comprendre un segment de comportement que dans le contexte où il se produit, les termes « sain d'esprit » et « aliéné » perdent pratiquement leur sens comme attributs d'un individu. De même, la notion de « pathologique » dans son ensemble devient contestable. En effet, on s'accorde maintenant à reconnaître que l'état d'un patient n'est pas immuable, mais qu'il varie en fonction de sa situation interpersonnelle, et en fonction aussi des présupposés de l'observateur. Par ailleurs, si l'on considère des symptômes psychiatriques comme constituant un comportement approprié à une interaction actuellement en cours, un cadre de référence apparaît qui est diamétralement opposé aux conceptions de la psychiatrie classique. L'importance de ce changement d'accent ne saurait être exagérée. Ainsi par exemple, la « schizophrénie » considérée comme la maladie incurable et progressive de l'esprit d'un individu est complètement différente de la « schizophrénie » considérée comme la *seule* réaction possible à un contexte où la communication est absurde et intenable (réaction qui obéit aux règles d'un tel contexte, et par suite les perpétue). Cependant la différence est dans l'incompatibilité de deux cadres conceptuels, le tableau clinique est le même dans les deux cas. Il y a également une opposition très marquée dans les implications étiologiques et thérapeutiques qui découlent de ces points de vue différents. Si donc nous nous sommes attachés à explorer et mettre en relief une conception fondée sur la communication, ce n'est pas de notre part un pur exercice théorique.

2

Propositions pour une axiomatique de la communication

2 - 1

INTRODUCTION

Les conclusions auxquelles nous sommes parvenus dans le chapitre premier ont surtout montré que bon nombre des notions psychiatriques traditionnelles étaient inapplicables au cadre que nous avons choisi. On pourrait alors se demander sur quoi nous pensons fonder une étude de la pragmatique de la communication humaine. Nous allons montrer maintenant que la question ne se pose pas en ces termes, mais pour ce faire, il nous faut partir de quelques propriétés simples de la communication dont les implications interpersonnelles sont fondamentales. On verra que ces propriétés jouent le rôle d'axiomes dans ce calcul de la communication humaine que nous avons supposé possible. Une fois ces axiomes définis, nous serons en mesure d'étudier dans le chapitre 3 les troubles pathologiques qu'ils peuvent virtuellement impliquer.

2 - 2

L'IMPOSSIBILITÉ DE NE PAS COMMUNIQUER

2 - 21.

Disons tout d'abord que le comportement possède une propriété on ne peut plus fondamentale, et qui de ce fait échappe souvent à l'attention : le comportement n'a pas de contraire. Autrement dit, il n'y a pas de « non-comportement », ou pour dire les choses encore plus simplement : on ne peut pas *ne pas* avoir de comportement. Or, si l'on admet que, dans une interaction [1], tout comportement a la valeur d'un message, c'est-à-dire qu'il est une communication, il suit qu'on ne peut pas *ne pas* communiquer, qu'on le veuille ou non. Activité ou inactivité, parole ou silence, tout a valeur de message. De tels comportements influencent les autres, et les autres, en retour, ne peuvent pas *ne pas* réagir à ces communications, et de ce fait eux-mêmes communiquer. Il faut bien comprendre que le seul fait de ne pas parler ou de ne pas prêter attention à autrui ne constitue pas une exception à ce que nous venons de dire. Un homme attablé dans un bar rempli de monde et qui regarde droit devant lui, un passager qui dans un avion reste assis dans son fauteuil les yeux fermés, communiquent tous deux un message : ils ne veulent parler à personne, et ne veulent pas qu'on leur adresse la parole; en général, leurs voisins « comprennent le message » et y réagissent normalement en les laissant tranquilles. Manifestement, il y a là un échange de communication, tout autant que dans une discussion animée [2].

On ne peut pas dire non plus qu'il n'y ait « communication »

1. On pourrait alléguer qu'il est possible de tenir, seul, des dialogues fantasmatiques, avec ses hallucinations, ou avec la vie (§ 8-3). Il est possible que cette « communication » intérieure suive certaines des règles qui régissent la communication interpersonnelle; mais de tels phénomènes, inobservables, se situent hors du champ de signification que nous attribuons à ce terme.

(Cf. Gregory Bateson, *Perceval's Narrative. A patient's account of his psychosis, 1830-32*, Stanford University Press, Stanford, 1961.)

2. Luft a mené des recherches très intéressantes dans ce domaine en étudiant ce qu'il appelle « privation de stimulus social ». Il a mis deux étrangers en présence dans une pièce, les faisant asseoir chacun à un bout de la pièce et leur a donné pour instruction « de ne parler ni communiquer en aucune manière ». Après l'expérience, les entretiens ont révélé le « stress » que représentait une telle situation. Citons l'auteur : «... il a devant lui l'autre dans son unicité, avec son comportement, même s'il est muet. Au point, c'est le postulat posé, qu'intervient une véritable mise à l'épreuve interpersonnelle, dont une partie seulement peut être consciente. Par exemple, comment l'autre réagit-il à sa présence et aux petits messages non-verbaux qu'il émet? Essaie-t-il de comprendre son regard interrogateur, ou bien l'ignore-t-il froidement? La posture de l'autre manifeste-t-elle des indices de tension, ce qui indiquerait une certaine angoisse en sa présence? Est-il de plus en plus à l'aise, ce qui pourrait vouloir dire qu'il l'accepte, ou bien l'autre va-t-il le traiter comme une chose sans existence propre? Tels sont, entre autres, les types de comportement facilement perceptibles à quoi donne lieu cette expérience... » Joseph Luft, *On non-verbal interaction*, communication présentée à la Western Psychological Association Convention, San Francisco, avril 1962.

que si elle est intentionnelle, consciente ou réussie, c'est-à-dire s'il y a compréhension mutuelle. Savoir s'il y a correspondance entre le message adressé et le message reçu appartient à un ordre d'analyse différent, quoique important, car il repose nécessairement en fin de compte sur l'estimation de données spécifiques, de l'ordre de l'introspection et du témoignage personnel, données que nous laissons délibérément de côté dans une théorie de la communication exposée du point de vue du comportement. Quant au problème du malentendu, étant donné certaines propriétés formelles de la communication, nous examinerons comment peuvent s'installer les troubles pathologiques qui y sont liés, indépendamment, et même en dépit, des motivations ou intentions des partenaires.

2 - 22.

Dans ce qui précède, nous avons employé le terme « communication » en deux sens : comme titre d'ensemble de notre étude, et comme mot servant à désigner une unité de comportement sans définition précise. Précisons donc maintenant. Nous continuerons à désigner l'aspect pragmatique de la théorie de la communication humaine en parlant simplement de « la communication ». Pour désigner les différentes unités de communication (ou de comportement), nous nous sommes efforcés de choisir des termes appartenant déjà à l'usage courant. Une unité de communication sera appelée *message* ou bien, là où la confusion n'est pas possible, *une* communication. Une série de messages échangés entre des individus sera appelée *interaction* (nous dirons seulement aux fanatiques d'une quantification précise que la séquence appelée « interaction » est plus grande qu'un seul message mais n'est pas infinie). Enfin dans les chapitres 4 à 7, nous introduirons l'expression *modèles d'interaction* pour désigner une unité de la communication humaine d'un degré encore plus complexe.

Par ailleurs, si l'on admet que tout comportement est communication, même pour l'unité la plus simple qui soit, il est évident qu'il ne s'agira pas d'un message monophonique; nous aurons affaire à un composé fluide et polyphonique de nombreux modes de comportement : verbal, tonal, postural, contextuel, etc., chacun d'eux spécifiant le sens des autres. Les divers éléments qui entrent dans ce composé (considéré comme un tout) sont passibles de permutations très variées et très complexes, allant de la congruence à l'incongruence et au paradoxe. L'effet pragmatique de ces combinaisons dans des situations interpersonnelles constitue l'objet de ce livre.

2 - 23.

L'impossibilité de ne pas communiquer n'a pas qu'un intérêt théorique. Cela fait partie intégrante du « dilemme » du schizophrène, par exemple. Si l'on observe le comportement d'un schizophrène, en mettant entre parenthèses les considérations étiologiques, on a l'impression qu'il cherche *à ne pas communiquer*. Mais non-sens, silence, retrait, immobilité (ou silence postural), ou toute autre forme de refus, étant encore une communication, le schizophrène se trouve aux prises avec le problème insoluble de dénier qu'il communique quoi que ce soit, et en même temps de dénier que son déni lui-même soit une communication. Comprendre ce dilemme fondamental de la schizophrénie est la clef de bien des aspects de la communication chez les schizophrènes, aspects qui autrement resteraient obscurs. Toute communication, nous le verrons, suppose un engagement et définit par là la manière dont l'émetteur voit sa relation au récepteur; on peut alors faire l'hypothèse que le schizophrène se comporte comme s'il voulait éviter cet engagement en ne communiquant pas. Que cela soit son intention, au sens causal du terme, il est bien entendu impossible de le prouver, mais que cela soit l'effet de son comportement, c'est ce que nous examinerons plus en détail au § 3-2.

2 - 24.

En résumé, formulons cet axiome de métacommunication dans la pragmatique de la communication : *On ne peut pas* ne pas *communiquer.*

2 - 3

NIVEAUX DE LA COMMUNICATION
CONTENU ET RELATION

2 - 31.

Dans ce qui précède, nous avons fait allusion à un autre axiome en disant que toute communication suppose un engagement et définit par suite la relation. C'est une autre manière de dire qu'une communication ne se borne pas à transmettre une information, mais induit en même temps un comportement. Selon des termes empruntés à Bateson [1], on dira que ces deux opérations représentent l'aspect « indice » et l'aspect « ordre » de toute communication. Bateson illustre ces deux aspects au moyen d'une analogie physiologique : soit A, B, C une chaîne linéaire de neurones. L'excitation du neurone B est à la fois un « indice » que le neurone A a été excité, et un « ordre » d'excitation pour le neurone C.

Un message sous son aspect d' « indice » transmet une information; dans la communication humaine, ce terme est donc synonyme de *contenu* du message. Il peut avoir pour objet tout ce qui est communicable; la question de savoir si telle information est vraie ou fausse, valable, non valable ou indécidable n'entrant pas en ligne de compte. L'aspect « ordre », par contre, désigne la manière dont on doit entendre le message, et donc en fin de compte la *relation* entre les partenaires. Dans ces énoncés au niveau de la relation, une ou plusieurs des assertions suivantes sont toujours en jeu : « C'est ains que je me vois... C'est ainsi que je vous vois... C'est ainsi que je vous vois me voir... », et ainsi de suite théoriquement à l'infini. Par exemple, des messages comme : « Veillez à desserrer l'embrayage progressivement et sans à-coups », et : « Vous n'avez qu'à laisser filer l'embrayage et la transmission sera fichue en un rien de temps », ont en gros le même contenu informatif (aspect « indice ») mais définissent visiblement des relations très différentes. Pour éviter tout malentendu,

1. Jurgen Ruesch et Gregory Bateson, *op. cit.*, p. 179-181.

disons tout de suite qu'il est rare que les relations soient expressément ou consciemment définies. Il semble en fait que plus une relation est spontanée et « saine », et plus l'aspect « relation » de la communication passe à l'arrière-plan. Inversement, des relations « malades » se caractérisent par un débat incessant sur la nature de la relation, et le « contenu » de la communication finit par perdre toute importance.

2 - 32.

Avant que les sciences du comportement ne commencent à s'interroger sur ces aspects de la communication humaine, les ingénieurs en informatique avaient rencontré dans leur travail le même problème, ce qui ne laisse pas d'être fort intéressant. Ils s'étaient aperçus que pour communiquer avec une machine, leurs communications devaient comporter ces deux aspects : « indice » et « ordre ». Si, par exemple, on demande à un ordinateur de multiplier deux chiffres, on doit introduire dans la machine cette information (les deux chiffres) *et* une information sur l'information; l'ordre « à multiplier ».

Or, ce qui nous importe ici, c'est la relation entre les deux aspects de la communication : contenu (« indice ») et relation (« ordre »). Nous l'avons déjà définie, pour l'essentiel, dans le paragraphe précédent en disant qu'un ordinateur nécessite une *information* (les données) et une *information sur l'information* (les instructions). Il est évident que les instructions appartiennent à un type logique plus complexe que les données; c'est une *méta-information*, puisque ce sont des informations *sur* une information; toute confusion entre ces deux ordres aboutirait à un résultat dénué de sens.

2 - 33.

Si nous revenons maintenant à la communication humaine, nous constatons qu'une relation semblable lie les aspects « indice » et « ordre » : le premier transmet les « données » de la communication, le second dit comment on doit comprendre celle-ci. Dire : « Ceci est un ordre », ou « je plaisantais », sont des exemples verbaux d'une telle communication sur la communication. La relation peut aussi s'exprimer de manière non verbale, par les cris, le sourire, et d'une infinité d'autres manières. La relation peut aussi se comprendre parfaitement en fonction du contexte où s'effectue la communication, par exemple entre soldats en uniforme ou sur la piste d'un cirque.

Comme le lecteur l'aura remarqué, l'aspect « relation », communication sur une communication, est bien évidemment analogue au concept de métacommunication examiné dans le chapitre premier. Mais en ce point de notre réflexion, nous nous bornions au cadre conceptuel et au langage que doit employer tout analyste de la communication quand il communique sur la communication. On peut voir maintenant que chacun de nous, et non seulement un spécialiste, rencontre ce problème. L'aptitude à métacommuniquer de façon satisfaisante n'est pas seulement la condition *sine qua non* d'une bonne communication, elle a aussi des liens très étroits avec le vaste problème de la conscience de soi et d'autrui. Nous traiterons ce point plus en détail au § 3-3. Pour l'instant, et à titre d'exemple, nous voulons simplement montrer que, surtout dans la communication écrite, on peut composer des messages très ambigus au niveau de la métacommunication. Comme le note Cherry [1], la phrase : « Pensez-vous que ça ira comme ça ? » peut avoir des sens variés, selon le mot qu'il faut accentuer [2], indication que le langage écrit ne donne généralement pas. Citons un autre exemple : une affiche dans un restaurant disant : « Que les clients qui trouvent nos serveurs impolis voient plutôt le directeur », peut se comprendre, théoriquement du moins, de deux manières entièrement différentes. Des ambiguïtés de ce genre ne sont pas les seules complications possibles qui peuvent surgir de la structure en niveaux de toute communication ; pensons par exemple à un panneau disant : « Ne pas tenir compte de ce signal. » Comme nous le verrons dans le chapitre consacré à la communication paradoxale, des confusions et des contaminations entre ces deux niveaux — communication et métacommunication — peuvent conduire dans des impasses dont la structure est analogue à celle des célèbres paradoxes de la logique.

1. Colin Cherry, *On Human Communication*, Science éditions, New York, 1961, p. 120.

2. L'ambiguïté de la phrase anglaise est difficilement traduisible. Selon l'accentuation, on peut comprendre également : « Pensez-vous qu'un seul suffira ? » (*N.d.T.*).

2 - 34.

Pour le moment, bornons-nous à résumer ce qui précède en formulant un autre axiome de notre essai de calcul :

Toute communication présente deux aspects : le contenu et la relation, tels que le second englobe le premier et par suite est une métacommunication [1].

2 - 4

PONCTUATION DE LA SÉQUENCE DES FAITS

2 - 41.

Examinons maintenant une autre propriété fondamentale de la communication : l'interaction, ou échange de messages, entre les partenaires. Pour un observateur extérieur, *une série de communications peut être considérée comme une séquence ininterrompue d'échanges.* Toutefois, les partenaires introduisent toujours dans cette interaction ce que Bateson et Jackson, reprenant une expression de Whorf [2], ont appelé la « ponctuation de la séquence des faits ». Voici ce qu'ils disent :

Il est caractéristique que le psychologue behavioriste (« stimulus-réponse ») limite son attention à des séquences d'échange si brèves qu'il est possible de qualifier l'un des éléments du circuit « stimulus », un autre « renforcement », et « réponse » ce que fait le sujet entre les deux. A l'intérieur de la brève séquence ainsi découpée, il est possible de parler de la « psychologie » du sujet. Les séquences d'échange que nous examinons ici sont au contraire beaucoup plus longues, et possèdent par suite cette caractéristique que chaque élément de la séquence est en même temps stimulus, réponse et renforcement. Un élément donné du comportement de A est un stimulus dans la mesure où il est suivi d'un élément fourni par B, et celui-ci d'un autre élément fourni par A. Mais dans la mesure où l'élément propre

1. Nous avons choisi, quelque peu arbitrairement, de dire que la relation englobe, ou subsume, le contenu. En analyse logique, il est tout aussi exact de dire que la classe se définit par ses éléments, et donc que le contenu définit la relation. Comme notre intérêt ne se porte pas d'abord à l'échange d'information, mais à la pragmatique de la communication, nous utiliserons la première méthode.

2. Benjamin Lee Whorf, *op. cit.*

à A se trouve placé entre deux éléments fournis par B, c'est une réponse. De même, un élément propre à A est un renforcement dans la mesure où il suit un élément fourni par B. Donc, les échanges ayant actuellement lieu, et que nous examinons ici, constituent une chaîne dont les maillons se chevauchent et forment des triades, chaque maillon pouvant être comparé à une séquence « stimulus-réponse-renforcement ». N'importe quelle triade de notre échange peut être considérée comme un essai isolé d'une expérience d'apprentissage selon la méthode « stimulus-réponse ».

Si nous considérons de ce point de vue les expériences d'apprentissage classiques, nous voyons immédiatement que la répétition des essais équivaut à une différenciation de la relation entre les deux organismes intéressés, l'expérimentateur et son sujet. La séquence des essais est ponctuée de telle manière que c'est toujours l'expérimentateur qui semble fournir les « stimuli » et les « renforcements », alors que le sujet donne les « réponses ». C'est à dessein que nous mettons ces mots entre guillemets parce que les rôles ne sont définis que par le consentement des organismes en question à admettre ce système de ponctuation. La « réalité » de la définition des rôles n'est pas d'un ordre différent de la réalité d'une chauve-souris sur une planche du Rorschach, produit plus ou moins surdéterminé du processus perceptif. Le rat qui dirait : « J'ai bien dressé mon expérimentateur. Chaque fois que j'appuie sur le levier, il me donne à manger », refuserait d'admettre la ponctuation de la séquence que l'expérimentateur cherche à lui imposer.

Il n'en demeure pas moins que, dans une longue séquence d'échange, les organismes intéressés, surtout s'il s'agit d'êtres humains, ponctueront de fait la séquence de manière que l'un ou l'autre paraîtra avoir l'initiative, ou la prééminence, ou un statut de dépendance, ou autres choses du même genre. Ce qui veut dire qu'ils établiront entre eux des modèles d'échange (sur lesquels ils peuvent être ou non d'accord), et ces modèles seront en réalité des règles régissant l'échange des rôles dans le renforcement. Si les rats ont l'obligeance de ne pas rectifier la désignation, certains malades mentaux n'en font pas autant et peuvent provoquer un traumatisme psychologique chez le thérapeute [1] !

La question n'est pas de savoir si la ponctuation de la séquence de communications est dans l'ensemble bonne ou mauvaise. C'est en effet une évidence indiscutable que la ponctuation *structure* les faits de comportement, et qu'elle est donc essentielle à la poursuite d'une interaction. Du point de vue culturel, nous avons en commun beaucoup de conventions de ponctuation. Elles ne sont ni plus ni moins exactes que d'autres manières de ponctuer les mêmes faits,

1. Gregory Bateson et Don D. Jackson , « Some varieties of pathogenic organization », *in* David Mck. Rioch, ed. *Disorders of Communication*, vol. 42. Research Publications, Association for research in nervous and mental disease, 1964, p. 270-283.

mais elles servent à structurer des séquences d'interaction à la fois banales et importantes. Nous disons par exemple que dans un groupe un individu se comporte en « leader », et un autre individu en « suiveur », mais à la réflexion, il est difficile de dire qui commence, et ce que deviendrait l'un sans l'autre.

2 - 42.

Le désaccord sur la manière de ponctuer la séquence des faits est à l'origine d'innombrables conflits qui portent sur la relation. Soit un couple aux prises avec un problème conjugal; le mari y contribue par son attitude de repli et sa passivité, tandis que la femme y contribue pour moitié par ses critiques hargneuses. En parlant de leurs frustrations, le mari dira que le repli est sa seule *défense contre* la hargne de sa femme; celle-ci qualifiera cette explication de distorsion grossière et délibérée de ce qui se passe « réellement » dans leur vie conjugale : elle le critique *en raison* de sa passivité. Dépouillés de leurs éléments passagers et fortuits, leurs affrontements se réduisent à un échange monotone de messages de ce genre : « Je me replie parce que tu te montres hargneuse » et « Je suis hargneuse parce que tu te replies ». Nous avons déjà parlé brièvement de ce type d'interaction au § 1-65. Si l'on donne une représentation graphique de l'interaction de ce couple, en choisissant arbitrairement un point de départ, on obtient à peu près ceci :

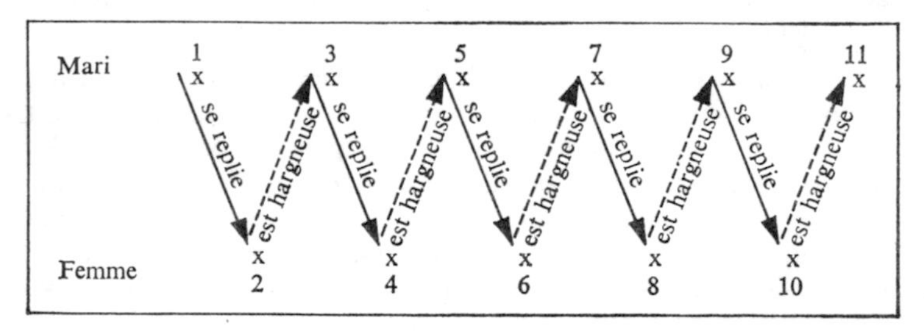

On peut constater que le mari ne perçoit que les triades 2-3-4, 4-5-6, 6-7-8, etc., où son comportement (flèches en traits pleins) « n'est qu' » une réponse à celui de sa femme (flèches en pointillés).

C'est exactement le contraire qui se passe pour la femme; elle ponctue la séquence des faits selon les triades 1-2-3, 3-4-5, 5-6-7, etc., et pense qu'elle ne fait que réagir au comportement de son mari, sans le déterminer. Dans la psychothérapie des couples, on est souvent frappé de l'intensité de ce que la psychothérapie traditionnelle appellerait « distorsion de la réalité » chez les deux partenaires. On a souvent peine à croire que deux êtres puissent avoir des opinions aussi divergentes sur de nombreux points d'une expérience commune. C'est que l'essentiel du problème se situe à un niveau dont nous avons déjà souvent parlé : leur incapacité à métacommuniquer sur leurs modèles respectifs d'interaction. Cette interaction est du type oscillatoire « oui-non-oui-non-oui », qui en théorie peut se poursuivre à l'infini, et s'accompagne presque toujours, nous le verrons plus loin, des accusations typiques de malignité ou de folie.

Les relations internationales, elles aussi, abondent en modèles d'interaction analogues; prenons par exemple l'analyse que fait C.E.M. Joad de la course aux armements :

> ... Si, comme on le soutient, la meilleure manière de préserver la paix est de préparer la guerre, on ne voit pas très bien pourquoi toutes les nations devraient considérer les armements des nations voisines comme une menace pour la paix. C'est pourtant ce qu'elles font, et elles sont poussées par suite à accroître leurs armements pour dépasser les armements par lesquels elles se croient menacées... Cet accroissement d'armements est à son tour considéré comme une menace par la nation A dont les armements, soi-disant défensifs, l'ont provoqué; la nation A utilise alors ce prétexte pour accumuler encore plus d'armements afin de se défendre contre cette menace. Mais cette masse accrue d'armements ne laisse pas d'être interprétée par les nations voisines comme une menace pour elles, et ainsi de suite [1]...

2 - 43.

Ici encore, les mathématiques nous fournissent une analogie descriptive : le concept de « suite infinie alternée ». Si ce terme lui-même est d'introduction assez récente, des suites de ce type ont été étudiées pour la première fois de manière logique et théorique par un prêtre autrichien, *Bernard Bolzano*, en 1848, peu de temps avant sa mort, époque à laquelle il aurait été absorbé par le problème de l'infini.

1. C. E. M. Joad, *Why war?*, Penguin Special, Harmondsworth, 1939, p. 69.

Ses pensées ont été publiées dans un petit livre posthume intitulé « Les Paradoxes de l'Infini [1] », devenu un classique de la littérature mathématique. Bolzano y étudie différents types de suites (S) dont la plus simple est sans doute la suivante :

$$S = a - a + a - a + a - a + a - a + a - a + a - \dots$$

Pour le sujet qui nous importe, nous pouvons considérer cette série comme représentant, du point de vue de la communication, une séquence d'affirmations et de dénégations du message *a*. Or, comme Bolzano l'a montré, on peut grouper — nous dirions ponctuer — une telle séquence de plusieurs façons, différentes mais arithmétiquement correctes [2]. Ce qui a pour résultat que la limite de la suite est différente selon la manière dont on choisit de ponctuer la séquence de ses éléments, résultat qui a plongé dans l'étonnement bien des mathématiciens, dont Leibnitz. Malheureusement, autant que nous pouvons en juger, la solution que Bolzano a finalement proposée de ce paradoxe n'est d'aucune aide pour sortir d'un dilemme analogue dans la communication. Dans ce dernier cas, comme le dit Bateson [3], le dilemme provient d'une ponctuation fallacieuse de la suite : faire semblant de croire qu'elle a un commencement; c'est en ce point précis que réside l'erreur des partenaires dans une situation de ce genre.

1. Bernard Bolzano, *Paradoxen des Unendlichen*, 2e édition Fr. Přihonsky, Mayer und Müller, Berlin, 1889.

2. Voici les trois groupements (ou « ponctuations ») possibles :

$$S = (a - a) + (a - a) + (a - a) + (a - a) + \dots$$
$$= 0 + 0 + 0 + \dots$$
$$= 0.$$

Il y aurait une autre manière de grouper les éléments de la séquence qui serait la suivante :

$$S = a - (a - a) - (a - a) - (a - a) - (a - a) - \dots$$
$$= a - 0 - 0 - 0 \dots$$
$$= a$$

Ou bien encore :

$$S = a - (a - a + a - a + a - a + a - \dots)$$

et puisque les éléments qui sont à l'intérieur de la parenthèse ne sont autres que la suite elle-même, il suit que :

$$S = a - S$$

Donc $2S = a$ et $S = \frac{a}{2}$ (*Bernard Bolzano, op. cit.*, p. 49-50).

3. Gregory Bateson, communication personnelle.

2 - 44.

Nous pouvons donc formuler un troisième axiome de métacommunication :

La nature d'une relation dépend de la ponctuation des séquences de communication entre les partenaires.

2 - 5

COMMUNICATION DIGITALE ET COMMUNICATION ANALOGIQUE

2 - 51.

Les unités fonctionnelles (ou neurones) du système nerveux central reçoivent ce qu'on appelle des « quanta » d'information par l'intermédiaire d'éléments de connexion (ou synapses). En arrivant aux synapses, ces « paquets » d'information induisent des potentiels post-synaptiques excitateurs ou inhibiteurs qui sont totalisés par le neurone et provoquent ou inhibent son excitation. On peut donc dire que cet aspect spécifique de l'activité des neurones — déclenchement ou non-déclenchement de l'excitation — transmet une information digitale binaire. Le système neurovégétatif, lui, n'est pas fondé sur une digitalisation de l'information. Ce système communique en envoyant dans la circulation des quantités discrètes de substances spécifiques. De plus, à l'intérieur de l'organisme, communications neuronique et humorale ne sont pas simplement juxtaposées, elles se complètent et dépendent l'une de l'autre, de manière souvent très complexe.

Ces deux modes fondamentaux de communication se rencontrent dans le fonctionnement des organismes artificiels, ou machines : certains ordinateurs fonctionnent selon le principe du « tout ou rien » des tubes à vide ou des transistors; on les appelle *digitaux*, parce qu'ils travaillent essentiellement avec des « digits » (ou « bits »[1]); mais il existe une autre catégorie de machines qui utilisent des grandeurs discrètes et positives — analogues des données — et qui pour cette raison sont appelées *analogiques*[2]. Dans les calculateurs digitaux, données et instructions sont traduites par des nombres, si bien que, pour les instructions surtout, la correspondance n'est souvent qu'arbitraire entre une information donnée et son expression digitale. Autrement dit, ces nombres sont des noms de code arbitrairement attribués et qui ont aussi peu de ressemblance avec les grandeurs réelles qu'un numéro de téléphone avec l'abonné correspondant. Par contre, nous l'avons déjà dit, le principe d'analogie est l'essence de tout calcul analogique. Dans le système neurovégétatif des organismes naturels, les porteurs de l'information sont certaines substances et leur concentration dans la circulation; de même, dans les calculateurs analogiques, les données se présentent sous la forme de quantités discrètes, et par suite toujours positives, par exemple l'intensité d'un courant électrique, le nombre de révolutions d'une roue, le degré de déplacement des composants, et autres choses de ce genre. Ce que l'on appelle un « maréomètre » (appareil constitué de cadrans, de dents et de leviers autrefois utilisé pour calculer les marées à n'importe quel moment) peut être considéré comme un calculateur analogique simple, et bien sûr, l'homéostat d'Ashby, dont nous avons parlé au chapitre 1, est le modèle d'une machine analogique, même si elle n'a rien à calculer.

1. Terme employé par les informaticiens, désignant une unité d'information dans le système de calcul binaire des ordinateurs (*N.d.T.*).

2. Chose assez intéressante à noter : il y a tout lieu de croire que les informaticiens sont parvenus à ce résultat de manière tout à fait indépendante, sans connaître ce que les physiologistes savaient déjà. Ce fait fournit une belle illustration du postulat de von Bertalanffy (An « Outline of General System Theory » — British Journal of the Philosophy of Science, 1 : 134-65, 1950), selon lequel les systèmes complexes ont une légalité inhérente que l'on peut retrouver à travers tous les niveaux systémiques : atomique, moléculaire, cellulaire, organismique, individuel, social, etc. On raconte que lors d'un colloque interdisciplinaire sur les phénomènes de rétroaction (sans doute l'une des rencontres de la Josiah Macy Foundation), on montra au grand histologiste von Bonin le graphique de montage d'un appareil de lecture sélective; il se serait aussitôt écrié : « Mais c'est exactement le tracé de la troisième couche du cortex visuel! » — Nous ne pouvons garantir l'authenticité de cette histoire, mais nous en dirons selon le proverbe italien : « Se non è vero, è ben trovato. »

2 - 52.

Dans la communication humaine, on peut désigner les objets, au sens le plus large du terme, de deux manières entièrement différentes. On peut les représenter par quelque chose qui leur ressemble, un dessin par exemple, ou bien on peut les désigner par un nom. Ainsi, dans la phrase (écrite) : « Le chat a attrapé la souris », on pourrait remplacer les noms par des images; dans la phrase parlée, on pourrait montrer du doigt le chat et la souris réels. Inutile de dire que ce mode de communication serait plutôt bizarre. Normalement, on se sert du « nom », écrit ou prononcé, c'est-à-dire du mot. Ces deux types de communication, une ressemblance dont l'explication se suffit à elle-même et un mot, sont bien entendu des équivalents des concepts de communication analogique, dans le premier cas, et digitale dans le second cas. Chaque fois qu'on se sert d'un mot pour *nommer* une chose, il est évident que la relation établie entre le nom et la chose nommée est arbitraire. Les mots sont des signes arbitraires que l'on utilise conformément à la syntaxe logique de la langue. Il n'y a aucune raison particulière pour que les quatre lettres « c, h, a, t » désignent un animal déterminé. Ce n'est en dernière analyse qu'une convention sémantique d'une langue donnée; en dehors de cette convention, il n'existe aucune autre corrélation entre un mot quelconque et la chose qu'il signifie, à une exception près, mais de peu d'importance : les onomatopées. Comme le font observer Bateson et Jackson [1] : « Il n'y a rien de particulièrement "quinquiforme" dans le nombre cinq; il n'y a rien de particulièrement " tabuliforme " dans le mot table ».

Par contre, dans la communication analogique, *il y a* bien quelque chose de particulièrement « chosiforme » dans ce dont on se sert pour exprimer cette chose. La communication analogique a des rapports plus directs avec ce qu'elle représente. L'exemple suivant rendra peut-être plus claire la différence entre ces deux modes de communication : on aura beau écouter une langue étrangère à la radio, on n'arrivera pas à la comprendre, alors qu'on peut déduire assez facile-

1. Gregory Bateson et Don D. Jackson, *op. cit.*, p. 217.

ment une information élémentaire de l'observation du langage par gestes et des mouvements servant à signaler une intention, même lorsqu'on a affaire à un individu d'une culture entièrement différente. Nous pensons que la communication analogique plonge ses racines dans des périodes beaucoup plus archaïques de l'évolution, et qu'elle a par suite une validité beaucoup plus générale que la communication digitale, verbale, relativement récente et bien plus abstraite.

Qu'est-ce donc que la communication analogique? La réponse est relativement simple : pratiquement toute communication non-verbale. Toutefois ce terme peut être trompeur; souvent en effet, on restreint son sens aux seuls mouvements corporels, au comportement connu sous le nom de kinesthésie. A notre avis, il faut y englober posture, gestuelle, mimique, inflexions de la voix, succession, rythme et intonation des mots, et toute autre manifestation non-verbale dont est susceptible l'organisme, ainsi que les indices ayant valeur de communication qui ne manquent jamais dans tout *contexte* qui est le théâtre d'une interaction [1].

2 - 53.

L'homme est le seul organisme capable d'utiliser ces deux modes de communication : digital et analogique [2]. On saisit encore très mal l'importance de ce fait, mais on ne saurait le surestimer. D'une part, il ne fait aucun doute que l'homme communique sur le mode digital. De fait, la plupart des œuvres de la civilisation, sinon toutes, seraient impensables si l'homme n'avait pas élaboré un langage digital. Ceci est d'une importance particulière pour l'échange d'information sur les *objets* et pour la transmission du savoir qui assure une liaison temporelle. Mais il existe par ailleurs tout un domaine où nous nous fions presque exclusivement à la communication analogique, et les

1. Dans l'analyse de la communication humaine, on a que trop tendance à négliger l'importance capitale du contexte pour la communication. Et pourtant celui qui se brosserait les dents dans une rue animée. et non dans sa salle de bains, pourrait être rapidement « embarqué » au poste de police ou dans un asile de fous; ceci à titre d'exemple des effets pragmatiques de la communication non-verbale.

2. Il y a tout lieu de croire que les baleines et les dauphins peuvent aussi se servir de la communication digitale, mais les recherches dans ce domaine ne sont pas encore concluantes.

modifications sont souvent minimes par rapport à l'héritage analogique que nous ont transmis nos ancêtres mammifères. C'est le domaine de la *relation.* En s'appuyant sur Tinbergen [1] et Lorenz [2], et sur les résultats de ses propres recherches, Bateson [3] a montré que chez les animaux, les vocalisations, les mouvements signalant une intention et les signes indicatifs de l'humeur étaient des communications analogiques par lesquelles ils définissaient la nature de leurs relations, au lieu de désigner par là des objets. Pour reprendre un des exemples qu'il donne, si j'ouvre le réfrigérateur et que le chat vienne se frotter contre mes jambes en miaulant, cela ne veut pas dire « Je voudrais du lait », ce que signifierait par là un être humain, mais renvoie à une relation spécifique : « Sois une mère pour moi », parce qu'un tel comportement ne s'observe que chez les chatons envers les chats adultes, mais jamais entre deux animaux adultes. Inversement, les amis des bêtes sont souvent convaincus que leur animal favori « comprend » ce qu'on lui dit. Inutile de préciser que ce que l'animal comprend, ce n'est pas le sens des mots, mais toute la richesse de communication analogique dont s'accompagnent les paroles. De fait, chaque fois que la relation est au centre de la communication, le langage digital est à peu près dénué de sens. Ce n'est pas seulement le cas entre animaux, et entre l'homme et l'animal, mais en de nombreuses circonstances de la vie humaine : faire la cour, aimer, aider, combattre, et naturellement s'occuper de très jeunes enfants ou de malades mentaux gravement perturbés. On a toujours prêté aux enfants, aux fous et aux animaux une intuition particulière de la sincérité ou de l'insincérité des attitudes humaines. Il est en effet facile de professer quelque chose verbalement, mais il est difficile de mentir dans le domaine analogique.

En résumé, si nous nous souvenons que toute communication a deux aspects : contenu et relation, nous pouvons nous attendre à voir non seulement coexister, mais se compléter, les deux modes de communication dans tout message. Selon toute probabilité, le contenu sera transmis sur le mode digital, alors que la relation sera essentiellement de nature analogique.

1. Nicolaas Tinbergen, *Social Behavior in Animals with special reference to Vertebrates,* Methuen, Londres, 1953.
2. Konrad Lorenz, *op. cit.*
3. Gregory Bateson, « A theory of Play and Fantasy », *Psychiatric Research Reports,* 2 : 39-51, 1955.

2 - 54.

C'est dans cette correspondance que réside l'importance pragmatique de certaines différences entre ces deux modes de communication, digital et analogique. C'est ce que nous allons examiner maintenant. Pour rendre ces différences plus claires, revenons à la communication digitale et analogique telle qu'elle se présente dans les systèmes artificiels.

Les possibilités, la précision et la souplesse de ces deux types de calculateurs — digital et analogique — sont extrêmement différentes. Les « analogies » utilisées dans les calculateurs analogiques au lieu et place des grandeurs réelles, ne sont jamais que des approximations des valeurs véritables; cette source permanente d'imprécision se trouve encore accrue dans le déroulement même des opérations du calculateur. Dents, engrenages et transmissions ne peuvent jamais atteindre la perfection. Même lorsque les machines analogiques dépendent entièrement d'intensités discrètes de courants électriques, de résistances électriques, de rhéostats, et autres choses de ce genre, ces mécanismes analogiques restent exposés à des variations pratiquement incontrôlables. Par contre, une machine digitale fonctionnerait avec une précision parfaite si l'espace pour stocker les « bits » n'était limité, ce qui oblige à arrondir les résultats qui ont plus de « bits » q ue la machine n'en peut contenir. Quiconque s'est servi d'une règle à calcul (excellent exemple de calculateur analogique) sait qu'on ne peut obtenir qu'un résultat approximatif, alors que n'importe quelle machine à calculer fournira un résultat exact, pourvu seulement que le nombre de chiffres requis n'excède pas le maximum de chiffres que la machine à calculer peut traiter.

En plus de sa parfaite précision, le calculateur digital offre l'avantage considérable de n'être pas seulement une machine arithmétique, mais une machine *logique*. Mc Culloch et Pitts [1] ont montré que les seize fonctions de vérité du calcul logique peuvent être représentées en combinant des éléments fonctionnant selon le principe du « tout ou rien »; par exemple, la sommation de deux impulsions représen-

1. Warren S. Mc Culloch et Walter Pitts, « A logical calculus of the ideas immanent in nervous activity », *Bulletin of mathematical biophysics*, 5, 115-33, 1943.

tera le « et » logique, l'exclusion réciproque de deux impulsions le « ou » logique, une impulsion qui bloque le déclenchement d'un élément la négation logique, etc. On ne peut rien obtenir de comparable avec un calculateur analogique, même de loin. Puisqu'il ne fonctionne qu'avec des quantités discrètes et positives, il ne peut représenter une valeur négative quelconque, y compris la négation elle-même, ni aucune des autres fonctions de vérité.

Certaines caractéristiques du calculateur s'appliquent également à la communication humaine : la complexité, la souplesse et l'abstraction du matériel digital d'un message sont beaucoup plus grandes que celles d'un matériel analogique. Pour être plus précis, disons qu'il n'y a rien dans la communication analogique qui soit comparable à la syntaxe logique du langage digital. Ce qui veut dire que le langage analogique ne possède pas d'équivalents pour certains éléments du discours d'une importance aussi capitale que « si... alors », « ou bien... ou bien », etc.; il y est aussi difficile, sinon même impossible, d'y exprimer des concepts abstraits que dans la pictographie primitive où on ne peut représenter un concept que par une image qui ait avec lui une ressemblance matérielle. Enfin, le langage analogique, comme le calcul analogique, ne peut exprimer la simple négation, c'est-à-dire qu'il ne possède pas d'expression signifiant « non ».

Prenons des exemples : les larmes peuvent exprimer le chagrin ou la joie, le poing serré peut signifier agressivité ou embarras, un sourire peut traduire la sympathie ou le mépris, on peut interpréter la réserve comme une marque de tact ou d'indifférence. On peut se demander si tous les messages analogiques ne possèdent pas cette propriété singulièrement ambiguë qui fait penser à l'essai de Freud : *Gegensinn der Urworte* (« Des sens opposés dans les mots primitifs »). La communication analogique ne possède pas de discriminants indiquant, en face de deux sens contradictoires, lequel il faut comprendre; elle n'a pas non plus d'indices qui permettraient de distinguer le passé, le présent et l'avenir [1]. Par contre, discriminants et

1. Le lecteur aura sans doute perçu le rapprochement très évocateur que l'on peut faire entre les modes de communication analogique et digital et les concepts psychanalytiques de *processus primaire* et *processus secondaire*. Si l'on change le cadre de référence pour passer de l'intrapsychique à l'interpersonnel, la description que Freud fait du « Ça » devient pratiquement une définition de la communication analogique :

indices existent dans la communication digitale; ce qui lui fait défaut, c'est un vocabulaire adapté aux aléas de la relation.

L'homme, se trouvant dans l'obligation de combiner ces deux langages, soit comme émetteur, soit comme récepteur, doit continuellement *traduire* l'un dans l'autre. Dans cette opération, il est confronté à certains dilemmes très étranges sur lesquels nous reviendrons plus en détail dans le chapitre concernant la communication pathologique (§ 3-5). Dans la communication humaine, la difficulté de traduction existe dans les deux sens. Il ne peut y avoir traduction du langage digital en langage analogique sans une perte importante d'information (cf. § 3-55 sur la formation des symptômes dans l'hystérie). L'opération contraire présente également des difficultés considérables : pour *parler sur* la relation, il faut pouvoir trouver une traduction adéquate de la communication analogique en communication digitale. Enfin, on peut comprendre aisément que des problèmes similaires se posent lorsque ces deux modes de communication doivent coexister, ainsi que l'a observé Haley dans son excellent article : « Thérapie conjugale » : « Lorsqu'un homme et une femme décident de donner à leur association un statut légal par la cérémonie du mariage, ils se posent un problème qui persistera au-delà de cet acte même : maintenant qu'ils sont mariés, continuent-ils à vivre ensemble parce qu'ils le désirent ou parce qu'ils le doivent [1]? »

A la lumière de ce qui précède, nous dirions que, lorsque s'ajoute à l'aspect essentiellement analogique de leur relation (la « cour ») une digitalisation (le contrat de mariage), une définition non-équivoque de leur relation devient très problématique [2].

« *Les processus qui se déroulent dans le « Ça » n'obéissent pas aux lois logiques de la pensée; pour eux, le principe de contradiction est nul.* Des émotions contradictoires y subsistent sans se contrarier, sans se soustraire les unes des autres... *Dans le « Ça, » rien qui puisse être comparé à la négation;* on constate, non sans surprise, que le postulat, cher aux philosophes, suivant lequel l'espace et le temps sont des formes obligatoires de nos actes psychiques se trouve là en défaut. » (C'est nous qui soulignons.) (Sigmund Freud, *Nouvelles conférences sur la psychanalyse*, trad. fr. Anne Berman, Gallimard, p. 103-4.)

1. Jay Haley, *Strategies of Psychotherapy*, Grune and Stratton, New York, 1963, p. 119.

2. Pour les mêmes raisons, on pourrait suggérer que le divorce soit vécu comme un événement beaucoup plus décisif, si on adjoignait un quelconque rite analogique de séparation définitive à l'acte juridique habituellement sec et froid par lequel est prononcé le jugement.

2 - 55.

En résumé : *Les êtres humains usent de deux modes de communication : digital et analogique. Le langage digital possède une syntaxe logique très complexe et très commode, mais manque d'une sémantique appropriée à la relation. Par contre, le langage analogique possède bien la sémantique, mais non la syntaxe appropriée à une définition non-équivoque de la nature des relations.*

2 - 6

INTERACTION SYMÉTRIQUE ET COMPLÉMENTAIRE

2 - 61.

En 1935, Bateson [1] a relaté un phénomène d'interaction qu'il avait observé en Nouvelle-Guinée dans la tribu des « Iatmul »; il l'a traité plus en détail dans son livre *Naven* [2] publié l'année suivante. Il a appelé ce phénomène *schismogenèse*, et l'a défini comme un processus de différenciation des normes du comportement individuel à la suite d'une interaction cumulative entre individus. En 1939, Richardson [3] s'est servi de ce concept pour analyser la guerre et la politique étrangère; depuis 1952, Bateson et ses collaborateurs ont prouvé la commodité de ce concept dans les recherches de psychiatrie [4]. Dans *Naven*, Bateson élabore ainsi ce concept, dont la valeur heuristique, on le voit facilement, déborde les frontières d'une discipline particulière :

1. Gregory Bateson, « Culture Contact and Schismogenesis », *Man*, 35, 178-83, 1935.
2. Traduit en français sous le titre *La Cérémonie du Naven*, Minuit, 1971.
3. Lewis Fry Richardson, « Mathematics of War and Foreign Politics », *in* James R. Newman, *The World of Mathematics*, vol. 2, Simon and Schuster, New York, 1956, p. 1240-53.
4. Paul Watzlawick, *An Anthology of Human Communication - Text and Tape*, Science and Behavior Books, Palo Alto, 1964, p. 7-17, également p. 143.

Si l'on veut échapper à tout mysticisme, il faut donner pour objet à ce que l'on désigne du terme vague de psychologie sociale l'étude des *réactions des individus aux réactions des autres individus.* L'objet de la recherche étant ainsi défini, il faut considérer la relation entre deux individus comme capable de se modifier de temps à autre, même sans intervention extérieure, et examiner non seulement les réactions de A au comportement de B, mais aussi comment ces réactions affectent la conduite de B et l'effet de cette dernière sur A.

Il est évident que de nombreux systèmes de relations, entre individus ou entre groupes d'individus, tendent à changer progressivement. Soit, par exemple, un des modèles de comportement culturellement approprié à l'individu A et considéré comme un modèle autoritaire. On s'attend à ce que B y réponde par ce qui est considéré culturellement comme de la soumission. Il est probable que cette soumission favorisera un autre acte autoritaire qui exigera à son tour la soumission. Nous avons ainsi une relation qui change progressivement et, à moins que d'autres facteurs n'interviennent, A deviendra nécessairement de plus en plus autoritaire et B de plus en plus soumis. Ce changement progressif se produira aussi bien si A et B sont des individus séparés ou s'ils sont membres de groupes complémentaires. A côté de ce type de changements progressifs que nous appellerons schismogenèse *complémentaire*, il existe un autre modèle de relation entre individus ou groupes d'individus qui contient également les germes d'un changement progressif : si par exemple la vantardise constitue le modèle culturel de comportement d'un groupe et si l'autre groupe y répond aussi par la vantardise, une situation de compétition peut se développer dans laquelle la vantardise mène à une surenchère, et ainsi de suite. Nous pouvons appeler ce type de changement progressif schismogenèse « symétrique » (p. 189-190).

2 - 62.

Les deux modèles que nous venons de décrire ont fini par être employés sans se référer au processus « schismogénétique »; il est devenu courant de les désigner tout simplement par les termes d'interaction symétrique et interaction complémentaire. On peut dire qu'il s'agit de relations fondées soit sur l'égalité, soit sur la différence. Dans le premier cas, les partenaires ont tendance à adopter un comportement en miroir, leur interaction peut donc être dite *symétrique.* Il ne convient pas de parler ici des couples faiblesse-force, bonté-méchanceté, car l'égalité peut être maintenue à l'intérieur de chacun de ces comportements. Dans le second cas, le comportement de l'un des partenaires complète celui de l'autre pour former une « Gestalt » de type différent : on l'appellera *complémentaire*. Une interaction symétrique se caractérise donc par l'égalité et la minimisation de la différence, tandis qu'une interaction complémentaire se fonde sur la maximalisation de la différence.

Dans une relation complémentaire, il y a deux positions différentes possibles. L'un des partenaires occupe une position qui a été diversement désignée comme supérieure, première ou « haute » *(one-up)*, et l'autre la position correspondante dite inférieure, seconde ou « basse » *(one-down)*. Ces termes sont très commodes à condition qu'on n'en fasse pas des synonymes de « bon » ou « mauvais », « fort » ou « faible ». Le contexte social ou culturel fixe dans certains cas une relation complémentaire (par exemple mère-enfant, médecin-malade, professeur-étudiant), ou bien ce style de relation peut être propre à une dyade déterminée. Soulignons dans les deux cas la solidarité de cette relation, où des comportements, dissemblables mais adaptés l'un à l'autre, s'appellent réciproquement. Ce n'est pas l'un des partenaires qui impose une relation complémentaire à l'autre, chacun d'eux se comporte d'une manière qui présuppose, e en même temps justifie, le comportement de l'autre; leurs définitions de la relation sont concordantes (§ 2-3).

2 - 63.

On a proposé un troisième type de relation : la relation « méta-complémentaire », dans laquelle A laisse B dépendre de lui ou l'y contraint; suivant le même raisonnement, nous pourrions ajouter également une relation de « pseudo-symétrie », dans laquelle A laisse B prendre une position symétrique ou l'y contraint. On peut toutefois éviter cette régression virtuelle à l'infini; il suffit de rappeler la distinction que nous avons faite plus haut (cf. § 1-4) entre l'observation des redondances du comportement et les explications qu'on leur suppose sous forme de mythologies. C'est-à-dire que nous nous attachons à la *manière* dont se comportent deux partenaires, en faisant abstraction des raisons qu'ils ont, ou croient avoir, de se conduire ainsi. Toutefois, si les individus engagés dans une relation font appel aux multiples niveaux de la communication (§ 2-22) pour exprimer des modèles situés à des niveaux différents, des conséquences paradoxales peuvent en résulter dont la valeur pragmatique est importante (cf. § 5-41; 6-42, ex. 3; 7-5, ex. 2 d).

2 - 64.

Dans le chapitre suivant, nous étudierons les troubles pathologiques qui peuvent affecter ces modes de communication (escalade pour la symétrie, rigidité pour la complémentarité). Bornons-nous ici à formuler notre dernier axiome :

Tout échange de communication est symétrique ou complémentaire, selon qu'il se fonde sur l'égalité ou la différence.

2 - 7

RÉSUMÉ

A propos de l'ensemble des axiomes que nous venons de formuler, soulignons à nouveau certaines réserves. Premièrement, ce ne sont que des propositions; leur définition n'est pas très rigoureuse; ils constituent plus des prolégomènes qu'une œuvre achevée. Deuxièmement, ils sont très hétérogènes, parce qu'ils proviennent de l'observation de phénomènes de communication situés dans des registres très variés. S'ils ont une unité, elle ne réside pas dans leur origine, mais dans leur importance *pragmatique*. Celle-ci en retour ne se fonde pas tant sur leurs particularités que sur leur connotation *interpersonnelle* (et non pas monadique). Birdwhistell[1] est allé jusqu'à dire :

> Un individu ne communique pas; il prend part à une communication ou il en devient un élément. Il peut bouger, faire du bruit..., mais il ne communique pas. Il peut voir, il peut entendre, sentir, goûter et toucher, mais il ne communique pas. En d'autres termes, il n'est pas l'auteur de la communication, il y participe. La communication en tant que système ne doit donc pas être conçue sur le modèle élémentaire de l'action et de la réaction, si complexe soit son énoncé. En tant que système, on doit la saisir au niveau d'un échange *(p. 104)*.

1. Ray L. Birdwhistell, « Contribution of Linguistic-Kinesic studies to the understanding of schizophrenia » in Alfred Auerbach, *Schizophrenia - An integrated approach*, The Ronald Press Company, New York, 1959, p. 99-123.

Ainsi, l'impossibilité de ne pas communiquer fait que toute situation comportant deux ou plusieurs personnes est une situation *interpersonnelle*, une situation de communication. L'aspect « relation » d'une telle communication précise davantage ce point. L'importance pragmatique, interpersonnelle, des modes de communication digital et analogique ne réside pas seulement dans un isomorphisme supposé avec le contenu et la relation, mais dans l'ambiguïté, inévitable et significative, à laquelle se heurtent émetteur et récepteur lorsqu'il s'agit de traduire un mode dans l'autre. Ce que nous avons dit des problèmes de ponctuation repose précisément sur la métamorphose implicite du modèle classique « action-réaction ». Enfin le paradigme symétrie-complémentarité est peut-être celui qui se rapproche le plus du concept mathématique de *fonction*, les positions des individus n'étant que des variables susceptibles de prendre une infinité de valeurs dont le sens n'est pas absolu, mais n'apparaît que dans leur relation réciproque.

3

La communication pathologique

3 - 1

INTRODUCTION

Chacun des axiomes que nous venons de formuler comporte des corollaires pathologiques propres que nous allons maintenant examiner. Il n'y a pas, à notre avis, de meilleure illustration des effets pragmatiques de ces axiomes que de les relier aux troubles qui peuvent affecter la communication humaine. Autrement dit, étant donné certains principes de la communication, nous allons voir les distorsions qu'ils peuvent subir et les conséquences qui en résultent. Nous verrons que les conséquences de tels phénomènes sur le comportement correspondent souvent aux divers troubles psychopathologiques de l'individu; nous n'allons donc pas proposer seulement une illustration de notre théorie, mais un autre cadre où il serait possible d'intégrer le comportement que l'on considère généralement comme symptomatique d'une maladie mentale. Nous examinerons les troubles pathologiques correspondant à chaque axiome dans le même ordre de succession qu'au chapitre précédent, mis à part des chevauchements rendus inévitables par la complexité rapidement croissante de notre matériel [1].

1. Les transcriptions des échanges oraux entraînent une simplification considérable du matériel, mais par là même elles sont finalement peu satisfaisantes, parce qu'elles ne transmettent guère que le contenu lexicologique et sont dépouillées d'une bonne part du matériel analogique : inflexions de la voix, vitesse de la parole, pauses, harmoniques affectives du rire, des soupirs, etc. Pour une analyse comparée d'exemples d'interaction, recueillis par écrit et au magnétophone, cf. Paul Watzlawick, *An Anthology of Human Communication. Text and Tape*, Science and Behavior Books, Palo Alto, 1964.

3-2

L'IMPOSSIBILITÉ DE NE PAS COMMUNIQUER

Dans les pages précédentes, nous avons fait allusion au dilemme des schizophrènes : ces malades font comme s'ils s'efforçaient de dénier qu'ils communiquent, et se trouvent ensuite dans l'obligation de dénier aussi que leur dénégation elle-même puisse être une communication (cf. § 2-23). Mais il est possible également que le malade paraisse *vouloir* communiquer sans accepter toutefois l'engagement inhérent à toute communication. Par exemple, une jeune femme schizophrène, lors de son premier entretien avec le psychiatre, entre en trombe dans son cabinet et proclame allégrement : « Ma mère a dû se marier, et me voilà. » Il a fallu des semaines pour tirer au clair quelques-unes des multiples significations qu'elle avait condensées dans cet énoncé, significations qui se trouvaient en même temps annulées par leur présentation hermétique et par l'humour et l'entrain apparents que manifestait la patiente. Finalement, son manège était censé informer le thérapeute que :

1) elle était le fruit d'une grossesse illégitime;

2) dans une certaine mesure, cela avait été la cause de sa psychose;

3) « a dû se marier », renvoyant au caractère précipité du mariage de sa mère, pouvait signifier ou bien qu'il ne fallait pas blâmer sa mère parce que des pressions sociales l'avait contrainte à se marier, ou bien que sa mère était furieuse de la contrainte qu'elle avait subie, et en rendait responsable l'existence de la malade;

4) « me voilà » signifiait à la fois le cabinet du psychiatre, et la venue au monde de la malade, et impliquait donc d'une part que sa mère l'avait rendue folle, d'autre part qu'elle devait lui être éternellement redevable puisqu'elle avait péché et souffert pour la mettre au monde.

3-21.

Le « schizophrénien » est donc un langage qui laisse à l'auditeur le soin de faire un choix entre de multiples sens possibles, non seulement différents mais éventuellement incompatibles. La possibilité s'offre alors de dénier un aspect du message, ou tout le message. Si l'on avait pressé la malade en question de s'expliquer sur le sens de sa remarque, elle aurait très bien pu dire négligemment : « Oh, je n'en sais rien; je dois être dingue. » Si on lui avait demandé des éclaircissements sur tel ou tel aspect de sa remarque, elle aurait pu répondre : « Mais non, ce n'est pas du tout ça que je veux dire. » Mais en dépit d'une condensation qui barre une reconnaissance immédiate, son énoncé décrit avec une force particulière la situation paradoxale dans laquelle elle se trouve. La remarque : « Je *dois* être dingue » serait particulièrement pertinente eu égard à toute la construction délirante qui lui est nécessaire pour s'adapter à cet univers paradoxal. Pour une discussion approfondie de la négation de la communication dans la schizophrénie, nous renvoyons le lecteur à Haley [1], où il trouvera une analogie intéressante avec les sous-groupes cliniques de la schizophrénie.

3 - 22.

C'est une situation inverse que l'on rencontre dans *De l'autre côté du miroir* où la communication franche et directe d'Alice est altérée par le « lavage de cerveau » auquel se livrent la Reine Rouge et la Reine Blanche. Elles prétendent qu'Alice s'efforce de nier quelque chose, et elles en rendent responsable sa disposition d'esprit :

« Je suis sûre que je ne voulais rien dire... » commençait de répondre Alice, mais la Reine Rouge lui coupa la parole.

« C'est cela justement que je vous reproche! Vous auriez certes dû vouloir dire quelque chose! A quoi, selon vous, peut bien servir un enfant qui ne veut rien dire? Même un jeu de mots doit vouloir dire quelque chose... et un enfant, je l'espère, a plus d'importance qu'un jeu de mots. Vous ne pourriez contester cela, même si vous tentiez de le faire à l'aide des deux mains. »

« Ce n'est pas à l'aide des mains que je conteste quoi que ce soit », objecta Alice.

« Nul n'a prétendu que vous l'ayez contesté, répliqua la Reine Rouge, j'ai dit que vous ne le pourriez contester, même si vous tentiez de le faire. »

« Elle a, dit la Reine Blanche, l'esprit ainsi tourné qu'elle veut contester quelque chose. — Seulement elle ne sait trop quoi contester! »

1. Jay Haley, *Strategics of Psychotherapy*, Grune and Stratton, New York, 1963, p. 89-99.

« Vil et méchant caractère! s'exclama la Reine Rouge; » après quoi un silence pénible régna une minute ou deux durant [1].

On ne peut qu'admirer l'intuition qu'a eue l'auteur des effets pragmatiques de ce type de communication illogique : ce lavage de cerveau ayant continué encore un moment, Alice finit par s'évanouir.

3 - 23.

Le phénomène en question ne se limite pas aux contes et à la schizophrénie. Il possède des implications beaucoup plus vastes pour l'interaction humaine. On peut penser que la tentative de ne pas communiquer se rencontrera dans tout contexte où il faut éviter l'engagement inhérent à toute communication. Un exemple typique d'une situation de ce genre est le suivant : deux étrangers se rencontrent, l'un désire lier conversation, l'autre non, par exemple deux passagers assis côte à côte à bord d'un avion [2]. Soit A le passager qui ne désire pas parler. Deux choses sont hors de sa portée : il ne peut pas physiquement quitter les lieux, et il ne peut pas *ne pas* communiquer. Dans ce contexte, la pragmatique de la communication se réduit donc à un très petit nombre de réactions possibles :

3. 231. « Rejet » de la communication

A peut faire comprendre à B, avec plus ou moins de ménagement, que la conversation ne l'intéresse pas. Mais cette attitude est contraire aux règles du savoir-vivre, elle demandera donc un certain courage, et créera un silence assez tendu et gêné, si bien qu'en fait A n'a pu éviter une relation avec B.

3. 232. Acceptation de la communication

A peut céder, et nouer conversation. Selon toute probabilité, il s'en voudra et en voudra à B de sa propre faiblesse, mais nous ne nous attacherons pas à cet aspect de la question. Ce qui nous importe

1. Lewis Carroll, *De l'autre côté du miroir*, trad. fr. Henri Parisot, Flammarion, 1969, p. 158, p. 159.
2. Soulignons une fois de plus que les motivations respectives des deux individus sont absolument étrangères au but que nous poursuivons : une analyse de la communication.

par contre, c'est qu'il comprendra vite la sagesse de la règle militaire qui dit : « Si vous êtes fait prisonnier, ne donnez que le nom, le grade et le numéro matricule », car B peut très bien ne pas vouloir s'arrêter à mi-chemin, et être résolu à tout savoir de A, ses pensées, ses sentiments, ses croyances. Une fois que A aura commencé à répondre, il s'apercevra qu'il lui est de plus en plus difficile de s'arrêter, ce que connaissent bien les spécialistes du « lavage de cerveau ».

3. 233. Annulation de la communication

A peut se défendre au moyen d'une technique significative : l'annulation, c'est-à-dire que sa manière de communiquer frappe de nullité sa propre communication ou celle de l'autre. L'annulation recouvre toute une gamme de communications : contradictions, incohérences, ou bien changer brusquement de sujet, prendre la tangente, ou bien phrases inachevées, malentendus, obscurité du style ou maniérisme du discours, interprétations littérales de la métaphore et interprétation métaphorique de remarques littérales, etc. [1]... La séquence sur laquelle s'ouvre le film *Lolita* offre un magnifique exemple de ce type de communication : Quilty, menacé par Humbert qui tient un pistolet, se lance dans un délire verbal et une agitation paroxystique, tandis que son rival s'efforce en vain de lui transmettre son message : « Regarde, je vais te tuer! » (Le concept de motivation n'est pas d'une grande utilité pour savoir s'il s'agit d'une pure et simple panique ou d'une habile défense.) Citons un autre exemple : le poème que lit le Lapin Blanc, cette ravissante extravagance logique de Lewis Carroll :

> Ils prétendaient que vous aviez été à elle,
> Et que de moi vous lui aviez parlé, à lui :
> Elle a dit que j'avais un heureux caractère
> Mais que je n'étais pas un nageur accompli.
>
> Il leur écrivit que je restais en arrière
> (Et nous n'ignorons pas que c'est la vérité) :
> Si elle veut aller jusqu'au bout de l'affaire,
> Je me demande ce qui pourra l'arrêter?

1. Parmi les nations, les Italiens sont imbattables avec leur inimitable « *ma...* », qui au sens strict signifie « mais », et dont on peut se servir comme d'une exclamation exprimant le doute, l'accord, le désaccord, l'ahurissement, l'indifférence, la critique, le mépris, la colère, la résignation, le sarcasme, la dénégation, et cent autres choses encore, c'est-à-dire en fin de compte rien, pour ce qui est du contenu.

Je lui en donnai une : ils m'en donnèrent deux,
Vous, vous nous en donnâtes trois ou davantage;
Mais toutes cependant leur revinrent, à eux,
Bien qu'on pût contester l'équité du partage [1].

Le poème continue sur ce ton pendant trois strophes. Comparons-le à l'extrait d'un entretien avec un sujet normal et volontaire, manifestement embarrassé pour répondre à la question qui lui est posée, mais estimant qu'il *doit* y répondre; nous pouvons constater que sa communication présente une similitude éloquente dans la forme et dans la pauvreté du contenu :

L'INTERVIEWEUR : « Vos parents vivent dans la même ville que vous et votre famille. Comment ça marche, M. R. ? »
M. R. : « Eh bien, nous essayons... euh — personnellement je veux dire... euh —, j'aime mieux que Mary (sa femme) s'en occupe, et non moi ou... enfin. — J'aime bien les voir, mais je ne tiens pas à me faire un devoir d'aller les voir ou de les recevoir... ils savent parfaitement que... oh, c'était tout le temps avant que Mary et moi, nous nous connaissions, et ça allait pour ainsi dire de soi — je suis fils unique — et ils disaient qu'ils aimeraient mieux, dans la mesure du possible... ne pas... hum, ne pas s'en mêler. Je ne pense pas qu'il y ait... en tout cas, je crois qu'il y a toujours là une... un courant souterrain dans toute famille, la nôtre ou n'importe quelle famille. Et c'est une chose que même Mary et moi, nous sentons, quand nous... tous les deux, nous sommes plutôt du genre perfectionniste. Et... hem... encore, nous sommes très... nous sommes... nous sommes... rigides et... c'est ce que nous attendons des enfants, et nous pensons que si on se met à se méfier — Je veux dire si... hem — on peut avoir des histoires avec la belle-famille, c'est ce que nous pensons, nous en connaissons et nous avons justement... c'est une chose dont ma propre famille a essayé de se garder, mais... hem... et... euh... c'est comme ici, pourquoi avons-nous... Je ne dirais pas que nous nous tenons sur notre quant-à-soi vis-à-vis de la famille [2]... »

Nous ne nous étonnerons pas qu'ait recours à ce type particulier de communication toute personne qui est prise dans une situation où elle se sent obligée de communiquer, mais où elle veut en même temps éviter l'engagement inhérent à toute communication. Du point de vue de la communication, il n'y a donc aucune différence de fond entre le comportement d'un individu dit « normal », tombé entre

1. Lewis Carroll, *Les Aventures d'Alice au Pays des Merveilles*, trad. fr. Henri Parisot, Flammarion, 1968, chap. XII.
2. Paul Watzlawick, *op. cit.*, p. 20-21.

les mains d'un intervieweur expérimenté, et le comportement d'un individu dit « malade mental », affronté à un dilemme identique : ni l'un ni l'autre ne peuvent s'échapper, ni l'un ni l'autre ne peuvent *ne pas* communiquer, mais pour des raisons personnelles probablement, ils ont peur de le faire ou ne veulent pas le faire. Dans les deux cas, le résultat a toutes chances d'être un pur et simple charabia. Mais dans le cas du malade mental, si l'intervieweur est un psychologue des « profondeurs », à la recherche des symboles, il aura tendance à y voir des manifestations de l'inconscient, alors que pour le patient, une telle communication peut être un bon moyen de satisfaire son interlocuteur à l'aide du noble art de parler pour ne rien dire. De même, une analyse faite en termes d' « altération des facultés intellectuelles » ou de « déraison » ne voit pas qu'il faut tenir compte du contexte pour évaluer de telles communications [1]. Soulignons une fois de plus qu'à l'extrémité clinique du spectre du comportement, une communication (ou un comportement) de « dingue » n'est pas nécessairement le signe d'un esprit malade, elle peut être la seule réponse possible au contexte absurde et intenable de la communication.

3. 234. Le symptôme comme communication

Notre passager A peut enfin se défendre d'une quatrième manière contre la loquacité de B : il peut feindre le sommeil, la surdité, l'ivresse, l'ignorance de la langue ou toute autre insuffisance ou incapacité qui puisse justifier l'impossibilité de communiquer. Le message est identique dans tous les cas : « Personnellement, je ne verrais pas d'inconvénient à vous parler, mais en moi, quelque chose de plus fort que moi, m'en empêche, et on ne peut m'en vouloir. » Cet appel à des forces ou des motifs qui ne se commandent pas, ne va pas cependant sans difficulté : A sait qu'en réalité, il triche. Mais pour ce qui est de la communication, le « tour » est joué une fois qu'un individu s'est persuadé *lui-même* qu'il est à la merci de forces indépendantes de sa volonté, et qu'il s'est par là libéré à la fois des reproches de

1. A ce propos, nous renvoyons le lecteur à une analyse du concept psychanalytique de *transfert* du point de vue de la communication : on peut voir dans le transfert la seule réponse possible à une situation particulièrement inhabituelle. Cf. Don D. Jackson et Jay Haley, « Transference revisited », in *Journal of Nervous and Mental Disease*, 137, 363-71, 1963 (ouvrage dont il est également question au § 7-5, ex. 2).

son entourage et des affres de sa conscience. Ce qui revient à dire en termes plus compliqués qu'il a un symptôme (névrotique, psychosomatique ou psychotique). Margaret Mead, décrivant la personnalité différente des Américains et des Russes, observe qu'un Américain invoquera l'excuse d'une migraine pour se dispenser d'assister à une réception, alors que le Russe *aura réellement* la migraine. En psychiatrie, Fromm-Reichmann, dans une communication peu connue [1], a souligné que les symptômes catatoniques pouvaient avoir valeur de communication pour le malade; en 1954, Jackson a montré que le recours par un malade à des symptômes hystériques avait son utilité pour communiquer avec sa famille [2]. Pour des études approfondies sur la valeur de communication du symptôme, nous renvoyons le lecteur à Szasz [3] et à Artiss [4].

Définir le symptôme par sa valeur de communication implique peut-être aux yeux de certains une hypothèse discutable : la possibilité de l'auto-persuasion. Au lieu de recourir à l'argument, assez peu convaincant, que l'expérience clinique quotidienne vérifie amplement cette hypothèse, nous aimons mieux parler des expériences de Mc Ginnies sur la « défense perceptuelle [5] ». Le sujet est placé face à un tachistoscope, dispositif qui permet de faire apparaître des mots, l'espace de quelques secondes, dans une petite « fenêtre ». On détermine le seuil du sujet pour quelques mots-test; on lui demande ensuite de dire à l'expérimentateur tout ce qu'il voit, ou pense voir, lors de chaque présentation suivante. La liste des mots-test comporte des mots neutres et des mots « critiques », affectivement marqués, par exemple viol, ordure, putain. Si l'on compare la performance du sujet avec les mots neutres et avec les mots critiques, on s'aperçoit que le seuil de reconnaissance de ces derniers est significativement plus élevé, autrement dit le sujet en « voit » moins. Mais cela veut

1. Frieda Fromm-Reichmann, « A Preliminary Note on the emotional significance of Stereotypes in Schizophrenics », *Bulletin of the Forest Sanitarium*, 1 : 17-21, 1952.
2. Don D. Jackson, « Some factors influencing the Œdipus Complex », *Psychoanalytic Quarterly*, 23 : 566-81, 1954.
3. Thomas S. Szasz, *The Myth of Mental Illness, Foundations of a Theory of Personal Conduct*, Hoeber, Harper, New York, 1961.
4. Kenneth L. Artiss, *The Symptom as Communication in Schizophrenia*, Grune and Stratton, New York, 1959.
5. Elliott Mc Ginnies, « Emotionality and Perceptual Defense », *Psychological Review*, 56 : 244-51, 1949.

dire que, pour arriver à reconnaître moins de mots comportant un tabou social, il faut d'abord que le sujet les identifie comme tels, et qu'il se persuade ensuite d'une manière quelconque qu'il était incapable de les lire. Il s'épargne ainsi la gêne de devoir les énoncer à haute voix devant l'expérimentateur. A ce propos, il nous faut dire que, d'une manière générale, on doit tenir compte pour les tests psychologiques du contexte où a lieu cette communication. Il n'est pas douteux, par exemple, que la performance du sujet doit changer du tout au tout, selon qu'il doit communiquer avec un vieux professeur racorni, avec un robot ou avec une beauté blonde... De fait, les recherches récentes et minutieuses de Rosenthal sur « l'équation personnelle » de l'expérimentateur [1] ont confirmé que, même dans des expériences rigoureusement contrôlées, s'insinue une communication complexe aux effets très sensibles, quoique non encore déterminables.

Récapitulons. La théorie de la communication voit dans le symptôme un message non-verbal : ce n'est pas moi qui ne veux pas faire ça (ou qui le veux), c'est quelque chose qui échappe à ma volonté, par exemple mes nerfs, ma maladie, mon angoisse, ma mauvaise vue, l'alcool, mon éducation, les communistes, ou ma femme...

3 - 3

LA STRUCTURE EN NIVEAUX DE LA COMMUNICATION (Contenu et Relation)

Au cours d'une psychothérapie conjugale, un couple rapporte l'incident suivant : le mari, seul à la maison, reçoit un coup de téléphone d'un ami qui lui dit qu'il allait venir dans la région où ils habitaient pour quelques jours. Aussitôt le mari invite cet ami à venir les voir : il sait que cela ferait plaisir aussi à sa femme, et il pense donc qu'elle aurait agi de même. Pourtant, au retour de la femme, une scène violente éclate entre eux à propos de l'invitation

1. Robert Rosenthal, « The effect of the Experimenter on the results of psychological research » in B.A. Mahr, *Progress in experimental personality research*, vol. 1, Academic Press, New York, 1964, p. 79-114.

faite par le mari à cet ami. Le problème est abordé dans la séance de psychothérapie, le mari et la femme conviennent tous deux qu'il était parfaitement légitime et naturel d'inviter cet ami. Leur embarras est grand de constater que d'un côté ils sont d'accord, et que pourtant « par certains côtés », il y a entre eux un désaccord, apparemment sur la même question.

3 - 31.

En fait, deux questions étaient impliquées dans cette discussion. L'une avait trait à la manière de résoudre un problème pratique, l'invitation, et pouvait faire l'objet d'une communication digitale; l'autre concernait la relation entre les deux partenaires : qui avait le droit de prendre une initiative sans consulter l'autre ? Il était beaucoup moins facile de trancher cette question sur le mode digital, car cela présupposait que mari et femme étaient capables de *parler sur* leur relation. En essayant de dissiper leur désaccord, ils ont commis une erreur de communication très courante : leur désaccord se situait au niveau de la métacommunication (ou relation), et ils se sont évertués à le dissiper au niveau du contenu, où il n'existait pas, ce qui les a conduits à de pseudo-désaccords. Un autre mari, également en psychothérapie conjugale, a réussi à découvrir par lui-même, et à formuler dans ses propres termes, la différence entre ces deux niveaux : contenu et relation. Sa femme et lui s'étaient trouvés entraînés dans de multiples et violentes escalades symétriques; le point de départ était habituellement de savoir qui avait raison sur une question insignifiante par son contenu. Un jour, la femme fut à même de fournir à son mari des preuves indiscutables qu'il avait réellement tort. Il répondit : « Bon, bon, tu as peut-être raison, mais tu as tort *parce que tu veux avoir le dernier mot.* » Tous les psychothérapeutes connaissent ces confusions entre les deux aspects d'un problème : contenu et relation, surtout dans la communication entre époux, et la difficulté considérable que l'on rencontre pour réduire cette confusion. Aux yeux du thérapeute, la redondance monotone des pseudo-désaccords entre mari et femme apparaît assez vite, mais les protagonistes, eux, voient chacun de ces désaccords isolément et comme une chose entièrement nouvelle, simplement parce que toute une série d'activités peut donner lieu à ces discussions pratiques, objectives, depuis les programmes de télévision jusqu'aux « corn flakes » et aux problèmes sexuels. Koestler a magistralement décrit cette situation :

Les relations de famille relèvent d'un plan où les règles ordinaires de jugement et de conduite ne s'appliquent généralement pas. C'est un réseau de tensions, de querelles et de réconciliations dont la logique est contradictoire, dont l'éthique a ses racines dans une jungle douillette, et dont les valeurs et les critères sont déformés comme l'espace courbe d'un univers clos. C'est un monde saturé de souvenirs, *mais de souvenirs dont on ne tire aucune leçon, saturé d'un passé qui ne fournit aucune directive pour l'avenir. Car, dans cet univers, après chaque crise et chaque réconciliation, le temps recommence, et l'histoire est toujours à l'année zéro* [1] *(p. 260)*. (C'est nous qui soulignons.)

3 - 32.

Le désaccord constitue un bon cadre de référence pour étudier les troubles de la communication provenant d'une confusion entre contenu et relation. Le désaccord peut surgir au niveau du contenu ou au niveau de la relation, et ces deux formes dépendent l'une de l'autre. Soit un désaccord sur la valeur de vérité de l'énoncé suivant : « L'uranium a 92 électrons. » De toute évidence, il ne peut être tranché qu'en ayant recours à une preuve objective, un manuel de chimie par exemple, preuve qui démontrera non seulement que l'atome d'uranium a bien 92 électrons mais que des deux opposants, l'un a raison et l'autre tort. Au niveau du contenu, le désaccord est tranché, mais un problème surgit au niveau de la relation. Or pour résoudre ce nouveau problème, il est bien évident qu'il ne servirait à rien de continuer à parler d'atomes; les deux opposants doivent se mettre à parler d'eux-mêmes et de leur relation, c'est-à-dire qu'ils doivent parvenir à une définition de leur relation soit comme symétrique, soit comme complémentaire. Celui qui avait tort peut par exemple admirer l'autre pour ses connaissances plus étendues, ou bien il peut ne pas tolérer cette supériorité et décider d'avoir le dessus à la prochaine occasion pour rétablir l'égalité [2]. Naturellement, s'il

1. Arthur Koestler, *The invisible writing*, 1954. (Traduit en français sous le titre *Les Hiéroglyphes*, Calmann-Lévy, Paris, 1955.)

2. Chacune de ces conduites possibles pourrait se révéler adaptée ou inadaptée, « bonne » ou « mauvaise », selon le type de relations en jeu.

ne pouvait attendre cette prochaine occasion, il pourrait avoir recours à la méthode « au diable la logique », et tenter d'avoir le dessus en prétendant que le chiffre 92 est certainement une faute d'impression, ou bien qu'il y a un ami physicien qui vient de montrer qu'en fait le nombre des électrons n'a aucun sens, etc. Les idéologues communistes, russes et chinois, fournissent un bel exemple de cette technique : interpréter ce que Marx a « vraiment » dit en coupant les cheveux en quatre pour montrer à quel point les autres sont de mauvais marxistes. Dans de tels conflits, les mots finissent par perdre tout contenu pour n'être que des instruments permettant « d'avoir le dessus » *(one-upmanship* [1]*)* C'est ce qu'énonce avec une parfaite clarté Heumpty Deumpty :

Je ne sais ce que vous entendez par « gloire », dit Alice.
Heumpty Deumpty sourit d'un air méprisant. « Bien sûr que vous ne le savez pas, puisque je ne vous l'ai pas encore expliqué. J'entendais par là : voilà pour vous un bel argument sans réplique! »
Mais « gloire » ne signifie pas « bel argument sans réplique », objecta Alice.
Lorsque *moi* j'emploie un mot, répliqua Heumpty Deumpty d'un ton quelque peu dédaigneux, il signifie exactement ce qu'il me plaît qu'il signifie... ni plus, ni moins.
La question, dit Alice, est de savoir *si vous avez le pouvoir* de faire que les mots signifient autre chose que ce qu'ils veulent dire.
La question, riposta Heumpty Deumpty, est de savoir *qui sera le Maître...* un point, c'est tout [2]. (C'est nous qui soulignons.)

Ce qui revient à dire que, confrontés à leur désaccord, deux individus doivent définir leur relation comme complémentaire ou symétrique.

3 - 33. *Définition de soi et d'autrui*

Supposons maintenant que ce même énoncé concernant l'uranium soit formulé par un physicien à l'adresse d'un autre physicien. Un type d'interaction très différent va s'instaurer. Très vraisemblable-

1. S. Potter, qui a introduit cette expression, donne quantité d'exemples, amusants et perspicaces, de cette position. (Stephen Potter, *One-upmanship*, Penguin Books, Harmondsworth, 1947.)
2. Lewis Carroll, *De l'autre côté du miroir*, trad. fr. Henri Parisot, Flammarion, 1969, p. 107, p. 108.

ment, l'autre se sentira blessé ou réagira par la colère ou le sarcasme : « Je sais que vous pensez que je suis complètement ignare, mais je suis quand même allé à l'école... », ou autres choses du même genre.

Ce qui fait la différence dans cette interaction, c'est qu'il n'y a pas ici de désaccord sur le contenu. La valeur de vérité de l'énoncé n'est pas mise en question; en fait, l'énoncé ne transmet aucune information réelle, puisqu'au niveau du contenu, il affirme une proposition que connaissent les deux partenaires. Mais c'est justement cet accord sur le contenu qui place très évidemment le désaccord au niveau de la relation, autrement dit dans le domaine de la métacommunication. Mais là, du point de vue pragmatique, le désaccord a beaucoup plus d'importance qu'un désaccord sur le contenu. Au niveau de la relation, les individus, nous l'avons vu, ne communiquent pas sur des faits extérieurs à leur relation, mais s'offrent mutuellement des définitions de cette relation, et par implication, d'eux-mêmes [1]. Comme nous l'avons déjà dit au § 2-3, ces définitions possèdent leur propre hiérarchie de complexité. Prenons un point de départ arbitraire : un individu X offre à un autre individu Y une définition de soi-même. Il peut le faire d'une infinité de manières, mais quels que soient l'objet et la matière de sa communication au niveau du contenu, le prototype de sa métacommunication sera : « Voici comment je me vois [2]. » La possibilité de trois réactions de Y à la définition que X donne de lui-même appartient en propre à la communication humaine. Toutes les trois ont une grande importance pour la pragmatique de la communication humaine.

1. Cf. John Cumming, « Communication : an approach to chronic schizophrenia », in Lawrence Appleby, Jordan M. Scher et John Cumming, *Chronic Schizophrenia, Exploration in Theory and Treatment*, The Free Press, Glencoe, Illinois, 1960, p. 106-119 : « J'ai proposé de considérer qu'une bonne part de ce que Ladger appelle « pure et simple expression d'idées », ou activité symbolique pour elle-même, est, chez les gens normaux, une fonction qui consiste à reconstruire sans cesse le concept de soi, à offrir ce concept de soi aux autres pour ratification, et à accepter ou rejeter les offres que font les autres de leur concept d'eux-mêmes. En outre, j'ai émis l'hypothèse que le concept de soi doit être continuellement reconstruit si nous voulons exister en tant qu'êtres, et non en tant qu'objets, et pour l'essentiel ce concept de soi se reconstruit dans une activité de communication (p. 113). »

2. Il faudrait dire en réalité : « Voici comment je me vois *dans la relation que j'ai avec vous dans cette situation précise* », mais pour plus de simplicité, nous omettrons dans ce qui suit le membre de phrase en italique.

3. 331. Confirmation

Y peut accepter (ou confirmer) la définition que X donne de lui-même. Autant que nous en puissions juger, cette confirmation par Y de la conception que X se fait de lui-même est sans doute le facteur le plus important, capable d'assurer maturation et stabilité psychiques, que notre étude de la communication ait fait apparaître jusqu'ici. Aussi étonnant qu'il paraisse, si elle n'avait ce pouvoir de confirmer un être dans son identité, la communication humaine n'aurait guère débordé les frontières très limitées des échanges indispensables à la protection et à la survie de l'être humain; il n'y aurait pas de raison de communiquer pour le seul plaisir de communiquer. L'expérience quotidienne ne laisse cependant aucun doute : une part considérable de nos communications n'ont pas d'autre but. Il est probable que la gamme infinie des émotions que les êtres ressentent les uns à l'égard des autres, de l'amour à la haine, n'existerait pour ainsi dire pas; nous vivrions dans un monde voué exclusivement aux tâches utilitaires, un monde sans beauté, sans poésie, sans jeu et sans humour. Il semble bien que, indépendamment du pur et simple échange d'information, l'homme *a besoin* de communiquer avec autrui pour parvenir à la conscience de lui-même. Les recherches sur la privation sensorielle, montrant l'incapacité où est l'homme de préserver sa stabilité affective lors de périodes prolongées de communication exclusive avec lui-même, fournissent une vérification expérimentale de plus en plus solide à cette hypothèse intuitive. Nous pensons que là se situe ce que les existentialistes appellent la *rencontre*, ainsi que toute autre forme de conscience de soi avivée par l'approfondissement d'une relation avec un autre. « Dans la société humaine, écrit Martin Buber, à tous ses niveaux, les personnes, à des degrés divers, se confirment objectivement les unes les autres dans leurs qualités et possibilités propres, et une société peut être dite humaine dans la mesure où ses membres se confirment les uns les autres... »

La base de la vie de l'homme avec l'homme est double, et en même temps unique : le désir qu'a tout homme d'être confirmé dans ce qu'il est, et dans ce qu'il peut devenir, par les autres hommes; et l'aptitude innée de l'homme à répondre à ce désir de ses compagnons humains. Que cette aptitude soit laissée en friche à un degré inimaginable constitue la faiblesse et le caractère problématique effectifs de l'espèce humaine : l'humanité réelle n'existe que là où cette aptitude peut s'épanouir [1] (p. 101-102).

3. 332. Rejet

La seconde réaction possible de Y en face de la définition que X donne de lui-même, c'est le rejet. Toutefois, le rejet, si pénible soit-il, présuppose que l'on reconnaisse au moins partiellement ce que l'on rejette. Il ne nie donc pas obligatoirement la réalité de la conception que X a de lui-même. En fait, il y a même des formes de rejet qui peuvent être constructives; c'est le cas du psychiatre qui refuse d'accepter la définition que le patient donne de lui-même dans la situation transférentielle où le patient cherche significativement à imposer son « jeu relationnel » au thérapeute. Nous renvoyons le lecteur à deux auteurs, Berne [2] et Haley [3] qui, à l'intérieur du cadre conceptuel qui leur est propre, ont étudié ce sujet à fond.

3. 333. Déni

Il existe une troisième possibilité qui est probablement la plus importante, tant du point de vue pragmatique que psychopathologique. C'est le phénomène du déni qui, nous allons le voir, est tout à fait différent du rejet direct de la définition qu'autrui donne de lui-même. Nous avons recours ici, au moins partiellement, au matériel présenté par Laing [4], du Tavistock Institute of Human Relations à Londres, auquel nous ajoutons nos propres recherches sur la communication chez les schizophrènes. Laing cite William James qui a écrit quelque part : « Aucun châtiment plus diabolique ne saurait être imaginé, s'il était physiquement possible, que d'être lâché dans la société et de demeurer totalement inaperçu de tous les membres qui la composent. » Il ne fait guère de doute qu'une telle situation conduirait à cette « perte du moi » qui n'est qu'un autre nom de « l'aliénation ». Le déni, tel qu'on le rencontre dans la communication pathologique, ne porte plus sur la vérité ou la fausseté de la définition

1. Martin Buber, « Distance and Relation », *Psychiatry*, 20 : 97-104, 1957.
2. Eric Berne, *Transactional Analysis in Psychotherapy*, Grove Press, New York, 1961. *Games People Play*, Grove Press, New York, 1944.
3. Jay Haley, *Strategies of Psychotherapy*, Grune and Stratton, New York, 1963.
4. Ronald D. Laing, *The Self and Others, Further Studies in Sanity and Madness* 1961. (Trad. fr. : *Soi et les autres*, Gallimard, 1971.)

que X donne de lui-même (si de tels critères ont encore un sens), il nie la réalité de X en tant que source de cette définition. En d'autres termes, si le rejet équivaut au message : « Vous avez tort », le déni, lui, dit : « Vous n'existez pas. » Pour nous exprimer de manière plus rigoureuse, disons que, si l'on fait de la confirmation et du rejet du moi de l'autre, les équivalents en logique formelle des concepts de vérité et de fausseté, le déni correspondrait alors au concept d'indécidabilité qui, on le sait, est un ordre logique différent [1].

Citons Laing :

Le modèle familial caractéristique qui ressort de l'étude des familles de schizophrènes ne met pas tellement en jeu un enfant qui aurait été ouvertement négligé, ou qui aurait même subi un traumatisme manifeste, mais un

1. Parfois, mais rarement, l'indécidabilité littérale peut jouer un rôle de premier plan dans une relation. La transcription suivante d'une séance de psychothérapie conjugale nous permettra de le montrer. Les conjoints en question avaient demandé une aide en raison des scènes parfois violentes qui les opposaient. Cet échec réciproque dans leur vie conjugale les affectait profondément. Ils étaient mariés depuis vingt et un ans; le mari était un homme d'affaires qui avait particulièrement bien réussi. Juste avant l'échange qui va suivre, la femme avait remarqué que, depuis leur mariage, elle n'avait jamais su à quoi s'en tenir avec son mari.

LE PSYCHIATRE : Donc ce que vous voulez dire, c'est que vous ne pouvez pas trouver dans l'attitude de votre mari les indices dont vous avez besoin pour savoir si vous agissez comme il faut.

LA FEMME : Non.

LE PSYCHIATRE : Est-ce que Dan vous critique quand vous méritez une critique? Je veux dire, positive aussi bien que négative.

LE MARI : Il est bien rare que je la critique...

LA FEMME *(en même temps)* : Il est bien rare qu'il me critique.

LE PSYCHIATRE : Oui... Alors... alors comment savez-vous...

LA FEMME *(l'interrompant)* : Il vous complimente (rire bref). Vous comprenez, c'est cela qui me désoriente... Par exemple, je prépare un petit plat, et je le fais brûler... eh bien, il me dit : « C'est rudement bon. » Et si un jour, je fais quelque chose de particulièrement réussi... eh bien « c'est rudement bon ». Je lui ai dit que je ne pouvais jamais savoir si quelque chose était réussi... Je ne sais jamais s'il me fait une critique ou un compliment. Parce qu'il pense qu'en me faisant des compliments, ça m'encourage à faire mieux, et quand je mérite un compliment, il — eh bien il me fait tout le temps des compliments... c'est vrai... mais je perds le sens de la valeur du compliment.

LE PSYCHIATRE : Donc vous n'arrivez pas à savoir à quoi vous en tenir avec quelqu'un qui vous fait toujours des compliments...

LA FEMME *(l'interrompant)* : Non en effet. Je ne sais jamais s'il me critique, ou si réellement et sincèrement il me fait des compliments.

Ce qui fait tout l'intérêt de cet exemple, c'est que, visiblement, les deux conjoints ont parfaitement conscience du modèle dans lequel ils sont emprisonnés, mais cette conscience ne les aide en rien à faire quelque chose pour en sortir.

enfant dont l'authenticité a été soumise à une mutilation subtile, mais permanente, souvent de manière parfaitement inconsciente (p. 91).

Le résultat, c'est que... quelle que soit la manière dont (l'individu) sent et agit, quel que soit le sens qu'il donne à sa situation, ses sentiments sont dépouillés de leur valeur et ses actes le sont de leurs motifs, de leurs intentions et de leurs conséquences, le sens de la situation lui est ravi, si bien qu'il est complètement mystifié et aliéné (p. 135-6).

Citons maintenant un exemple précis qui a été publié plus en détail dans un autre ouvrage [1]. Il est emprunté à une séance de psychothérapie de groupe concernant toute une famille : les parents, leur fils Charles, âgé de 18 ans, et leur fils Dave, âgé de 21 ans. Pour celui-ci, le diagnostic de schizophrénie avait été posé pour la première fois à 20 ans pendant son service militaire; il avait habité ensuite chez ses parents pendant près d'un an; au moment de cette entrevue, il venait d'être hospitalisé. Quand la discussion se concentra sur le thème de la tension que suscitaient les visites hebdomadaires du patient dans sa famille, le psychiatre souligna que tout se passait comme si on demandait à Dave de porter l'intolérable fardeau de la sollicitude de toute la famille. Dave devenait ainsi l'unique indice de la bonne ou mauvaise atmosphère familiale qui avait régné pendant le week-end. De façon assez étonnante, le patient saisit immédiatement le problème :

1. DAVE : Oui, en effet, il me semble quelquefois que mes parents, Charles aussi, sont très sensibles à mon état, trop sensibles à mon état, parce que je ne crois pas... je n'ai pas l'impression de tout mettre sens dessus dessous quand je reviens à la maison, ou que...
2. LA MÈRE : Hem. — Dave, enfin tu n'étais pas comme ça avant d'avoir ta voiture, c'est juste... oui, c'est juste *avant* que tu es devenu comme ça.
3. DAVE : Oui, oui, je sais que je suis...
4. LA MÈRE *(en même temps)* : Oui, oui, mais même... Oui, oui, c'est récent, c'est les deux dernières fois depuis que tu as ta voiture.
5. DAVE : Bon, bon, d'accord, n'importe comment... oh... *(soupir)*, c'est... oh... j'aimerais mieux ne pas devoir être comme ça, c'est sûr, ce serait bien si je pouvais m'amuser ou faire... je ne sais pas... *(soupirs; pause)*.
6. LE PSYCHIATRE : Voyez-vous, vous changez de cap tout de go quand votre mère se montre gentille avec vous. On peut... on peut vous comprendre,

1. Don D. Jackson et Irwin Yalom, « Conjoint Family Therapy as an aid to intensive psychotherapy », in Arthur Burton, *Modern psychotherapeutic practice. Innovations in technique*, Science and Behavior Books, Palo Alto, 1965, p. 81-97.

mais dans votre situation, vous ne pouvez absolument pas vous le permettre.
7. DAVE *(en même temps)* : Hem...
8. LE PSYCHIATRE : Ça vous donne l'air encore plus « fada » si bien que vous n'arrivez même pas à savoir ce que vous pensez.
9. LA MÈRE : Qu'est-ce qui l'a changé?
10. LE PSYCHIATRE : Oh, *je ne peux pas lire* dans ses pensées, alors je ne peux savoir exactement ce qu'il allait dire... J'en ai une vague idée, peut-être, mon expérience....
11. DAVE *(l'interrompant)* : Oh, ça veut dire seulement que je suis le malade de la famille, et ça donne à tout le monde la... l'occasion de faire sa B.A. en remontant le moral de Dave, *que le moral de Dave soit bas ou non.* Ça revient à ça, quelquefois, enfin... il me semble. Autrement dit, je ne peux pas être autrement que je suis, et *si les gens ne m'aiment pas tel qu'ils suis... oh, je veux dire, tel que je suis...* eh bien, je suis sensible au fait qu'ils me racontent des histoires... ça revient à ça [1] (p. 89).

Le lapsus du patient éclaire son dilemme : il dit « Je ne peux pas être autrement que je suis », mais la question reste entière, « Je » est-ce vraiment « Je » ou « Ils »? Se borner à voir là une « faiblesse des frontières du moi », ou autres choses de ce genre, c'est négliger un phénomène d'interaction, le déni qui est formulé, non seulement dans la relation que fait Dave de ses visites hebdomadaires, mais celui qui est immédiatement formulé par la mère *dans cet exemple même* (énoncés 1 à 5) de la validité des impressions de Dave. A la lumière de ce déni actuel de son moi, et du déni qu'il rapporte, le lapsus du patient apparaît sous un jour nouveau.

3 - 34. *Niveaux de la perception interpersonnelle*

Nous pouvons maintenant revenir à cette hiérarchie des messages que l'on rencontre quand on analyse les communications au niveau de la relation. Nous avons vu que la définition que X donne de lui-même (« Voici comment je me vois ») peut recevoir trois réponses possibles de la part de Y : confirmation, rejet ou déni. (Cette classification est pratiquement la même que celle que nous avons employée aux § 3-231 à 3-233.) Or, ces trois réponses ont un commun dénominateur : à travers elles, Y communique un message qui est : « Voici comment je vous vois [2]. »

1. Don D. Jackson et Irwin Yalom, *op. cit.*
2. Cette formule, au premier abord, convient mal, semble-t-il, au concept du déni, tel que nous l'avons défini. Pourtant, en dernière analyse, même ce message :

Au niveau de la métacommunication, un message de X à Y : « Voici comment je me vois », est donc suivi d'un message de Y à X : « Voici comment je vous vois. » A ce message, X répondra par un message qui affirmera, entre autres : « Voici comment je vous vois me voir » et Y répondra à son tour : « Voici comment je vous vois me voir vous voir. » Nous l'avons déjà dit, théoriquement cette régression peut aller à l'infini, mais pour des raisons pratiques, il faut admettre qu'on ne peut traiter des messages d'un ordre d'abstraction supérieur à celui que nous avons cité en dernier. Or, il faut noter que chacun de ces messages peut faire l'objet, de la part de celui qui le reçoit, d'une confirmation, d'un rejet ou d'un déni, analogues à ceux que nous avons décrits plus haut; il en est naturellement de même pour la définition que Y donne de lui-même et du discours simultané qu'il tient avec X au niveau de la métacommunication. Ce qui mène à des contextes de communication dont la complexité confond rapidement l'imagination, et qui ont pourtant des conséquences pragmatiques très précises.

3 - 35. *Imperméabilité*

Ces conséquences sont encore peu connues, mais Laing, Philippson et Lee (qui nous ont donné la permission de citer certaines conclusions tirées d'une communication non publiée [1]) sont en train de mener des recherches très prometteuses en ce domaine. Le déni de soi par l'autre résulte principalement d'un type particulier d'insensibilité aux perceptions interpersonnelles : l'imperméabilité, que Lee décrit ainsi :

« Pour moi, vous n'existez pas comme un être ayant une existence propre » revient à dire : « Voici comment je vous vois : vous n'existez pas. » Que ce soit paradoxal ne veut pas dire que cela ne puisse pas se produire, comme nous le verrons plus en détail au chapitre 6.

1. Russell Lee, « Levels of imperviousness in schizophrenic families », communication lue à la Western Division Meeting of the American Psychiatric Association, San Francisco, septembre 1963.

Les auteurs cités ont publié un livre sur ces questions, trop tard pour le mentionner dans notre texte : R. D. Laing, H. Philippson et A.R. Lee, *Interpersonal perception; a theory and Method of Research*, Springer Publishing Company, 1966. New York, 1966. Cet ouvrage très original présente l'ensemble du cadre théorique et une astucieuse méthode de quantification.

Ce qui nous retient ici, c'est la conscience ou l'absence de conscience. Pour qu'il y ait une interaction adéquate et sans à-coups, il faut que chacune des parties intéressées enregistre le point de vue de l'autre. Comme la perception interpersonnelle se situe à de nombreux niveaux, l'imperméabilité elle aussi, peut se situer à de nombreux niveaux. A chaque niveau de perception correspond en effet un niveau comparable et analogue de non-perception possible ou imperméabilité. Lorsqu'il n'y a pas de conscience juste de l'autre, c'est-à-dire quand il y a imperméabilité, les parties qui constituent une dyade parlent sur de pseudo-questions... Elles parviennent à ce qu'elles croient être une harmonie, qui n'existe pas en fait, ou bien se querellent sur ce qu'elles croient être des points de désaccord, qui n'existent pas davantage. Cela caractérise, me semble-t-il, ce qui se passe dans une famille dont l'un des membres est schizophrène : incessante construction de relations harmonieuses sur les sables mouvants de pseudo-accords, ou bien violentes discussions fondées sur de pseudo-désaccords.

Lee montre ensuite que l'imperméabilité peut exister au premier niveau de la hiérarchie, c'est-à-dire qu'au message de X : « Voici comment je me vois », Y répond « Voici comment je vous vois », mais d'une manière qui ne concorde pas avec la définition que X donne de lui-même. X peut alors en conclure que Y ne le comprend pas (ou ne l'estime pas, ou ne l'aime pas), tandis que Y, par contre, peut croire que X se sent compris (ou estimé, ou aimé) de lui. Dans ce cas, Y n'est pas en désaccord avec X, mais ignore ou interprète mal son message, ce qui est compatible avec notre définition du déni. Mais on se trouve en face d'une imperméabilité au second degré quand X ne saisit pas que son message n'est pas parvenu à Y; autrement dit X ne transmet pas avec justesse le message : « Voici comment je vous vois me voir » (un malentendu existant dans ce cas sur « me voir »). On assiste alors à ce niveau à une imperméabilité à l'imperméabilité.

De l'étude des familles de schizophrènes, Lee tire une conclusion importante pour la pragmatique de ce type de communication :

Le modèle typique que l'on rencontre est celui d'une imperméabilité parentale au niveau nº 1, tandis que l'imperméabilité du schizophrène se situe au niveau nº 2. C'est-à-dire que, ce qui est typique, c'est que le parent n'enregistre pas le point de vue de son enfant, et que l'enfant ne voit pas que son point de vue n'a pas été (et peut-être ne peut pas être) enregistré.

Le plus souvent, le parent est, semble-t-il, imperméable au point de vue de son enfant parce qu'il le ressent comme peu flatteur pour lui, ou parce qu'il n'est pas conforme à son propre système de valeurs. Ce qui veut dire que le parent exige de son enfant qu'il croie ce que lui (parent) estime que l'enfant « doit » croire. En retour, l'enfant ne peut percevoir cette situation. Il croit que son message est bien parvenu et a été compris, et il agit en conséquence. Aux prises avec une telle situation, il ne peut manquer d'être désorienté par l'interaction qui y fait suite. Il lui semble continuellement se heurter à un invisible et infrangible mur de verre. Le résultat, c'est qu'il éprouve sans cesse le sentiment d'une mystification qui le conduit à une espèce d'effarement, et finalement au désespoir. Il finit par penser que la vie n'a rigoureusement aucun sens.

Un enfant schizophrène, au cours de la psychothérapie, a fini par comprendre cette situation, et a énoncé son dilemme en ces termes : « Chaque fois que je ne suis pas du même avis que ma mère, elle semble se dire : « Oh, je sais bien ce que tu dis tout fort, mais je sais que ce n'est pas ce que tu penses *vraiment* au fond de toi-même », et elle s'arrange pour oublier ce que je viens de dire. »

On trouvera dans Laing et Esterson [1] des exemples nombreux et variés de cette imperméabilité au niveau de la relation. Nous en donnons un exemple dans le tableau I :

TABLEAU I

« IMPERMÉABILITÉ » DANS UNE FAMILLE DE SCHIZOPHRÈNES [2]

ce que les parents pensent de la malade	*ce que la malade pense d'elle-même*
Toujours heureuse. Par nature primesautière et joyeuse. Aucun désaccord dans la famille.	Souvent déprimée et effrayée. Faisant semblant, désaccord si complet qu'il était impossible de dire quoi que ce fût à ses parents.
Ils n'ont jamais essayé de la retenir auprès d'eux.	Par des sarcasmes, des prières et en la ridiculisant, ils tentèrent de diriger sa vie pour tout ce qui avait de l'importance.
Elle est volontaire.	Vrai dans un sens; cependant, elle est terrifiée à l'idée de dire à son père ce qu'elle ressent vraiment, se sent encore sous sa tutelle.

1. Ronald D. Laing et A. Esterson, *Sanity, Madness and the Family* 1964. (Traduit en français sous le titre *L'Équilibre mental, la folie et la famille*, Librairie François Maspero, 1971.)
2. Adapté de Laing et Esterson, *op. cit.*, p. 214.

3 - 4

PONCTUATION DE LA SÉQUENCE DES FAITS

> *Il riait parce qu'il croyait qu'ils ne pouvaient pas l'atteindre — il ne s'imaginait pas qu'ils s'exerçaient à le manquer.* Brecht

Dans le chapitre précédent, nous avons déjà donné quelques exemples des complications virtuellement inhérentes à ce phénomène. Ces exemples montrent que des contradictions non-résolues dans la ponctuation des séquences de communication peuvent conduire tout droit à des impasses dans l'interaction, points auxquels sont finalement proférées les accusations réciproques de folie ou de malignité.

3 - 41.

Il est facile de comprendre que les discordances dans la ponctuation des séquences de faits ont lieu toutes les fois que l'un au moins des partenaires, ne possède pas la même quantité d'information que l'autre, mais ne s'en doute pas. Voici un exemple simple d'une telle séquence : X écrit à Y pour lui proposer une collaboration et lui demander sa participation. Y répond par l'affirmative, mais sa lettre est égarée par la poste. Au bout de quelque temps, X en conclut que Y dédaigne son invitation, et il décide de l'ignorer à son tour. Mais Y se sent blessé que l'on ait ignoré sa réponse et décide de ne plus avoir de relations avec X. Leur guerre silencieuse peut désormais s'éterniser, à moins qu'ils ne décident de s'enquérir du sort de leurs communications, c'est-à-dire à moins qu'ils ne se mettent à métacommuniquer. A cette condition seulement, ils pourront découvrir que X ne savait pas que Y avait répondu, alors que Y ne savait pas que sa réponse n'était pas parvenue. Dans cet exemple donc, un événement extérieur fortuit a fait obstacle à la concordance de la ponctuation.

L'un des auteurs de ce livre a fait l'expérience de ce phénomène de ponctuation discordante un jour où il faisait une demande pour un poste d'assistant dans un institut de recherches psychiatriques. A l'heure fixée, il se présente au bureau du directeur pour avoir avec lui un entretien, et la conversation suivante s'engage avec l'hôtesse d'accueil :

LE VISITEUR : « Bonjour, j'ai rendez-vous avec le Dr H. Mon nom est Watzlawick (VAHT - sla - vick).
L'HÔTESSE : Je n'ai pas dit qu'il l'était.
LE VISITEUR (interloqué et contrarié) : Mais je vous dis que si.
L'HÔTESSE (ahurie) : Mais alors, pourquoi avez-vous dit que non.
LE VISITEUR : Mais j'ai bien dit que si ! »

A ce moment-là, le visiteur acquit la « certitude » qu'il était en train de faire l'objet d'une quelconque plaisanterie, incompréhensible mais irrévérencieuse. Mais au même moment, comme il apparut plus tard, l'hôtesse avait pensé que ce devait être un nouveau malade psychotique du Dr H. On finit par découvrir qu'elle avait compris, au lieu de « Mon nom est Watzlawick », « Mon nom n'est *pas* slave », et il était bien vrai qu'elle n'avait jamais dit qu'il l'était. Il n'est pas sans intérêt de voir comment, même lors de ce bref échange dans un contexte assez impersonnel, la ponctuation discordante, provenant ici d'un malentendu verbal, a immédiatement conduit aux soupçons réciproques de malignité et de folie.

3 - 42.

D'une manière générale, c'est faire une supposition gratuite de croire que l'autre non seulement possède la même quantité d'information que soi-même, mais encore qu'il doit en tirer les mêmes conclusions. Les spécialistes de la communication ont estimé à dix mille par seconde le nombre d'impressions sensorielles (extéroceptives et proprioceptives) que reçoit un individu. Il est bien évident qu'une sélection draconienne s'impose pour que les centres supérieurs du cerveau ne soient pas submergés par une information non-pertinente. Mais le choix entre l'essentiel et le non-pertinent varie manifestement d'un individu à l'autre, et semble déterminé par des critères qui, dans une large mesure, échappent à la conscience. Il y a tout lieu de croire que la réalité est ce que nous la faisons ou, pour reprendre les paroles d'Hamlet « ...rien n'est en soi bon ou mauvais; tout dépend de ce qu'on en pense ». Nous pouvons seulement conjecturer qu'à la racine de ces conflits de ponctuation, se trouve la conviction solidement établie, et d'ordinaire hors de question, qu'il n'existe qu'une *seule* réalité, le monde tel que je le vois, *moi*, et qu'il faut attribuer toute conception qui diffère de la mienne à la déraison ou à la mauvaise volonté d'autrui. Mais laissons-là nos conjectures. Ce que nous pouvons par contre *observer* dans presque tous les cas de communication pathologique de ce genre, c'est l'existence de cercles vicieux qu'on ne peut briser tant que la communication ne devient pas elle-même objet de communication, autrement dit tant que les partenaires ne sont pas capables de métacommuniquer [1]. Mais il faut pour cela qu'ils *sortent* du cercle. Cette nécessité de se situer à l'extérieur d'une situation donnée pour la résoudre est un thème sur lequel nous reviendrons souvent au cours de ce livre.

3 - 43. *Cause et effet*

Dans ces cas de ponctuation discordante, il est caractéristique de remarquer qu'il y a désaccord sur ce qui est cause et ce qui est effet, alors qu'en fait ces concepts sont inapplicables en raison de la circularité de l'interaction en cours. Revenons à l'exemple donné par Joad (cf. 2-42); la nation A accroît ses armements *parce qu*'elle se sent menacée par la nation B (c'est-à-dire que A considère que son comportement est un effet induit par celui de B), mais la nation B prétend que les armements de A sont la *cause* de ses propres mesures défensives. C'est fondamentalement le même problème que désigne Richardson [2] en décrivant la course aux armements dont l'escalade a commencé vers 1912 :

Les préparatifs de guerre de l'Entente comme de l'Alliance s'accroissaient sans cesse. Pour expliquer ce fait, on a dit à l'époque (et peut-être le dit-on encore) que les motifs des deux parties étaient fort différents; nous, en effet, nous ne faisions que ce qu'il était juste, approprié et nécessaire de faire pour assurer notre défense; eux, ils mettaient la paix en danger en se livrant à des projets insensés et des ambitions extravagantes. On peut distinguer plusieurs types d'oppositions dans cet énoncé général. Premièrement, leur conduite était moralement condamnable, la nôtre moralement

1. Il n'est pas nécessaire que cette métacommunication soit exprimée verbalement. On ne doit pas y voir non plus un vague synonyme de l' « insight » (cf. § 7-32).
2. Lewis Fry Richardson, *op. cit.*, 1956, p. 1240-53.

irréprochable. Dans un débat où des intérêts nationaux sont aussi manifestement en jeu, il serait difficile d'énoncer un jugement qui ferait l'accord de tout le monde. Mais il y a une autre soi-disant opposition sur laquelle on peut espérer s'entendre. On a affirmé en 1912-1914 qu'*ils avaient des motifs bien arrêtés et indépendants de notre comportement, alors que nos motifs à nous n'étaient qu'une réponse à leur comportement, et changeaient en conséquence (p. 1244; c'est nous qui soulignons).*

Du point de vue pragmatique, il y a peu de différence, s'il y en a, entre les interactions mettant en jeu des nations et des individus, quand une ponctuation discordante a mené à des conceptions différentes du réel, dont la nature même de la relation, et par suite à des conflits internationaux ou interpersonnels. Dans l'exemple suivant, un modèle analogue est mis en œuvre au niveau interpersonnel.

LE MARI *(au thérapeute)*: Une longue expérience m'a appris que si je veux avoir la paix chez moi, je dois lui laisser prendre la direction des affaires sans m'en mêler.
LA FEMME: Ce *n'est pas* vrai. J'aurais aimé que tu fasses preuve d'un peu plus d'initiative, et que tu consentes à prendre une décision une fois de temps en temps, parce que...
LE MARI *(l'interrompant)* : Tu ne m'as jamais laissé le faire!
LA FEMME : C'est pourtant avec plaisir que je l'aurais fait... mais si je le fais, tout reste en plan, et c'est *moi* alors qui dois tout faire au dernier moment.
LE MARI *(au thérapeute)* : Est-ce que vous saisissez? Il est impossible d'aviser au moment où les choses se présentent... Il faut tout planifier et organiser une semaine avant.
LA FEMME *(agressive)* : Donne-moi un *seul* exemple, ces dernières années, où tu aies fait quelque chose.
LE MARI : Oh, évidemment, je ne peux pas, parce que ça vaut mieux pour tout le monde, y compris les enfants, que je te laisse agir à ta guise, et je l'ai compris très vite après notre mariage.
LA FEMME : Tu n'as jamais agi autrement, dès le début, ça a été comme ça... tu t'en es toujours remis à moi pour tout!
LE MARI : Bon Dieu! Qu'est-ce qu'il ne faut pas entendre! *(pause; puis s'adressant au thérapeute)* — Je crois comprendre ce qu'elle veut dire : je lui ai toujours demandé ce qu'*elle*, elle désirait, par exemple : « Où aimerais-tu aller ce soir? » ou « Qu'est-ce que tu aurais envie de faire pendant le week-end? », et au lieu de voir que je cherchais à être gentil avec elle, ça la rendait furieuse contre moi...
LA FEMME *(au thérapeute)* : Oui, oui, ce qu'il ne peut décidément pas comprendre, c'est que ce truc : « Mais chérie, je suis-d'accord-avec-tout-ce-que-tu-désires » pendant des mois et des mois, ça finit par vous faire penser qu'il se fiche pas mal de ce que [vous pouvez désirer...]

On retrouve le même mécanisme dans un exemple rapporté par Laing et Esterson. Il s'agit d'une mère et de sa fille schizophrène. Peu de temps avant son hospitalisation, la fille avait tenté d'agresser physiquement sa mère :

LA FILLE : Et pourquoi t'ai-je attaquée? Peut-être que je cherchais quelque chose qui me manquait — de l'affection; c'était peut-être une soif d'affection.
LA MÈRE : Allons, tu n'en as jamais voulu. Tu as toujours trouvé cela ridicule.
LA FILLE : Et quand m'en as-tu offert?
LA MÈRE : Eh bien, par exemple, si je voulais t'embrasser, tu me disais : « Ne sois pas ridicule. »
LA FILLE : *Tu ne m'as jamais laissée t'embrasser*[1].

3 - 44.

Ceci nous conduit à un concept important, celui de la *prédiction qui se réalise :* dans le domaine de la ponctuation, c'est peut-être l'un des phénomènes d'interaction le plus intéressant. On peut voir dans la prédiction qui se réalise l'équivalent de la « pétition de principe » dans la communication. C'est un comportement qui provoque chez autrui la réaction à laquelle ce comportement serait la réaction appropriée. Par exemple, quelqu'un qui agit en pensant au départ « Personne ne m'aime » aura un comportement méfiant, défensif ou agressif auquel il y a toutes chances que les autres répondent inamicalement, justifiant par là ses prémisses. Répétons que dans une pragmatique de la communication humaine, il est parfaitement hors de propos de demander *pourquoi* un individu a de telles prémisses, quelles en sont les causes et s'il en est ou non conscient. Du point de vue pragmatique, nous constatons que le comportement interpersonnel de cet individu se caractérise par cette redondance particulière, entraînant un effet complémentaire de la part d'autrui qui le contraint à adopter certaines attitudes précises. Ce qui est caractéristique de cette séquence (et c'est pourquoi il y a là un problème de ponctuation), c'est que l'intéressé est persuadé qu'il ne fait que réagir à l'attitude d'autrui, mais il ne lui vient pas à l'esprit que peut-être bien, il la provoque.

1. R. Laing et A. Esterson, *op. cit.*, p. 27-28.

3 - 5

ERREURS DE « TRADUCTION » ENTRE L'ANALOGIQUE ET LE DIGITAL

En essayant de décrire ces erreurs, une anecdote tirée d'un roman de Daniele Varè, *The Gate of happy sparrows*, nous vient à l'esprit. Le héros, un Européen qui vit à Pékin pendant les années vingt, reçoit des leçons d'écriture d'un professeur chinois; celui-ci lui demande de traduire une phrase composée de trois idéogrammes; le héros les déchiffre correctement : « rondeur », « être assis », « eau ». Il s'efforce de combiner ces concepts en une assertion (nous dirions de la traduire en langage digital), et il décide que cela signifie : « Quelqu'un prend un bain de siège », au grand dédain du distingué professeur, car cette phrase est une manière particulièrement poétique de parler d'un coucher de soleil sur la mer.

3 - 51.

Comme l'écriture chinoise, le matériel d'un message analogique, nous l'avons déjà dit, manque d'une bonne partie des éléments qui constituent la morphologie et la syntaxe du langage digital. Aussi, en traduisant un message analogique en message digital, le traducteur doit fournir ces éléments et les insérer, de même que dans l'interprétation d'un rêve, on doit introduire plus ou moins intuitivement une structure digitale dans l'imagerie kaléisdoscopique du rêve.

Nous avons vu également que le matériel d'un message analogique est très antithétique. Il se prête à des interprétations digitales fort différentes et souvent parfaitement incompatibles. Dans ces conditions, il est difficile pour l'émetteur de verbaliser ses propres communications analogiques, mais de plus, quand s'élève une controverse interpersonnelle sur la signification d'un aspect déterminé d'une communication analogique, chaque partenaire risque d'introduire, dans le processus de traduction, le type de digitalisation conforme à *sa* conception de la nature de leur relation. Par exemple, faire un cadeau est sans aucun doute une communication analogique. Mais, selon la conception que le bénéficiaire se fait de sa relation au donateur, il y verra un gage d'affection, une aumône ou une restitution. Combien de maris ont été déconcertés de s'apercevoir qu'on les soupçonnait d'une faute jusqu'alors inavouée s'ils rompaient les règles du «jeu» de leur mariage en offrant spontanément des fleurs à leur femme.

Quelle signification digitale ont la pâleur, les tremblements, la transpiration et le bégaiement d'un individu soumis à un interrogatoire? On peut y voir une preuve manifeste de sa culpabilité, mais on peut n'y voir aussi que le comportement d'un innocent qui vit le cauchemar d'être soupçonné d'un crime et qui comprend qu'on peut interpréter sa peur comme l'aveu de sa culpabilité. La psychothérapie a manifestement pour objet la digitalisation correcte et corrective du matériel analogique; la réussite ou l'échec d'une interprétation dépend de l'aptitude du thérapeute à faire cette traduction d'un mode dans l'autre, mais il faut aussi que le patient soit disposé à échanger sa propre digitalisation pour d'autres plus appropriées et moins angoissantes. Pour une discussion de ces problèmes dans la communication chez les schizophrènes, la relation médecin-malade, et de très nombreux phénomènes sociaux et culturels, nous renvoyons le lecteur aux travaux de Rioch [1].

Même dans les cas où la traduction paraît correcte, au niveau de la *relation*, la communication digitale peut très bien ne pas emporter la conviction. Ce fait est caricaturé dans l'extrait de la bande dessinée « Peanuts » que nous reproduisons ci-dessous :

1. David McK. Rioch, « The sense of Noise », *Psychiatry*, 24 : 7-18, 1961. « Communication in the Laboratory and Communication in the Clinic », *Psychiatry*, 26 : 209-21 1963.

(Traduction des « bulles » de la bande dessinée :

1. Je trouve que j'ai un charmant sourire.
2. Schroeder, tu ne m'as jamais dit que j'avais un charmant sourire... Tu crois que j'ai un charmant sourire?
3. Oh, oui, tu as le plus charmant sourire qui soit depuis que le monde est monde...
4. Même quand il le dit, il ne le dit pas vraiment.)

3 - 52.

Dans un exposé non publié, Bateson émet l'hypothèse d'une autre erreur fondamentale à laquelle peut donner lieu la traduction d'un mode de communication dans l'autre : supposer qu'un message analogique est par nature assertorique ou dénotatif, comme l'est un message digital. Il y a pourtant tout lieu de croire qu'il n'en est rien. Bateson écrit :

Quand une pieuvre ou une nation fait un geste de menace, l'autre peut en conclure : « Elle est forte », ou « elle va attaquer », mais cela ne figure pas dans le message original. Le message à vrai dire ne dénote rien, et il serait plus juste d'y voir l'analogue d'une *proposition* ou d'une *question* dans le domaine digital.

Il ne faut pas oublier à ce propos que tous les messages analogiques *appellent la relation*, et qu'ils sont donc autant de propositions concernant les règles futures de la relation, pour reprendre les termes d'une autre définition de Bateson. Par mon comportement, dit Bateson, je peux signifier ou proposer l'amour, la haine, le combat, etc., mais c'est à vous d'attribuer une valeur de vérité, positive ou négative, future à mes propositions. Inutile de dire que c'est la source d'innombrables conflits relationnels.

3 - 53.

Comme nous l'avons expliqué dans le chapitre précédent, le langage digital possède une syntaxe logique, ce qui le rend tout particulièrement apte à la communication au niveau du contenu. Mais lorsqu'on traduit un matériel analogique en matériel digital, on doit introduire les fonctions logiques de vérité, qui sont absentes de la communication sur le mode analogique. Cette absence saute aux yeux notamment dans le cas de la négation où elle équivaut à l'absence du « non » digital. Autrement dit, s'il est facile de transmettre le message analogique : « Je vais t'attaquer », il est extrêmement difficile de faire parvenir le signal : « Je *ne* t'attaquerai *pas* », tout comme il est difficile, sinon impossible, d'introduire des valeurs négatives dans les calculateurs analogiques.

Dans le roman de Koestler *Croisade sans croix*, le héros, un jeune homme qui a fui sa patrie occupée par les Nazis et dont le visage a été défiguré par la torture, est amoureux d'une belle jeune fille. Il n'a aucun espoir de voir ses sentiments payés de retour, et tout ce qu'il désire, c'est d'être auprès d'elle et de lui caresser les cheveux. Elle repousse ces avances innocentes et provoque par là une exaspération de son désespoir et de sa passion qui le conduit à la violenter :

Elle était couchée contre le mur, la tête étrangement posée comme une poupée au cou brisé. Et maintenant enfin il pouvait lui caresser les cheveux, doucement, gentiment, comme il avait toujours souhaité le faire. Puis il s'aperçut qu'elle pleurait, les épaules secouées par des sanglots secs. Il continua à lui caresser les cheveux et les épaules et murmura :

« Vous voyez, c'est parce que vous ne vouliez pas m'écouter. »

Elle se raidit soudain, cessant de sangloter :

« Qu'est-ce que vous disiez?

— Je disais que tout ce que je voulais, c'était que vous ne partiez pas et que vous me laissiez vous caresser les cheveux et vous donner des choses glacées à boire... C'est vrai, c'est tout ce que je voulais. »

Elle rit d'un rire un peu nerveux qui lui secoua les épaules :

« Dieu, vous êtes le pire fou que j'aie jamais rencontré.

— Êtes-vous fâchée contre moi? ... »

Elle remonta les genoux, s'écartant de lui, se blottissant contre le mur.

« Laissez-moi. Je vous en prie, allez-vous-en et laissez-moi tranquille un moment. » Elle pleurait de nouveau, mais plus calmement. Il se laissa glisser du divan, s'accroupit sur le tapis, comme auparavant, mais, cette fois, prit sa main qui reposait abandonnée sur un coussin. C'était une main immobile, moite, brûlante de fièvre.

« Vous savez, dit-il, encouragé parce qu'elle ne retirait pas sa main, quand j'étais enfant, nous avions une petite chatte noire avec laquelle je voulais toujours jouer, mais cela lui faisait peur et elle se sauvait. Un jour, à force de ruses, j'ai réussi à la faire entrer dans la chambre à jouer mais elle s'est cachée sous le bahut et elle ne voulait plus en sortir. Alors, j'ai tiré le bahut loin du mur et j'étais de plus en plus en colère parce qu'elle ne se laissait pas caresser, et puis elle s'est cachée sous la table et j'ai renversé la table et cassé deux tableaux au mur et mis tout sens dessus dessous, et j'ai poursuivi la chatte avec une chaise tout autour de la pièce. Enfin ma mère est arrivée et m'a demandé ce que je faisais et je lui ai dit que je voulais

seulement caresser cette idiote de chatte et j'ai reçu une terrible correction. Mais j'avais dit la vérité [1]... *(p. 41-2)*. »

Dans ce cas, le désespoir fou d'être rejeté et incapable de prouver qu'il *ne* voulait *pas* faire de mal conduit à la violence.

3. 531.

Or, si à l'exemple de Bateson on observe le comportement animal dans des situations analogues, on constate qu'il n'y a qu'une seule manière de signaler la négation : montrer ou proposer d'abord l'action à nier, et ne pas la mener à son terme. Ce comportement intéressant, qui n'est « irrationnel » qu'en apparence, peut être observé non seulement entre animaux mais également au niveau humain.

Nous avons pu observer un modèle de communication fort intéressant visant à établir des relations de confiance entre des hommes et des dauphins « à nez de bouteille ». Il est possible que ce rite ait été élaboré « à usage privé » par deux de ces animaux seulement, mais il offre malgré tout un excellent exemple de communication analogique de la négation. Il était évident que les animaux avaient fini par comprendre que la main est, dans le corps humain, une partie très importante et très vulnérable. Ils cherchaient à établir le contact avec un étranger en lui prenant la main dans la gueule et en la serrant légèrement entre les mâchoires, or celles-ci sont pourvues de dents acérées et très capables de vous trancher fort proprement la main. Si l'homme se prêtait à ce manège, le dauphin semblait y voir l'indice d'une confiance totale. Il payait alors l'homme de retour en plaçant la face ventrale antérieure de son corps (partie de *son* propre corps la plus vulnérable, approximativement équivalente par sa localisation à la gorge chez l'homme) sur la main, la jambe ou le pied de l'homme, manière de dire qu'il avait confiance dans les intentions amicales de l'homme. Manifestement, une telle méthode est cependant exposée à chaque instant à des erreurs d'interprétation.

En poésie, Rilke [2], au début de la Première Élégie de Duino, exprime une forme de relation, en son fond analogue, mais entre l'homme et

1. Arthur Koestler, *Arrival and Departure*, 1943 (traduit en français sous le titre *Croisade sans croix* par Denise Van Moppes, Calmann-Lévy, 1946).
2. Rainer Maria Rilke, *Les Élégies de Duino* (trad. fr. de Lorand Gaspar, Le Seuil, 1972).

la transcendance; la beauté y est éprouvée comme la négation d'une destruction inhérente toujours possible :

> Qui donc dans les ordres des anges
> m'entendrait si je criais?
> Et même si l'un d'eux soudain
> me prenait sur son cœur :
> de son existence plus forte je périrais.
> Car le beau n'est que le commencement du terrible,
> ce que tout juste nous pouvons supporter
> *et nous l'admirons tant parce qu'il dédaigne de nous détruire.*
> *(C'est nous qui soulignons.)*

3. 532.

L'exemple du dauphin invite à voir dans le *rite* un processus intermédiaire entre communication analogique et communication digitale. Il mime le matériel du message, mais d'une manière répétitive et stylisée qui est à mi-chemin de l'analogon et du symbole. On peut observer que des animaux comme les chats établissent couramment une relation complémentaire mais non-violente à travers le rituel suivant : l'animal qui a « le dessous » (en général un animal plus jeune ou qui s'aventure hors de son territoire) se met sur le dos, exposant ainsi sa veine jugulaire, que l'autre chat saisit entre ses mâchoires sans faire mal. Cette manière d'établir la relation « Je ne vais pas t'attaquer » semble être comprise par les deux animaux. Il est encore plus intéressant de remarquer que ce code s'est avéré valable également dans des communications entre espèces différentes (par exemple entre chiens et chats). Les rites des sociétés humaines sont souvent du matériel analogique formalisé, et dans la mesure où un tel matériel est sanctionné par l'usage, il se rapproche de la communication symbolique ou digitale, révélant par là un curieux chevauchement.

En psychopathologie, le même mécanisme semble intervenir dans le masochisme sexuel. Le message « Je *ne* te détruirai *pas* » ne peut emporter la conviction (et apaiser, au moins temporairement, la peur profonde d'un terrible châtiment qui est celle du masochiste) que grâce à la négation analogique propre au rite de l'humiliation et du châtiment, qui, il le sait, finira à coup sûr par s'arrêter au seuil de sa terreur fantasmatique.

3 - 54.

Ceux qui connaissent bien la logique symbolique peuvent voir maintenant qu'il n'est peut-être pas nécessaire de montrer que *toutes* les fonctions de vérité font défaut au matériel analogique, mais seulement quelques fonctions critiques. La fonction logique de vérité qu'on appelle *alternation* (le *ou* non-exclusif), interprétée comme signifiant « soit l'un soit les deux », est absente, on le voit, du langage analogique. S'il est facile en langage digital de transmettre la signification « l'un ou l'autre ou bien les deux », on ne voit pas très bien comment insérer cette relation logique dans le matériel analogique; en fait, c'est sans doute impossible. Les spécialistes de logique symbolique [1] ont montré qu'on peut représenter toutes les fonctions de vérité les plus importantes (négation, conjonction, alternation, implication et équivalence) par deux seulement : négation et alternation (ou négation et conjonction); deux sont nécessaires et suffisantes pour représenter les trois autres. Si nous suivons ce raisonnement, et bien que nous ne connaissions pas exactement l'importance pragmatique de l'absence des autres fonctions de vérité dans le matériel analogique, nous pouvons conclure que, si ces fonctions ne sont que des variantes de « non » et « ou », elles n'échapperont pas à des difficultés semblables de traduction.

3 - 55.

Bateson et Jackson ont supposé que l'opposition entre code analogique et code digital avait son importance dans la formation des symptômes de l'hystérie. Selon ces auteurs, il se produirait un processus inverse de ceux dont nous venons de parler, c'est-à-dire une re-traduction, pour ainsi dire un retour d'un message déjà digitalisé au mode analogique :

Un problème inverse — mais beaucoup plus complexe — surgit en ce qui concerne l'hystérie. Sans doute ce terme recouvre-t-il toute une gamme de modèles formels, mais en certains cas au moins, il semble bien que soient en jeu des erreurs de traduction du digital dans l'analogique. Dépouiller le matériel digital de ce qui en lui sert à indiquer les types logiques conduit à

1. Willard von Orman Quine, *Methods of Logics*, Henry Holt and Company, New York, 1960, p. 9-12.

une formation de symptômes erronée. La « migraine » verbale, excuse courante pour ne pas accomplir une tâche, peut devenir subjectivement réelle, et avoir sur le plan de la douleur une intensité de grandeur variable et parfaitement réelle[1].

Si nous nous souvenons que la première conséquence d'une rupture de la communication est en général la perte partielle de l'aptitude à métacommuniquer digitalement sur les aléas de la relation, ce « retour à l'analogique » apparaît comme une solution de compromis plausible[2]. On connaît la nature symbolique des symptômes de conversion, et plus généralement leur affinité avec le symbolisme du rêve, depuis l'époque de Liébault, Bernheim et Charcot. Et qu'est-ce qu'un symbole, sinon la représentation en acte de ce qui est essentiellement une fonction abstraite, un aspect de la relation, selon la définition que nous avons donnée au § 1-2? A travers toute son œuvre, C. G. Jung montre que le symbole est présent là où ce que nous appellerions « digitalisation » n'est pas encore possible. Mais nous croyons que a symbolisation se produit également là où la digitalisation *n'est plus* possible; nous pensons aussi que c'est ce qui advient de manière caractéristique lorsqu'une relation menace de se nouer dans des domaines frappés d'un tabou social ou moral. C'est par exemple le cas de l'inceste.

3-6

TROUBLES PATHOLOGIQUES VIRTUELS DE L'INTERACTION SYMÉTRIQUE ET COMPLÉMENTAIRE

Afin d'éviter un malentendu fréquent, nous ne saurions trop souligner que symétrie et complémentarité dans la communication

1. Gregory Bateson et Don D. Jackson, *op. cit.*, p. 287.

2. Là encore, le comportement des nations diffère peu de celui des individus. Quand surgit une tension grave entre deux pays, la démarche la plus habituelle est la rupture des relations diplomatiques, qui conduit à avoir recours à des communications analogiques : mobilisation, concentration de troupes et autres messages analogiques de ce genre. Ce qu'il y a de particulièrement absurde dans cette situation, c'est que la communication digitale (c'est-à-dire la voie diplomatique) est rompue précisément au moment où on en aurait plus que jamais besoin. A cet égard, le « téléphone rouge » entre Washington et Moscou peut être une mesure « prophylactique », même si officiellement il a été établi pour accélérer les communications lors d'une crise.

ne sont pas en soi et par soi « bonnes » ou « mauvaises », « normales » ou « pathologiques », etc. Ces deux concepts ne font que renvoyer à deux catégories fondamentales dans lesquelles peuvent se répartir tous les échanges de communication. Symétrie et complémentarité remplissent des fonctions importantes, et ce que nous apprennent des relations « saines » nous permet de conclure que toutes deux doivent être présentes, mais selon les domaines, elles se trouvent en alternance ou en action réciproque. Nous essaierons de montrer que ceci signifie que chacun de ces modèles peut stabiliser l'autre, là où risque de se produire un « emballement » dans l'un d'eux, et qu'il est non seulement possible mais nécessaire que la relation des deux partenaires soit en certains domaines symétrique et complémentaire en d'autres.

3 - 61. *Escalade symétrique*

Comme dans tout autre modèle de communication, il y a dans la symétrie et la complémentarité des virtualités pathologiques; nous allons d'abord les décrire, nous les illustrerons ensuite par des exemples cliniques. Nous avons déjà dit que le danger toujours possible d'une relation symétrique, c'est la rivalité. On peut remarquer chez les individus, comme parmi les nations, que l'égalité ne semble vraiment rassurante que si l'on s'arrange pour être juste un peu « plus égal » que le voisin, pour reprendre le mot célèbre d'Orwell. Cette tendance rend compte d'une propriété spécifique de l'interaction symétrique : l'escalade, une fois qu'elle a perdu sa stabilité et que se produit ce qu'on peut appeler un « emballement » du système : scènes et conflits entre les individus, guerres entre les nations. Dans les conflits conjugaux, par exemple, on peut observer facilement que les conjoints se livrent à une escalade dans la frustration; ils finissent par s'arrêter par pur et simple épuisement physique et affectif; ils observent alors une trêve embarrassée, puis recommencent un nouveau « round » quand ils ont suffisamment récupéré. Dans l'interaction symétrique, les troubles pathologiques se caractérisent donc par un état de guerre plus ou moins « chaude », ou par un « *schisme* » au sens de Lidz [1].

1. T. Lidz, A.R. Cornelison, S. Fleck et D. Terry, « The intrafamilial Environment of schizophrenic patients », II, Marital schism and marital skew, *American Journal of Psychiatry*, 114 : 241-8, 1957.

Dans une relation symétrique « saine », les partenaires sont capables de s'accepter tels qu'ils sont; ceci conduit au respect mutuel et à la confiance dans le respect de l'autre, et équivaut à une confirmation positive et réciproque de leur moi. Dans le cas d'une rupture de la relation symétrique, c'est généralement le rejet plus que le déni que l'on peut observer.

3 - 62. *Complémentarité rigide*

Les relations complémentaires peuvent donner lieu à la même confirmation réciproque, saine et positive. Les troubles pathologiques qui leur sont propres sont, par contre, tout à fait différents. Ils auraient tendance à aboutir à un déni, plutôt qu'à un rejet, du moi de l'autre. Du point de vue psychopathologique, leur importance est donc plus grande que les affrontements plus ou moins ouverts des relations symétriques.

Un problème typique surgit dans une relation complémentaire quand X veut que Y confirme une définition de son moi, à lui X, qui est en contradiction avec la manière dont Y voit X. Y se trouve alors placé en face d'un dilemme très spécial : il lui faut changer la définition qu'il donne de lui-même pour une définition qui complète et donc corrobore celle de X; il est en effet dans la nature des relations complémentaires qu'une définition de soi ne peut se maintenir que si le partenaire joue le rôle complémentaire qu'on attend de lui. Après tout, il n'y a pas de « mère » sans « enfant ». Mais les modèles de la relation « mère-enfant » se modifient avec le temps. Un modèle dont l'importance biologique et affective est vitale dans les premières années de la vie du petit enfant, devient un sérieux handicap pour son développement ultérieur, si ne peut intervenir une modification appropriée de la relation mère-enfant. Ainsi, selon le contexte, le même modèle peut à un moment donné jouer un rôle capital dans la confirmation du moi, et à un stade ultérieur (ou prématuré) de l'histoire d'une relation aboutir à un déni. Les troubles pathologiques qui affectent les relations complémentaires ont un retentissement psychiatrique plus marqué : aussi les ouvrages concernant ces questions leur ont-ils accordé plus d'attention qu'aux troubles des relations symétriques. La psychanalyse y voit des relations sado-masochistes, liaison plus ou moins fortuite de deux individus dont les déviances dans la formation du caractère se rejoignent. Parmi des études plus récentes, et plus orientées vers l'interaction, signalons le concept de « déformation professionnelle » du couple de Lidz [1], la communication de Scheflen sur « le jeu de massacre à deux [2] », et le concept de « connivence » au sens de Laing [3]. Dans de telles relations, on remarque chez l'un des partenaires, ou chez les deux, un sentiment croissant de frustration. Très souvent, les plaintes formulées tournent autour de sentiments de plus en plus effrayants d'aliénation et de dépersonnalisation, d'aboulie ou bien d' « acting-out » compulsif de la part d'individus qui, hors de leur milieu familial (autrement dit en l'absence de leur partenaire), sont parfaitement capables d'une activité et d'un comportement satisfaisants, et paraissent très bien adaptés, si on les voit individuellement. Le tableau change souvent du tout au tout quand on les voit avec leurs « compléments ». Le caractère pathologique de leur *relation* devient alors manifeste. L'étude la plus remarquable de la pathologie des relations complémentaires est peut-être la célèbre communication, « La folie à deux », due à deux psychiatres français [4], il y a de cela presque un siècle. Il ne nous appartient guère de revendiquer l'originalité de notre approche; les passages suivants, tirés de cette communication, vont le montrer. Les auteurs décrivent tout d'abord le malade, puis poursuivent en ces termes :

Dans le délire à deux, l'aliéné, l'agent provocateur, répond, en effet, au type dont nous venons d'esquisser les principaux traits. Son associé est plus délicat à définir, mais avec une *recherche persévérante, on arrive à saisir les lois auxquelles obéit ce second facteur de la folie communiquée...* Une fois que le *contrat tacite* qui va lier les deux malades a été à peu près conclu, il ne s'agit pas seulement d'examiner l'influence de l'aliéné sur l'homme supposé sain d'esprit, mais il importe de rechercher *l'action inverse* du raisonnant sur le délirant et de montrer par quels compromis mutuels s'effacent les divergences *(c'est nous qui soulignons)*.

1. T. Lidz, *op. cit.*
2. Albert E. Scheflen, « Regressive One-to-One Relationships », *Psychiatric Quarterly*, 23 : 692-709, 1960.
3. R.D. Laing, *Soi et les Autres*, Gallimard, 1971.
4. Ch. Lasègue et J. Falret, « La folie à deux, ou folie communiquée », *Annales médico-psychologiques*, t. 18, novembre 1877. Cet article est reproduit dans les *Écrits psychiatriques* de Ch. Lasègue, Privat, 1971.

3 - 63.

Au début de ce paragraphe, nous avons dit rapidement que les modèles de relations symétriques et complémentaires peuvent se stabiliser mutuellement. Le passage d'un modèle à l'autre, puis le retour au modèle initial, sont d'importants mécanismes homéostatiques. Ce qui a une implication thérapeutique : en théorie du moins, on peut provoquer une modification thérapeutique de manière très directe en introduisant, pendant le traitement, la symétrie dans la complémentarité, ou vice versa. Nous disons bien « en théorie du moins », car on connaît trop bien la difficulté que l'on rencontre en pratique à induire un quelconque changement dans des systèmes rigides où les partenaires, dirait-on, préfèrent « supporter les maux présents plutôt que de (s') en échapper vers ces autres dont (ils) ne connaissent rien » (*Hamlet*, acte III, sc. I).

3 - 64.

Pour expliquer ce qui précède, donnons trois extraits de ce qu'on appelle « Entretiens familiaux structurés [1] ». Tous trois sont une réponse à la question classique du thérapeute aux conjoints : Comment avez-vous fait pour vous rencontrer parmi les centaines de gens qu'on croise chaque jour? ». Il faut bien préciser que l'information historique réelle contenue dans un tel récit n'a qu'une importance secondaire, même si elle peut avoir une relative justesse et esquisser déjà l'interaction symétrique ou complémentaire qui s'est instaurée à ce moment-là. Mais ce n'est pas cette information historique, souvent déformée par des vœux pieux et une mémoire sélective, qui nous intéresse ici. Si l'on considère par exemple le premier couple, on est frappé par la symétrie de leur interaction dans leur manière même de répondre à la question du thérapeute. L'histoire de leur rencontre, telle qu'ils la racontent, n'est pour ainsi dire qu'une matière brute qu'ils utilisent conformément aux règles de leur jeu : « avoir le dessus » (« one-upmanship »). Pour eux, comme pour nous, ce n'est pas *ce qui s'est passé* qui importe, mais de savoir *qui a le droit de*

1. Paul Watzlawick, « A structured family interview », *Family Process*, 5 : 256-71, 1966.

parler à l'autre et sur l'autre. Autrement dit, ce qui est essentiel dans leur communication, ce n'est pas le contenu mais la relation.

1. Le premier cas est un exemple typique d'échange symétrique [1] :

TRANSCRIPTION	COMMENTAIRE
TH. : Comment avez-vous fait pour vous rencontrer parmi les centaines de gens que l'on croise chaque jour?	
M. : Eh bien, c'est-à-dire que... nous travaillions tous les deux au même endroit. Ma femme travaillait sur une machine à calculer, et je réparais les machines à calculer, et...	M. prend la parole le premier, présentant un résumé unilatéral de toute l'histoire, et affirmant en même temps son droit de le faire.
F. : Nous travaillions dans le même bâtiment.	F. énonce la même information dans ses propres termes. Il ne s'agit pas *seulement* d'un accord avec M. Elle établit une symétrie dans leur manière d'aborder le sujet.
M. : Elle travaillait dans une maison possédant de grandes installations, et j'y travaillais presque tout le temps parce qu'il y avait de grandes installations. Et c'est comme ça que nous nous sommes rencontrés.	M. n'ajoute aucune information nouvelle, il ne fait que reformuler la même tautologie par laquelle il a commencé. Par là, il s'accorde symétriquement avec son comportement à elle qui affirme son droit à donner cette information; au niveau de la relation, ils se battent pour « avoir le dernier mot ». M. essaie d'y parvenir en donnant à sa seconde phrase un caractère définitif.
F. : Des filles qui travaillaient là aussi nous ont présentés. *(pause)*	F. ne s'avoue pas battue; elle rectifie son énoncé, réaffirmant son droit de participer à égalité à cette discussion. Ce nouveau détour est une interprétation tout aussi passive que « travailler dans le même bâtiment » (en ce sens qu'aucun d'eux n'est désigné comme celui qui a pris l'initiative), cependant elle se

1. Dans les transcriptions, nous utiliserons les abréviations suivantes : M = mari; F = femme; Th = thérapeute.

TRANSCRIPTION	COMMENTAIRE
	pose comme « un peu plus égale », en parlant des « autres filles », groupe dont évidemment elle était membre, mais pas M. La pause met fin au premier cycle d'échange symétrique sans clôturer le débat.
M. : En réalité, nous nous sommes rencontrés à une réception, je veux dire que nous avons commencé à sortir ensemble en allant à une réception que donnait une des employées. Mais nous nous étions déjà vus avant, pendant le travail.	Bien qu'avec certains adoucissements et une volonté de compromis, c'est une reformulation de ce qu'il a déjà dit, qui ne tient pas compte de son affirmation à elle.
F. : Nous ne nous étions jamais rencontrés avant ce soir-là... *(elle rit légèrement). (pause)*	Négation directe, et non seulement reformulation de ce qu'il a dit. Indique que peut-être l'escalade dans la discussion commence (Il faut noter toutefois que dans ce contexte « rencontrer » est un terme très ambigu; il peut signifier « jeter les yeux l'un sur l'autre » ou « être officiellement présentés ». Si bien que la contradiction qu'elle lui porte est disqualifiée, c'est-à-dire que si on la pressait, elle ne pourrait la maintenir. Son rire lui permet également de « dire quelque chose sans le dire tout en le disant »).
M. : *(à voix très basse)* Hem... *(longue pause)*	M. prend la position « basse » (one-down) en étant d'accord avec elle — apparemment, mais le « hem... » peut avoir divers sens, il est dit de façon presque inaudible, sans conviction, il ne souligne rien. Aussi le résultat est-il tout à fait flou. Bien plus, l'énoncé précédent est si vague qu'on ne voit pas très bien ce que pourrait signifier sa ratification. En tout cas, il ne poursuit pas, il ne soutient pas non plus une autre version personnelle. Ils parviennent ainsi à la fin d'un second

TRANSCRIPTION	COMMENTAIRE
	« round », marqué de nouveau par une pause qui semble fonctionner comme un signal d'alarme (contradiction et conflit ouvert) et indiquer qu'ils sont prêts à terminer la discussion, même en l'absence de clôture du débat sur le contenu.
TH. : Malgré tout, je pense à tous ces gens qui se croisent tous les jours. Alors, comment parmi tous ces gens, vous deux, vous vous êtes rencontrés?	Le thérapeute intervient pour relancer la discussion.
M. : C'était une des plus jolies filles parmi celles qui travaillaient là... *(léger rire)*. *(pause)*	M. reprend vigoureusement la position « haute » (one-up); ce compliment ambigu la compare aux autres, lui jouant le rôle de juge.
F. : *(plus vite)* : Je ne sais pas... la raison essentielle pour laquelle je me suis mise à sortir avec lui, c'est que les filles... il avait parlé à certaines de ces filles avant de me parler, et il leur avait dit que je lui plaisais, alors elles ont plus ou moins arrangé cette réception, et c'est là que nous nous sommes rencontrés. M. : En réalité, la réception n'avait pas été arrangée pour ça...	Elle admet, mais en y adjoignant sa propre version; il ne lui a plu que parce qu'elle lui avait d'abord plu (l'axe de leur symétrie s'est déplacé de : « Quelle version de leur rencontre, la sienne ou celle du mari, sera racontée et tenue pour valable » à « Qui a remporté le trophée, si l'on peut dire, dans les rites de la cour »). Rejet direct de sa définition.
F. : *(l'interrompant)* — Non, mais les choses avaient été arrangées pour que nous nous rencontrions à cette réception. Rencontre officielle, si vous voulez. En personne... *(léger rire)*. Nous avions travaillé ensemble, mais je n'avais pas l'habitude de ... enfin j'étais avec une soixantaine de femmes et une douzaine d'hommes, et je n'avais pas l'habitude de...	Après avoir admis sa rectification F. répète ce qu'elle vient de dire. Puisque sa formulation non personnelle a été affaiblie, elle a recours maintenant à une définition directe d'elle-même (« Je ne suis pas du genre à ... »), manière inattaquable d'établir l'égalité.
M. *(en même temps)* : Il est sûr que c'était une ouvrière du type effacé... timide, dans la mesure où elle devait	

TRANSCRIPTION	COMMENTAIRE
travailler avec des ... euh... des types bizarres dans cette boîte... oui... Mais les femmes le savaient *(pause)*. Et j'ai flirté avec des tas de filles dans cette maison *(léger rire)*. Oh, ça n'allait pas bien loin, mais sans doute seulement ... *(soupir)* seulement que je suis comme ça, ma nature...	M. donne une réponse symétrique fondée sur *sa* « nature », et c'est la fin d'un troisième « round ».

Ce couple avait demandé une aide parce qu'il craignait de faire souffrir leurs enfants par leurs chamailleries perpétuelles. Comme on peut s'en douter d'après l'extrait ci-dessus, ils ont fait état également de difficultés dans leurs relations sexuelles où, bien évidemment, leur incapacité à établir une relation complémentaire était particulièrement sensible.

2. Le couple de notre second exemple participait à un projet de recherches faisant appel à des familles choisies au hasard. D'une manière générale, les enquêteurs ont estimé qu'il y avait à l'intérieur de ce couple une grande distance affective et que la femme présentait des signes assez nets de dépression. Leur interaction est typiquement complémentaire, le mari occupant la position « haute » (one-up) et la femme la position « basse » (one-down). Mais comme nous l'avons déjà expliqué dans le chapitre précédent, il ne faut pas voir dans ces termes des signes de force ou de faiblesse relatives. Très évidemment, l'amnésie et la détresse de cette femme, non seulement permettent à son mari de jouer à l'homme viril et positif, mais constituent également les facteurs mêmes sur lesquels viennent buter sa force et son réalisme. Nous retrouvons donc le problème du retentissement interpersonnel de tout symptôme affectif au sens le plus large du terme.

L'extrait qui va suivre commence après que le thérapeute eut posé la question classique : « Comment vous êtes-vous rencontrés? » Le mari a expliqué que sa femme était venue travailler dans un bureau proche du sien.

M. : Et... voyons, quand as-tu commencé à travailler là?
F. : Nous ... Je n'en ai pas la moindre ...
M. *(l'interrompant)* : J'crois que c'était vers ... Je suis arrivé en octobre, l'année précédente ... et tu as dû commencer vers ... février ... euh ... février

ou janvier ... ou peut-être bien février ou mars, parce que ton anniversaire était en décembre, la même année.
F. : Hum ... Je ne peux pas me rappeler ...
M. *(l'interrompant) :* Alors, il s'est trouvé que je lui ai envoyé des fleurs, vous comprenez, quand ... à notre premier rendez-vous. Et que jamais ... nous n'étions jamais allés nulle part, n'est-ce pas?
F. : *(rire bref)* Non, j'étais très surprise.
M. : Et nous sommes juste allés un peu plus loin. Je crois que nous nous sommes mariés environ un an après. A peine plus d'un an.
TH. : Qu'est-ce que vous ...
M. *(l'interrompant) :* Toujours est-il que Jane a quitté la société très peu de temps après. Hum ... Je crois que tu n'y as pas travaillé plus de deux mois, hein?
F. : Je regrette, mais je ne me souviens de rien *(léger rire)*, ni combien de temps ni quand j'ai quitté...
M. *(l'interrompant) :* Oui, oui, deux mois, et après tu as repris l'enseignement (F. : hum ... hum ...). Parce que nous ... elle trouvait, je crois, que ce travail de guerre n'était pas autant qu'elle le pensait, une contribution à l'effort national, quand elle y est entrée.
TH. : Alors vous êtes allée dans une école?
F. : Oui, j'y avais déjà travaillé (TH. hum ...) avant de venir travailler dans cette société.
TH. : Et vous avez continué à rester en contact (M. : Oh, oui ...) Eh bien ... euh ... en dehors du fait que votre femme est incontestablement charmante, eh bien ... que pensez-vous avoir en commun?
M. : Absolument rien *(rire)*. Nous n'avons jamais ... nous n'avons jamais eu ... nous *(respiration oppressée) — (pause)*.

3. Le troisième exemple est tiré d'un entretien avec un couple normal du point de vue clinique, qui s'était porté volontaire pour le même type d'entretien. On peut percevoir dans ce cas comment les deux conjoints manœuvrent pour préserver une relation chaude et de soutien mutuel grâce à une souple alternance d'échanges symétriques et complémentaires. Aussi, même si certains détails de leur récit pourraient être ressentis comme péjoratifs par l'un ou l'autre, la stabilité de leur relation et la confirmation réciproque de leurs rôles n'en semblent pas pour autant menacées [1].

1. Dans le domaine de l'interaction symétrique et complémentaire, la situation de communication est entièrement différente si un message définit la relation comme étant *en même temps* symétrique *et* complémentaire. C'est sans doute de cette manière que le paradoxe s'introduit le plus fréquemment, et de la façon la plus significative, dans la communication humaine. Nous reprendrons donc séparément au chapitre VI les effets pragmatiques de cette forme d'incohérence dans la communication.

TRANSCRIPTION	COMMENTAIRE
TH. : Comment avez-vous fait pour vous rencontrer parmi les centaines de gens que l'on croise chaque jour?	
F. : Comment nous avons fait...?	
TH. : ... Pour vous rencontrer.	
F. : Eh bien ...	F. commence à prendre en main la situation, affirmant par là son droit de le faire.
M. *(l'interrompant) :* Oh, eh bien, je vais vous le dire (F. *rit et* M. *lui fait écho)*.	M. prend la situation en main grâce à une manœuvre très symétrique. Ce qu'atténue leur rire commun.
F. : Bon, bon, je vais le dire. En fait, je me suis mise à travailler en quittant le collège, c'était l'époque de la Dépression, alors j'ai pris un emploi comme ... euh ... oh ... comme « fille de trottoir», je crois que c'est comme ça qu'on disait à l'époque, et c'était [1]...	F. s'est troublée parce que « fille de trottoir » pouvait signifier « péripatéticienne». M. vient à son secours en précisant où elle travaillait, et ce faisant il définit avec fermeté la situation à *sa* manière. Jusque-là leur interaction est symétrique.
M. : ... un restaurant « drive-in » ...	
F. : ... je travaillais dans ... dans un restaurant « drive-in », jusqu'à ce que j'aie trouvé un emploi. Et lui travaillait...	F. accepte la définition de M. et reprend soigneusement à son compte la rectification de connotation qu'il a indiquée. Elle accepte la position « basse » (one-down) complémentaire.
M. : Je l'ai ramassée ...	Position « haute » (one-up) complémentaire.
F. : En effet, c'est ce qu'il a fait ... *(tous deux rient)*.	Position « basse » complémentaire (elle accepte la définition de M.)
M. : C'est comme ça que ça s'est fait.	Position « haute » complémentaire. Ainsi l'escalade symétrique du dé-

1. Désigne la serveuse qui prend « sur le trottoir » les commandes des clients qui prennent leur repas sans descendre de leur voiture *(N.d.T.)*.

TRANSCRIPTION	COMMENTAIRE
	but a été coupée par un virage vers la complémentarité, et la clôture du débat est possible. M. résume la situation. Le cycle se termine.
F. : Mais il était vraiment timide. Il était du genre timide, et j'ai pensé, bon, eh bien ...	F. effectue une manœuvre brusque vers la position « haute » parce qu'il dit « l'avoir ramassée ».
M. : J'ai surmonté ça ... c'est elle qui le dit ... moi, je ne sais pas.	Position « *basse* » complémentaire. M. accepte la définition qu'elle donne de lui-même comme « timide », c'est-à-dire que non seulement il n'a pas été l'agresseur, mais elle en est toujours juge (« C'est elle qui le dit ... moi, je ne sais pas ... »).
F. : Donc j'ai pensé ...	
M. : C'est tout ...	
F. : ... qu'il était inoffensif, alors je ... je suis rentrée avec lui.	
M. *(en même temps) :* Le fait est que c'était plutôt du toupet, parce que j'étais sorti avec un autre couple pour le week-end, et en revenant en ville, on discutait de ce que ... eh bien on a décidé qu'il était grand temps que je me trouve une fille sérieuse.	M. prolonge son interprétation, et continue en disant qu'il n'avait pas de petite amie, que ses amis exerçaient une certaine influence sur lui, etc.
F. : *(riant)* Et justement je me trouvais là !	Le *contenu* rend dans ce contexte un son d'auto-dépréciation — position « basse » complémentaire — mais son énoncé reflète en miroir la passivité de M. — F. prend un virage vers la symétrie (il faut noter la nécessité de distinguer entre ses motivations et l'effet interpersonnel de l'échange. La symétrie peut se

TRANSCRIPTION	COMMENTAIRE
	fonder sur la position « basse », comme sur toute autre forme de compétition).
M. : Alors nous nous sommes arrêtés là pour boire un soda ou quelque chose de ce genre *(tous deux rient)* et ... elle était là. Alors je ... oh ...	M. énonce symétriquement leurs deux formulations de la situation et là encore le rire permet la clôture du débat.
F. : C'est comme ça que c'est arrivé.	F. met fin au débat, exactement de la même manière que M. à la fin du premier cycle (« C'est comme ça que ça s'est fait »).

3 - 65.

Deux points sont à souligner dans l'analyse des exemples qui précèdent. Tout d'abord, l'importance du contenu s'estompe à mesure que se font jour les modèles de la communication. Un groupe d'internes en psychiatrie, de deuxième et troisième années, a estimé que le couple du dernier exemple était beaucoup plus « malade » que d'autres couples, perturbés au sens clinique du terme. Renseignement pris, leur jugement se fondait sur le caractère relativement « inacceptable », du point de vue social, de leur rencontre, et sur les « prises de bec » qu'ils avaient ouvertement sur des détails. Autrement dit leur jugement erroné s'appuyait sur le contenu de leur récit, et non sur l'interaction qui pouvait s'y lire.

Il y a plus important. On a dû s'apercevoir que notre analyse portait sur une succession d'énoncés. Pris isolément, aucun énoncé ne peut être qualifié de symétrique, complémentaire dans la position « haute », etc... Pour « classer » un message donné, il est évident que la réponse du partenaire est nécessaire. Autrement dit, les fonctions de la communication ne se définissent pas par la nature des énoncés, quels qu'ils soient, pris comme entités individuelles, mais par la relation qui unit deux ou plusieurs réponses.

4

Structure de l'interaction humaine

4-1

INTRODUCTION

Les exemples relativement isolés des chapitres précédents avaient pour but de montrer, de manière spécifique et directe, certaines propriétés et certains troubles pathologiques de la communication humaine, éléments qui constituent la complexité de cette communication. En abordant maintenant la structure de l'interaction (nous avons défini cette unité de communication au § 2-22), nous allons examiner les modèles que suivent des communications qui se répètent et se maintiennent, c'est-à-dire la *structure* des processus de communication.

Ce niveau d'analyse était implicitement présent dans certaines de nos réflexions antérieures, par exemple, quand nous avons parlé de l'interaction symétrique ou complémentaire cumulative (§ 2-6 et 3-6). De même, la notion de « prédiction qui se réalise » (§ 3-44) déborde la ponctuation propre à une unique séquence de communication : la répétition de ce modèle de ponctuation, dans le temps et dans des situations très diverses, lui est essentielle. On peut donc dire que le concept de modèle de communication représente la répétition ou redondance [1] des faits. Comme il y a sans doute des modèles de modèles, et probablement des niveaux encore plus complexes de structure, on ne peut montrer les limites de cette hiérarchie. Mais,

1. Le rapport qui existe entre la redondance ou « contrainte » et notre concept de modèle a été exposé en détail au § 1-4. Soulignons seulement ici qu'un modèle est une information transmise par l'apparition de certains faits et la *non*-apparition d'autres faits. Si tous les faits possibles d'une classe donnée ont lieu au hasard, il n'y a ni modèle ni information.

pour l'instant, notre unité d'étude sera le niveau immédiatement supérieur à celui dont nous avons parlé jusque-là; la structure des séquences de messages, tout d'abord dans leur ensemble, puis en nous attachant plus particulièrement aux systèmes d'interaction durables. Ce chapitre est avant tout théorique; le problème complexe qui consiste à illustrer par des exemples ces phénomènes macroscopiques sera abordé principalement au chapitre 5. Ces deux chapitres ont donc entre eux la même relation que les chapitres 2 et 3 (d'abord la théorie, ensuite les exemples).

4-2

L'INTERACTION COMME SYSTÈME

On peut considérer l'interaction comme un système, et la théorie générale des systèmes permet de comprendre la nature des systèmes en interaction. La Théorie générale des Systèmes n'est pas seulement une théorie des systèmes biologiques, économiques ou mécaniques. En dépit de la très grande diversité de leur objet, ces théories de systèmes déterminés ont tant de points communs que s'est développée une théorie plus générale qui structure ces analogies en isomorphies formelles [1]. L'un des pionniers en ce domaine, Ludwig von Bertalanffy, définit cette théorie comme « la formulation et la dérivation des principes valables pour les « systèmes » en général [2] ». Von Bertalanffy a prévu le mouvement de recul que certains éprouveront devant notre empressement à traiter les relations humaines à l'aide d'une théorie plus connue pour s'appliquer, (ce qui ne veut pas dire qu'elle y soit plus apte), à des systèmes indéniablement non-humains, en particulier

1. Comme on pourra le remarquer, nous concentrons et limitons ici notre attention à certains aspects de systèmes en interaction durables, notamment la famille. Ce cadre de référence a été récemment appliqué à l'ensemble des systèmes vivants en général dans une série d'articles de James J. Miller (« Living Systems: basic concepts; structure and process; cross-level hypotheses », in *Behavioral Science*, 10 : 193-237, 337-411, 1965). L'auteur souligne l'aspect intégratif fécond que peut contenir une telle approche.

2. Ludwig von Bertalanffy, « An outline of general System Theory » *British Journal of the philosophy of Science*, 1 : 134-65, 1950.

aux ordinateurs. Il exprime en ces termes le vice de raisonnement qu'implique cette réaction :

L'isomorphie dont nous avons parlé est une conséquence du fait que des abstractions et des modèles conceptuels, qui se correspondent, peuvent à certains égards s'appliquer à des phénomènes différents, et c'est seulement à certains égards que les lois des systèmes s'appliqueront. Ceci ne signifie pas que les systèmes physiques, les organismes et les sociétés sont une seule et même chose. C'est en vertu d'un principe analogue que la loi de la gravitation s'applique à la pomme de Newton, au système planétaire et aux marées. Ce qui veut dire qu'à certains égards et avec certaines limitations, un système théorique, celui de la mécanique, s'applique à des phénomènes d'ordre divers; cela ne veut pas dire qu'à bien d'autres égards, il y ait une quelconque ressemblance entre les pommes, les planètes et les océans [1].

4 - 21.

Avant de définir les propriétés particulières des systèmes, nous devons souligner que la variable temps, manifestement si importante (et son associé, l'ordre), doit faire partie intégrante de notre unité d'étude. Les séquences de communication ne sont pas, pour reprendre les termes de Franck [2], « des unités anonymes répondant à une loi de fréquence », mais la matière même d'un processus actuellement en cours et dont l'ordre et les interrelations, sur une certaine période de temps, feront l'objet de notre étude. Comme l'ont dit Lennard et Bernstein :

L'idée d'une certaine durée est contenue dans un système. De par sa nature même, un système est constitué par une interaction, ce qui veut dire qu'avant de pouvoir décrire l'un de ses états ou une modification d'état, il faut que se produise une séquence d'action et de réaction [3] (p. 13-14).

1. Ludwig von Bertalanffy, « General System Theory », *General Systems Yearbook*, 1 : 1-10, 1956.
2. Lawrence K. Frank, « The Prospects of genetic Psychology » *American Journal of Orthopsychiatry*, 21 : 506-22, 1951.
3. Henry L. Lennard, Arnold Bernstein, avec la collaboration de Helen C. Hendin et Erdman B. Palmore, *The Anatomy of Psychotherapy*, Columbia University Press, New York, 1960.

4 - 22. *Définition d'un système*

Nous pouvons, pour commencer, reprendre la définition que donnent Hall et Fagen : « Un ensemble d'objets et les relations entre ces objets et entre leurs attributs [1]. » Dans cette définition, les *objets* sont les composants ou éléments du système, les *attributs* sont les propriétés des objets, et les *relations*, ce qui « fait tenir ensemble le système ». Ces auteurs soulignent un peu plus loin qu'en fin de compte tout objet est spécifié par ses attributs. Si donc les « objets » sont des êtres humains, les attributs qui permettent de les identifier dans le système sont leurs comportements de communication (par opposition à des attributs intrapsychiques, par exemple). Dans des systèmes en interaction, la meilleure manière de décrire des objets n'est pas de les décrire comme des individus, mais comme des personnes-en-communication-avec-d'autres-personnes. Si l'on précise le terme « relation », on peut sérieusement réduire l'indétermination et la généralité de la définition que nous avons citée. En admettant qu'il y ait toujours une forme quelconque de relation, même artificielle, entre des objets quelconques, Hall et Fagen pensent que « les relations à examiner dans un contexte donné dépendent du problème que l'on étudie; les relations importantes ou intéressantes seront retenues, les relations banales ou inessentielles seront écartées. C'est à celui qui étudie le problème de décider quelles sont les relations importantes et insignifiantes, c'est-à-dire que la question de l'insignifiance est liée à l'intérêt personnel de chacun (p. 18) ».

Ce qui importe ici, ce n'est pas le contenu de la communication en soi et par soi, mais très exactement l'aspect « relation » (ou « ordre ») de la communication humaine, tel que nous l'avons défini au § 2-3. Nous pouvons donc définir des systèmes en interaction comme deux ou plusieurs partenaires cherchant à définir la nature de leur relation, ou parvenus au stade d'une telle définition [2].

1. A.D. Hall et R.E. Fagen, « Definition of system », *General Systems Yearbook*, 1 : 18-28, 1956.

2. Si nous mettons l'accent sur des partenaires humains, il n'y a pas cependant de raison théorique d'exclure l'interaction entre d'autres mammifères (cf. Gregory Bateson, « The message: This is play », in *Transactions of the Second Conference on Group Processes*, Josiah Macy Jr. Foundation, New York, 1956, p. 145-242), ou entre des groupes, les nations par exemple, dont l'interaction peut avoir beaucoup de points communs avec celle de deux ou plusieurs individus (cf. Lewis Fry Richardson, *op. cit.*).

4 - 23. *Milieu et sous-systèmes*

Il y a un autre aspect important de la définition d'un système : la définition de son milieu; reportons-nous de nouveau à Hall et Fagen [1]. « Pour un système donné, le milieu est l'ensemble de tous les objets tel qu'une modification dans leurs attributs affecte le système ainsi que les objets dont les attributs sont modifiés par le comportement du système. »

De l'aveu même des auteurs :

> Cet énoncé conduit tout naturellement à se demander quand un objet appartient à un système et quand il appartient au milieu; car si un objet réagit en même temps qu'un système de la manière que nous venons de dire, ne doit-on pas le considérer comme un élément de ce système? La réponse n'est nullement catégorique. En un sens, un système constitue avec son milieu l'ensemble de tout ce qui présente un intérêt dans un contexte donné. On peut le diviser en deux autres ensembles, le système et le milieu; on peut le faire de nombreuses manières, mais qui sont toutes, en fait, parfaitement arbitraires....
>
> D'après la définition du système et du milieu, il est évident qu'on peut toujours subdiviser un système donné en sous-systèmes. Des objets appartenant à un sous-système peuvent fort bien être considérés comme faisant partie du milieu d'un autre sous-système *(op. cit., p. 20)*.

Le caractère insaisissable et souple du concept système-milieu, ou système-sous-système, n'est pas étranger à l'efficacité de la théorie des systèmes pour étudier les systèmes vivants (ou organiques), qu'ils soient biologiques, psychologiques ou, comme c'est le cas ici, en interaction. En effet :

> ... Les systèmes organiques sont *ouverts*, ce qui veut dire qu'ils échangent avec leur milieu matière, énergie ou information. Un système est *clos* s'il ne reçoit ni n'envoie d'énergie sous aucune forme, information, chaleur, matière, etc., et s'il n'y a donc pas de modification des composants, l'exemple étant la réaction chimique qui se produirait dans un récipient étanche et hermétique *(op. cit., p. 23)*.

Cette distinction entre systèmes clos et systèmes ouverts a libéré les sciences de la vie des entraves d'un modèle théorique essentiellement fondé sur la physique et la chimie classiques : des systèmes hermétique-

1. A.D. Hall et R.E. Fagen, *op. cit.*, p. 20.

ment *clos*. Parce que les systèmes vivants connaissent des débats incessants et vitaux avec leur milieu, la théorie et les méthodes d'analyse qui étaient adaptées à des objets qu'on peut à la rigueur enfermer dans un « récipient étanche et hermétique » ont conduit de façon significative à des impasses et des erreurs [1].

Avec le développement de la théorie des sous-systèmes ouverts et hiérarchisés, il n'est plus nécessaire d'isoler artificiellement le système et son milieu; leur ajustement à l'intérieur d'un même cadre théorique a un sens, ce que Kœstler exprime ainsi :

> Un organisme vivant, ou un groupe social, n'est pas un agrégat de parties ni de processus élémentaires; c'est une hiérarchie intégrée de sous-totalités autonomes, lesquelles consistent en sous-sous-totalités. etc. Ainsi les unités fonctionnelles à chaque échelon de la hiérarchie, sont-elles pour ainsi dire à double face : elles agissent comme totalités lorsqu'elles sont tournées vers le bas, et comme parties quand elles regardent vers le haut [2] *(p. 269-270)*.

A l'aide de ce modèle conceptuel, nous pouvons sans difficulté situer un système d'interaction dyadique dans la famille au sens large, la famille étendue, la collectivité et les systèmes culturels. D'autre part, ces sous-systèmes peuvent chevaucher d'autres sous-systèmes (sans conséquences théoriques fâcheuses), puisque chaque membre de la dyade est engagé dans des sous-systèmes dyadiques avec d'autres personnes et avec la vie elle-même (cf. conclusion). En résumé, les partenaires d'une communication ont des relations à la fois *verticales et horizontales* avec d'autres personnes et d'autres systèmes.

1. On peut trouver en psychiatrie un exemple intéressant et pertinent de l'effet indirect exercé sur diverses disciplines par cette métathéorie formulée surtout par la physique classique : dans l'enfance de la psychiatrie, les troubles pathologiques de l'interaction étaient pratiquement inconnus, à une exception près : *la folie à deux*, et les symbioses apparentées. Dès le départ, ces relations dramatiques ont été considérées comme des problèmes d'interaction, et non pas comme des problèmes individuels, mais on n'y voyait guère que des bizarreries nosologiques. Malgré tout, le seul fait de les avoir reconnues, alors que bien d'autres problèmes de relation étaient ignorés, ne laisse pas d'intriguer d'autant plus que, nous le voyons maintenant, seule *la folie à deux* s'adaptait exactement au modèle du temps : un système fermé.

2. Arthur Koestler, *The Act of Creation*, 1964 (trad. fr. du livre I chez Calmann-Lévy, 1965, sous le titre *Le Cri d'Archimède*).

4 - 3

PROPRIÉTÉS DES SYSTÈMES OUVERTS

Notre discussion, partie de la définition la plus générale possible des systèmes, se déplace pour se concentrer maintenant sur l'un des deux types fondamentaux de systèmes; les systèmes ouverts. Il nous est désormais possible de définir certaines propriétés formelles macroscopiques des systèmes ouverts, dans la mesure où elles s'appliquent à l'interaction.

4 - 31. *Totalité*

Les liens qui unissent les éléments d'un système sont si étroits qu'une modification de l'un des éléments entraînera une modification de tous les autres, et du système entier. Autrement dit, un système ne se comporte pas comme un simple agrégat d'éléments indépendants, il constitue un tout cohérent et indivisible. On saisira peut-être mieux cette caractéristique si on la compare à son contraire : la sommativité. Dans ce cas, si des variations dans un élément *n'affectent pas* les autres éléments ou le tout, ces éléments sont indépendants les uns des autres et constituent un « amas » *(heap)*, pour reprendre un terme que l'on rencontre dans les ouvrages traitant des systèmes : cet « amas » n'est pas plus complexe que la somme de ses éléments. Si l'on imagine un continuum, la sommativité en serait l'une des extrémités et la totalité l'autre extrémité. On peut dire que *les systèmes se caractérisent toujours par un certain degré de totalité.*

Les théories mécanistes du XIXe siècle n'ont pas été formalisées à l'époque en métathéorie, mais on comprend maintenant que ces théories étaient essentiellement analytiques et sommatives. « La conception mécaniste du monde a trouvé son idéal dans la pensée de Laplace, c'est-à-dire dans l'idée que tous les phénomènes sont en fin de compte des agrégats résultant d'actions fortuites d'unités physiques élémentaires » (Ludwig von Bertalanffy, *An Outline of General System*

Theory, p. 165). Ainsi les oppositions historiques peuvent fournir les meilleurs exemples. Ashby fait les remarques suivantes :

> Aujourd'hui la science se trouve en quelque sorte sur une ligne de partage. Pendant deux siècles, elle a étudié des systèmes intrinsèquement simples, ou analysables en éléments simples. Le fait qu'un dogme comme « faire varier les facteurs un par un » ait pu être admis pendant un siècle, montre que l'objet des recherches scientifiques était dans une large mesure les systèmes qu'autorisait justement cette méthode, car une telle méthode est souvent totalement impropre à l'étude des systèmes complexes. Ce n'est pas avant les travaux de Sir Ronald Fischer, dans les années vingt, à travers des expériences agronomiques, que l'on reconnut l'existence de systèmes complexes qui ne permettent absolument pas de faire varier un seul facteur à la fois; leur dynamisme propre et leurs interconnexions sont tels que l'altération d'un seul facteur provoque immédiatement des altérations d'autres facteurs, et sans doute d'un grand nombre de facteurs. Jusqu'à une époque récente, la science a eu tendance à esquiver l'étude de tels systèmes, et à concentrer son attention sur les systèmes simples et, notamment, sur les systèmes réductibles par l'analyse.
>
> Toutefois, lors de l'étude de certains systèmes, on ne pouvait esquiver complètement la complexité. Le cortex cérébral d'un organisme vivant et libre, la fourmilière comme société en acte, et le système économique humain présentaient un caractère remarquable à la fois par leur importance pratique et par leur inaccessibilité par les méthodes ordinaires. Aussi voyons-nous aujourd'hui les psychoses non traitées, les sociétés en décadence et les systèmes économiques chanceler, parce que les savants ne peuvent guère faire autre chose que prendre la mesure de la complexité de l'objet qu'ils étudient. Mais aujourd'hui, la science est aussi en train de faire ses premiers pas dans l'étude de la complexité pour elle-même [1].

4. 311.

La *non-sommativité*, corollaire de la notion de totalité, nous fournit donc un fil directeur négatif pour définir un système. Un système n'est pas la somme de ses éléments, et l'analyse formelle de segments artificiellement isolés aboutirait même à détruire l'objet que l'on étudie. Il faut négliger les éléments au profit de la « Gestalt », et aller au cœur de sa complexité, c'est-à-dire de sa structure. Le concept psychologique de « Gestalt » n'est qu'une manière d'exprimer le principe de non-sommativité; en d'autres domaines, la *qualité émergente* qui naît

1. W. Ross Ashby, *An introduction to Cybernetics*, Chapman and Hall, Londres, 1956, p. 5.

de l'inter-relation entre deux ou plusieurs éléments, présente un grand intérêt. L'exemple le plus net est fourni par la chimie; parmi les éléments connus, un nombre relativement faible engendre une diversité considérable de substances nouvelles et complexes. Citons un autre exemple : ce qu'on appelle les « dessins moirés », effets optiques résultant de la superposition de deux ou plusieurs treillages [1]. Dans les deux cas, on aboutit à une complexité dont ne pourraient jamais rendre compte les éléments considérés séparément. En outre, il est d'un grand intérêt de remarquer que le plus léger changement dans la relation entre les parties constituantes se trouve souvent amplifié dans la qualité émergente : substance différente dans le cas de la chimie, configuration très différente dans les dessins moirés. A cet égard, en physiologie, la pathologie cellulaire de Virchov s'oppose aux méthodes modernes de Weiss par exemple [2], et en psychologie, l'associationnisme classique à la « Gestalt-Theorie »; donc en étudiant l'interaction humaine, nous nous proposons d'opposer des méthodes essentiellement centrées sur l'individu, à la théorie de la communication. Lorsqu'on considère l'interaction comme un dérivé de « propriétés » individuelles — telles que les rôles, les valeurs, les espérances, les motivations — le composé, c'est-à-dire deux ou plusieurs individus en interaction, est un « amas » sommatif que l'on peut fragmenter en unités (individuelles) plus élémentaires. Par contre, d'après le premier axiome de la communication : tout comportement est communication et on ne peut pas ne pas communiquer, les séquences de communication doivent être considérées comme inséparables les unes des autres. En résumé, l'interaction est non sommative.

4. 312.

Le principe de totalité s'oppose également à une autre théorie de l'interaction, celle de relations *unilatérales* entre les éléments, c'est-à-dire que A peut affecter B, mais pas le contraire. Souvenons-nous de l'exemple donné au § 2-42 : la femme se montre hargneuse, le mari se replie. Nous avons vu que les partenaires ou l'observateur peuvent *ponctuer* une séquence d'interaction selon un modèle de causalité

1. Gerald Oster et Yasunori Nishijima, « Moiré Patterns », *Scientific American*, 208 : 54-63, 1963.
2. Paul Weiss, « Cell Interactions », in *Proceedings Fifth Canadian Cancer Conference*, Academic Press, New York, 1963, p. 241-76.

unilinéaire, alors qu'une telle séquence est en réalité circulaire; ce qui apparaît comme une « réponse » peut également jouer le rôle de stimulus pour provoquer le fait suivant dans une chaîne interdépendante. Ainsi, affirmer que le comportement de A provoque le comportement de B, c'est négliger l'effet du comportement de B sur la réaction suivante de A; c'est en fait, déformer la chronologie des faits en choisissant une ponctuation qui met en relief certaines relations tout en en voilant d'autres. Dans le cas d'une relation complémentaire en particulier (leader-suiveur, fort-faible, parent-enfant), on peut facilement perdre de vue la totalité de l'interaction et la fragmenter en unités causales linéaires et indépendantes. Nous avons déjà mis en garde contre ce paralogisme aux § 2-62 et 2-63; il n'est besoin ici que de le rendre explicite dans le cas d'une interaction à long terme.

4 - 32. *Rétroaction*

Si les éléments d'un système ne sont pas reliés de façon sommative ou unilatérale, qu'est-ce qui fait leur unité? Après avoir rejeté ces deux modèles conceptuels classiques, on pourrait penser qu'il ne nous reste qu'une alternative de fâcheuse réputation, celle que l'on rencontrait au XIXe siècle et au début du XXe siècle : des notions vagues, vitalistes et métaphysiques qui, parce qu'elles ne s'accordaient pas avec le déterminisme, ont été étiquetées téléologiques. Pourtant, comme nous l'avons déjà montré au § 1-3, le glissement conceptuel qui s'est produit de l'énergie (ou de la matière) à l'information, nous permet enfin d'échapper au choix stérile entre des schèmes de causalité déterministes ou téléologiques. L'avènement de la cybernétique et la « découverte » de la rétroaction ont fait comprendre que des liaisons circulaires très complexes étaient un phénomène assurément très différent de notions causales plus simples et plus orthodoxes, mais non moins scientifique. Rétroaction et circularité, selon la définition détaillée que nous en avons donnée au chapitre 1 et les nombreux exemples des chapitres 2 et 3, constituent le modèle de causalité qui convient le mieux à une théorie des systèmes en interaction. La nature spécifique d'un processus à rétroaction offre beaucoup plus d'intérêt que l'étude de l'origine et, bien souvent, du résultat.

4 - 33. *Équifinalité*

Dans un système circulaire, source de ses propres modifications, les « conséquences » (au sens de changement d'état au bout d'un certain temps), ne sont pas tant déterminées par les conditions initiales que par la nature du processus lui-même, ou par les paramètres du système. Énoncé plus simplement, ce principe d'équifinalité signifie que les mêmes conséquences peuvent avoir des origines différentes, parce que c'est la structure qui est déterminante Von Bertalanffy formule ce principe en ces termes :

> La stabilité des systèmes ouverts se caractérise par le principe d'équifinalité; ce qui veut dire que, par opposition à l'équilibre des systèmes clos, déterminé par les conditions initiales, un système ouvert peut parvenir à un état temporellement autonome, indépendant des conditions initiales et déterminé uniquement par les paramètres du système [1].

Si l'équifinalité du comportement des systèmes ouverts est fondée sur leur indépendance à l'égard des conditions initiales, non seulement des conditions initiales différentes peuvent produire le même résultat final, mais des effets différents peuvent avoir les mêmes « causes ». Ce corollaire lui aussi repose sur le principe de base que les paramètres du système peuvent l'emporter sur les conditions initiales. Aussi en analysant les effets que des individus en interaction ont les uns sur les autres, nous considérerons que les caractères spécifiques de la genèse ou du résultat de cette interaction sont loin d'avoir la même importance que sa structure actuelle [2].

1. Ludwig von Bertalanffy, « General System Theory, A critical Review », *General Systems Yearbook*, 7 : 1-20, 1962.

2. Langer a énoncé ce choix autrement : « Il existe un paralogisme répandu et familier, connu sous le nom de " paralogisme génétique ", né de l'emploi de la méthode historique en philosophie et critique littéraire : c'est l'erreur qui consiste à confondre *l'origine* d'une chose avec son *sens*, à rechercher la forme la plus primitive de cette chose pour dire ensuite : " ce n'est que " ce phénomène archaïque... Les mots, par exemple, ont sans doute été des sons rituels avant d'être des moyens de communication; cela ne veut pas dire que maintenant le langage ne soit pas un " véritable " moyen de communication, et qu'il ne soit " en fait que le pur résidu d'une excitation tribale (p. 248, les mots soulignés et les guillemets sont de l'auteur). » (S.K. Langer, *Philosophy in a new key*, Harvard University Press, Cambridge, 1942.)

Les variations des idées sur l'étiologie (psychogène) de la schizophrénie illustrent ce problème. Les théories d'un traumatisme unique dans l'enfance ont cédé la place à l'hypothèse d'un traumatisme concernant la relation entre l'enfant et la mère pathogène, traumatisme répétitif mais conçu comme unilatéral et statique. Comme l'a souligné Jackson, ce n'est là que la première phase d'une révolution plus vaste :

> Historiquement, le rôle d'un traumatisme psychogène dans l'étiologie se déplace des idées primitives de Freud concernant l'existence d'un seul événement traumatique vers le concept de traumatisme répétitif. *L'étape suivante serait de chercher non pas qui est responsable, mais comment se noue une situation.* La phase ultérieure consistera peut-être à étudier la schizophrénie (ou les schizophrénies) comme une maladie familiale faisant intervenir un cycle complexe hôte-porteur-receveur qui connote infiniment plus de choses que l'expression « mère schizophrénogène[1] » *(c'est nous qui soulignons).*

Ce que nous venons de dire des origines (ou étiologie) peut s'appliquer également au tableau clinique (ou nosologie). Reprenons l'exemple de la schizophrénie : on peut comprendre ce terme de deux manières : comme l'étiquette d'une entité nosologique déterminée, ou comme un mode d'interaction. Aux § 1-65 et 1-66, nous avons déjà proposé de ne plus réifier le comportement traditionnellement classé

1. Don D. Jackson, « A note on the importance of trauma in the genesis of schizophrenia », *Psychiatry*, 20, 181-4. 1957. Il existe des preuves à l'appui de cette conception de la psychopathologie fondée sur l'équifinalité; Kant (O. Kant, « The Problem of Psychogenic Precipitation in schizophrenia », *Psychiatric Quarterly*, 16 : 341-50, 1942) d'une part, Renaud et Estess (Harold Renaud et Floyd Estess, « Life history interviews with one hundred normal American males : « Pathogenicity » of childhood », *American Journal of Orthopsychiatry*, 31 : 786-802, 1961) d'autre part, n'ont pas trouvé de facteurs traumatiques déclenchants dans cinquante-six cas consécutifs de schizophrénie, mais par contre ils ont eu connaissance d'innombrables récits d'expériences traumatiques survenues dans la vie d'hommes qui, du point de vue du psychiatre, étaient considérés comme normaux. Notant que cette notion de traumatisme ne permettait pas de distinguer leur groupe-témoin de leurs échantillons cliniques, Renaud et Estess ajoutent :

« Cette conclusion n'est pas incompatible avec les hypothèses fondamentales des sciences du comportement au XXe siècle (par exemple, le comportement humain est pour une large part le résultat des expériences de la vie); elle ne s'oppose pas non plus à l'idée fondamentale que les premières années de la vie humaine jouent un rôle décisif pour le développement ultérieur. Mais, par contre, elle met en question certaines conceptions « élémentaristes » de relations causales simples et directes dont on tient à supposer l'existence pour rendre compte d'un lien entre certains types d'événements et l'apparition ultérieure d'une maladie mentale (p. 801). »

comme « schizophrène », mais de ne l'étudier que dans le contexte interpersonnel où il se produit; famille, institution; dans ce contexte, un tel comportement n'est pas simplement le résultat ou la cause des conditions généralement bizarres du milieu, mais de manière complexe, il fait partie intégrante d'un système pathologique actuellement agissant.

Enfin, un comportement fondé sur l'équifinalité est l'une des caractéristiques les plus importantes des systèmes ouverts, surtout par comparaison avec les systèmes clos. L'état final d'un système clos est entièrement déterminé par les circonstances initiales dont on peut dire qu'elles sont la meilleure « explication » du système; par contre, les caractéristiques structurelles d'un système ouvert sont telles qu'elles peuvent fonctionner jusqu'au cas-limite d'une indépendance totale à l'égard des conditions initiales : le système est ainsi à lui-même sa meilleure explication. La méthodologie adéquate est alors d'étudier sa structure actuelle [1].

4 - 4

SYSTÈMES EN INTERACTION CONTINUE

Nous pouvons maintenant étudier de plus près les systèmes qui se caractérisent par la constance, les systèmes dits « stables ». Citons de nouveau Hall et Fagen [2] : « On dit qu'un système est stable eu égard à certaines de ses variables, si ces variables tendent à demeurer dans des limites précises. »

4 - 41. *Les relations continues*

Il est presque inévitable qu'à ce niveau d'analyse, le centre de l'attention soit les relations continues, c'est-à-dire celles qui sont importantes pour les deux parties et qui sont durables. Les exemples

1. La même observation a été faite par un savant comme Wolfgang Wieser (*Organismen, Strukturen, Maschinen*, p. 33) et sur le mode comique, quoique réaliste, par un auteur comme Northcote C. Parkinson (*Parkinson's law and other studies in Administration*, Houghton Mifflin Company, Boston, 1957).

2. A. D. Hall et E. R. Fagen, *op. cit.*, p. 23.

les plus courants sont les amitiés, certaines relations de travail ou relations professionnelles, et surtout les relations conjugales et familiales [1]. Mise à part leur importance concrète en tant qu'institutions sociales ou culturelles, ces groupes-vitaux-possédant-une-histoire ont une portée heuristique spéciale pour la pragmatique de la communication. D'après les conditions que nous avons citées, il n'y a pas seulement dans ces groupes l'occasion, mais l'obligation de répéter des séquences de communication, ce qui peut conduire aux lourdes conséquences définies par les axiomes et les troubles pathologiques dont nous avons parlé précédemment. Les groupes d'étrangers ou les rencontres de hasard peuvent fournir un matériel qui a ses particularités non dénuées d'intérêt, mais à moins d'avoir un goût marqué pour les phénomènes singuliers, artificiels ou originaux, une telle interaction est loin d'avoir la valeur de celle d'un réseau « naturel », lieu où nous supposons que se révéleront avec un éclat pragmatique particulier les propriétés et les troubles pathologiques de la communication humaine [2].

4. 411.

Il y a une question qu'on se pose souvent : pourquoi telle relation existe-t-elle? C'est-à-dire, pourquoi, en présence de troubles pathologiques et d'une misère morale évidente, cette relation dure-t-elle malgré tout, les partenaires non seulement ne reprenant pas leur liberté mais, pour dire les choses de façon plus positive, s'accom-

1. Don D. Jackson — « Family rules : the marital Quid pro quo » in *Archives of genreral Psychiatry*, 12 : 589-94, 1965.

2. Nous ne voulons pas nier par là l'utilité ou la possibilité d'une investigation expérimentale (c'est-à-dire contrôlée) de ces phénomènes. Mais comme l'ont suggéré Bateson (Gregory Bateson, « The New Conceptual Frames of behavioral Research » in *Proceedings of the Sixth Annual Psychiatric Institute*, The New Jersey Neuro-Psychiatric Institute, Princeton, 1958, p. 54-71), Haley (Jay Haley, « Family Experiments : a New type of Experimentation », *Family Process*, 1 : 265-93, 1962), Scheflen (Albert E. Scheflen, « Quasi-courtship behavior in Psychotherapy » — *Psychiatry*, 28 : 245-57, 1965. Albert E. Scheflen, *Stream and Structure of co nmunicational behavior*, *Context Analysis of a Psychotherapy session*, Behavioral studies Monograph, n° 1, Eastern Pennsylvania Psychiatric Institute, Philadelphie, 1965) et Schelling (Thomas C. Schelling, *The Strategy of Conflict*, Harvard University Press, Cambridge, 1960), dans des contextes très différents, il y a de fortes chances pour qu'une telle expérimentation soit d'un tout autre ordre. Cf. également les observations d'Ashby au § 4-31.

modant de la poursuite d'une telle relation? Cette question appelle des réponses fondées sur la motivation, la satisfaction d'un besoin, des facteurs sociaux ou culturels, ou tout autre déterminant, qui, s'ils interviennent bien évidemment, ne touchent cependant que de biais notre sujet. Toujours est-il qu'on ne peut régler rapidement la question, et il faut rappeler qu'avec Buber et d'autres, nous avons déjà suggéré l'importance de la confirmation de soi comme but social (§ 3-331).

Cependant, comme notre visée est plus compréhensive qu'extensive, il nous faut explorer d'abord les explications qui mettent en jeu l'interaction, avant d'intégrer des prémisses relevant de cadres de référence différents. Aussi nous en tiendrons-nous à une réponse qui est plus une description qu'une explication [1], c'est-à-dire que nous nous demanderons comment, et non pourquoi, fonctionne un système en interaction. Nous pouvons établir une analogie, au prix d'une grande simplification, avec le fonctionnement d'un modèle privilégié, l'ordinateur. On peut décrire le fonctionnement d'un ordinateur en faisant appel à son langage, boucles de rétroaction, système des entrées-sorties de l'information, etc. Selon un lieu commun répandu, un Martien pourrait très bien comprendre « comment » ça marche, après une observation d'une durée suffisante, mais il ne saurait pas pour autant « pourquoi » ça marche, question d'un autre ordre et qui n'est pas des plus simples. En fin de compte, si l'ordinateur fonctionne, c'est parce qu'il est branché à une source d'énergie; c'est en vertu de la nature de ses composants qu'il peut fonctionner de telle ou telle manière; au sens téléologique, nous dirions que s'il fonctionne comme il le fait, c'est parce qu'il a été construit en vue d'un certain but. Dans une conception d'ensemble, on ne peut pas négliger le *pourquoi* de cette énergie et de ce but (ou en termes psychologiques, de cette motivation et de cette pulsion), mais on ne peut négliger non plus la nature du fonctionnement, c'est-à-dire le *comment*. On peut d'ailleurs étudier ces problèmes séparément, du moins pour le moment, comme on le fait pour des

1. Du point de vue phénoménologique par exemple, on peut considérer une relation continue comme un jeu à sommation non-nulle et motifs combinés (Thomas C. Schelling, *op. cit.*), dans lequel toute solution qui reste à l'intérieur de la relation semble devoir être préférée à une solution qui serait extérieure à la relation. Un exemple du § 6-446 illustre un modèle de ce genre.

problèmes analogues en d'autres domaines; il existe en physique une solution de continuité bien connue entre modèles différents :

> Il est peut-être inopportun de demander par exemple, pourquoi les électrons et les photons se comportent à la fois comme des corpuscules et comme des ondes, et d'attendre une réponse; la physique théorique n'en est pas encore là. Par contre, on peut se demander si une propriété ondulatoire ne pourrait expliquer qu'un électron-corpuscule se trouve limité à certaines orbites lors de ses révolutions autour du noyau de l'atome [1] (p. 269).

4 - 42. *Limitation*

Comme nous l'avons dit plus haut, si nous prenons une position aussi réservée, c'est qu'il peut fort bien exister des facteurs repérables, intrinsèques au processus de la communication, c'est-à-dire extérieurs à la motivation ou à la simple habitude, qui servent à nouer et perpétuer une relation.

Nous pouvons provisoirement subsumer ces facteurs sous la notion d'un effet limitatif de la communication, si nous remarquons que *dans une séquence de communication, tout échange de messages restreint le nombre d'échanges suivants possibles.* A la limite, et superficiellement, ceci revient à ré-énoncer notre premier axiome, à savoir que dans une situation interpersonnelle, on en est réduit à communiquer; si un étranger vous aborde ou vous ignore, on est obligé de lui répondre, ne serait-ce que par l'ignorance affectée. Dans des circonstances plus complexes, la limitation des possibilités de réponse est encore plus marquée. Nous avons montré, par exemple au § 3-23, que, étant donné un nombre relativement faible de modifications du contexte dans la situation de l'étranger, on pouvait esquisser toutes les possibilités de réponse. Donc, le *contexte* peut être plus ou moins limitatif, mais détermine toujours dans une certaine mesure les aléas de la situation. Mais le contexte n'est pas constitué seulement de facteurs institutionnels, extérieurs aux partenaires. Les messages ouvertement échangés deviennent partie intégrante du contexte interpersonnel en question et marquent les limites d'une interaction

1. Julia T. Apter, « Models and Mathematics, Tools of the mathematical biologist », *Journal of the American Medical Association,* 194 : 269-72, 1965.

ultérieure [1]. Pour reprendre l'analogie du jeu, dans tout jeu interpersonnel — et pas seulement dans les jeux à motifs combinés dont nous avons parlé plus haut — un « coup » modifie la configuration actuelle du jeu, restreint les possibilités qui restent désormais ouvertes et altère par là le cours du jeu. Définir une relation comme symétrique ou complémentaire, ou imposer une ponctuation déterminée, limite généralement les possibilités du partenaire. Autrement dit, dans une telle conception de la communication, non seulement l'émetteur, mais la relation, et donc le récepteur, se trouvent affectés. Manifester son désaccord, rejeter ou redéfinir le message reçu, ce n'est pas seulement répondre, mais susciter par là même l'implication dans une relation qui n'a pas besoin d'autre fondement que la définition même de la relation et l'engagement inhérent à *toute* communication. Notre passager aérien du § 3-23 aurait pu choisir d'échanger des banalités, mais il aurait pu se trouver de plus en plus engagé dans la relation — piégé, dirions-nous — par ses « coups » initiaux, si inoffensifs soient-ils. Le chapitre 5 en donnera une illustration quasi-clinique, et au chapitre 6, nous aborderons la limitation peut-être la plus rigide de toutes, celle qui est imposée par le paradoxe; dans ce chapitre 6, nous suggérons que les paradoxes interpersonnels sont réciproques et inextricablement imbriqués, si bien que se produit ce que les spécialistes des systèmes appellent une « oscillation » : les deux parties y sont liées d'une manière complexe, intenable et cependant en apparence inéluctable.

4 - 43. *Règles de la relation*

En tenant compte des phénomènes de limitation, nous pouvons maintenant revenir aux problèmes plus directement liés aux systèmes en interaction continue. Rappelons que dans toute communication, les partenaires s'offrent mutuellement une définition de leur relation, ou pour dire les choses avec plus de force, chacun d'eux cherche à déterminer la nature de la relation qui les unit. De même, chacun d'eux réagit en fonction de sa définition de la relation qui peut confir-

1. Carlos E. Sluzki, Janet Beavin, Alejandro Tarnopolsky et Eliseo Véron, « Transactional Disqualification », doit être publié dans *Archives of general Psychiatry*, 1967.

mer, rejeter ou modifier celle de l'autre. Ce processus mérite qu'on s'y arrête, car dans une relation continue, le problème ne peut rester sans solution ou soumis à des fluctuations. Si ce processus ne parvenait pas à une certaine stabilité, l'ampleur des variations, le fait de ne jamais savoir à quoi s'en tenir, conduiraient à un « emballement » puis à une dissolution de la relation, sans parler du problème épuisant de la re-définition de la relation à chaque échange. Le cas des familles pathologiques que l'on voit si souvent, lors d'une thérapie, se disputer inlassablement sur des problèmes de relation (cf. § 3-31) illustre cette nécessité d'une stabilisation, bien qu'à notre avis leurs querelles mêmes connaissent des limites, et leur chaos une fixité souvent impressionnante.

Des couples... qui au temps de la « cour » peuvent s'engager dans des jeux de comportement d'une extraordinaire diversité, parviennent toujours au bout d'un certain temps à une sérieuse économie concernant les sujets dont on peut discuter, et comment on doit en discuter. Ils semblent donc... avoir d'un commun accord exclu de larges secteurs de comportement de leur répertoire d'interaction et décidé de ne plus jamais ergoter à leur sujet [1]...

Cette stabilisation dans la définition de la relation, Jackson l'a appelée *règle* de la relation [2]; elle énonce les redondances que l'on peut observer au niveau de la relation, même si le contenu de la communication concerne des domaines très divers. Cette règle peut déterminer la symétrie ou la complémentarité, un type particulier de ponctuation (par exemple « le bouc émissaire »), une imperméabilité interpersonnelle réciproque (cf. § 3-35), ou tout autre aspect de la relation, sans limitation de nombre. Dans tous les cas, on remarque que les comportements possibles en fonction d'un type déterminé sont étroitement circonscrits dans une configuration redondante, ce qui a poussé Jackson à dire de la famille qu'elle était un *système régi par une règle* [3]. Bien évidemment, cela ne veut pas dire que le comportement familial soit régi par des lois *a priori*. Cela signifie plutôt, comme Mach [4] l'a dit de la science en général que :

1. Don D. Jackson, « The study of the Family », *Family Process*, 4 : 1-20 1965, p. 13.
2. Id., *ibid.* « Family rules : The Marital Quid pro quo », *Archives of general Psychiatry*, 12 : 589-94, 1965.
3. Id., *ibid.*
4. Ernst Mach, *The Science of Mechanics*, The Open Court Publishing Co, La Salle, Illinois, 1919, p. 485-6.

... on peut ramasser en une *seule et unique* expression des règles servant à reconstruire un grand nombre de faits. Ainsi, au lieu d'enregistrer un à un chaque cas de réfraction de la lumière, nous pouvons reconstruire mentalement tous les cas présents et futurs, si nous savons que le rayon incident, le rayon réfléchi et la perpendiculaire sont dans un même plan et que $\frac{\sin \alpha}{\sin \beta} = \eta$. De cette manière, au lieu d'enregistrer les cas innombrables de réfraction selon les différences de matière et sous tous les angles possibles d'incidence, nous n'avons qu'à enregistrer la règle que nous venons d'énoncer et les valeurs de η, ce qui est incomparablement plus simple. Il y a là sans aucun doute une loi d'économie. Dans la nature, il n'y a pas de *loi* de la réfraction, mais des cas différents de réfraction. La loi de la réfraction est une règle concise et ramassée que nous avons imaginée pour reconstruire mentalement un fait, et encore partiellement, c'est-à-dire sous son aspect géométrique.

4 - 44. *La famille comme système*

Voir dans la famille un système régi par des règles concorde avec la définition d'un système comme « stable eu égard à certaines de ses variables, si ces variables tendent à demeurer dans des limites précises ». Cette définition nous invite en fait à une étude plus formelle de la famille comme système.

C'est un tel modèle d'interaction familiale qu'a proposé Jackson en introduisant le concept *d'homéostasie familiale* [1]. Il a observé que si l'état d'un malade s'améliorait, cela avait souvent des répercussions catastrophiques dans la famille du malade mental (dépression, épisodes psychosomatiques, etc.); il a supposé alors que ces comportements, et peut-être tout aussi bien la maladie du patient, étaient des « mécanismes homéostatiques » qui avaient pour fonction de ramener le système perturbé à son délicat équilibre. Ce que nous énonçons là sèchement est le noyau d'une approche de la famille par le biais de la communication, approche que nous pouvons maintenant exposer de façon plus détaillée en fonction de principes déjà introduits.

1. Don D. Jackson, « The Question of Family Homeostasis », *Psychiatric Quarterly Supplement*, 31 : 79-90, 1re partie, 1957.

4. 441. Totalité

Dans une famille, le comportement de chacun des membres est lié au comportement de tous les autres et en dépend. Tout comportement est communication, donc il influence les autres et est influencé par eux. Plus précisément, comme nous l'avons noté plus haut, améliorations ou aggravations dans l'état du membre de la famille reconnu comme le malade, auront habituellement un effet sur les autres membres de la famille, en particulier sur leur santé psychologique, sociale ou même physique. Lorsque des thérapeutes, spécialisés dans les problèmes familiaux, apportent un soulagement aux maux explicitement formulés, ils se trouvent confrontés à une nouvelle crise. L'exemple suivant est typique dans son mécanisme; il a toutefois été choisi en raison de la clarté inhabituelle avec laquelle est formulé le problème pénible en question.

Un couple commence une thérapie conjugale à la demande expresse de la femme dont les plaintes paraissent plus que justifiées : son mari, jeune homme à l'esprit vif, d'aspect soigné et agréable, s'est arrangé, Dieu sait comment, pour terminer ses études primaires sans jamais avoir appris à lire et à écrire. Pendant son service militaire, il a également réussi à passer au travers d'un cours de rattrapage pour soldats illettrés. Une fois libéré des obligations militaires, il s'est mis à travailler comme manœuvre, ce qui lui interdisait tout avancement et toute augmentation de salaire. La femme a du charme, de l'énergie et se montre extrêmement consciencieuse. Parce que son mari est un illettré, c'est sur elle que repose tout le poids des responsabilités familiales; en plusieurs occasions, elle a dû conduire son mari à un nouveau lieu de travail, parce qu'il ne peut pas lire les plaques des rues ou le plan d'une ville.

Assez vite après le début de la psychothérapie, le mari s'inscrit à un cours du soir pour illettrés, s'assure l'aide de son père comme une sorte de répétiteur, et acquiert les rudiments de la lecture. Du point de vue thérapeutique, tout semble marcher à merveille, jusqu'au jour où le thérapeute reçoit un coup de téléphone de la femme : elle ne viendra plus aux séances communes et elle a déposé une demande de divorce. Selon la vieille plaisanterie : « L'opération a parfaitement réussi, mais le malade est mort. » Le thérapeute avait négligé la dimension d'interaction du problème formulé (il est illettré), et en faisant disparaître ce grief, il avait altéré la complémentarité de leur relation, même si c'est justement cela que la femme avait tout d'abord attendu de la psychothérapie.

4. 442. Non-sommativité

L'analyse d'une famille n'est pas la somme des analyses de chacun de ses membres. Il y a des caractéristiques propres au système, c'est-à-dire des modèles d'interaction qui transcendent les particularités de chacun des membres, par exemple les « compléments » du § 3-62, ou la communication qui provoque une « double contrainte » *(double-bind)* et que nous étudierons au § 6-432. Bien des « particularités » de tel ou tel membre de la famille, notamment le comportement symptomatique, sont en fait engendrées par le système. Fry [1], par exemple, a étudié de manière claire et concise le contexte conjugal dans lequel un groupe de patients présentait un syndrome d'angoisse, des phobies et une conduite d'évitement stéréotypée. Jamais le conjoint n'était exempt de troubles, mais ce qui présente un plus grand intérêt pour notre théorie, c'est de constater l'imbrication subtile et envahissante du comportement de chaque couple. Fry dit ceci :

Après une étude attentive, les conjoints font apparaître un passé de symptômes étroitement ressemblants, sinon même identiques, aux symptômes du patient (ou de la patiente). D'ordinaire, ils répugnent à parler de ce passé. Par exemple, une femme était incapable de sortir seule mais, même accompagnée, elle était prise de panique si elle se trouvait dans un lieu brillamment éclairé et/ou dans un milieu où il y avait foule, ou bien si elle devait faire la queue. Son mari a commencé par dire qu'il n'avait aucun problème d'ordre affectif, mais il a fini par révéler qu'il avait de temps à autre des angoisses, et évitait donc certaines situations. Or ces situations étaient les suivantes : se trouver dans la foule, faire la queue, pénétrer dans des lieux publics brillamment éclairés. Cependant, tous deux ont tenu absolument à ce que ce soit la femme qui soit considérée comme la malade, parce qu'elle avait *davantage* peur que lui de ces situations.

Dans un autre cas, la femme avait été reconnue comme la malade parce qu'elle avait peur des espaces clos et ne pouvait prendre un ascenseur. De ce fait, le couple ne pouvait aller dans un salon de thé situé au dernier étage d'un immeuble élevé. Il apparut toutefois par la suite que le mari avait peur des lieux élevés, peur qu'il n'avait jamais eu besoin d'affronter, puisque, d'un commun accord, la femme ayant peur de prendre l'ascenseur, ils n'allaient jamais aux derniers étages d'un immeuble *(op. cit., p. 248)*.

1. William F. Fry Jr., « The Marital Context of the Anxiety Syndrome », *Family Process*, 1 : 245-52, 1962.

L'auteur poursuit en disant qu'à son avis, les symptômes du patient (ou de la patiente) semblent avoir un rôle protecteur pour le conjoint; à l'appui de cette remarque, il note que l'efflorescence des symptômes est typiquement en corrélation avec un changement dans la situation du conjoint, changement qui peut être vécu comme anxiogène par l'autre conjoint :

Un homme de loi, qui jusque-là avait eu une vie professionnelle plutôt décousue, obtint une meilleure situation dans une autre ville. Il emmena sa famille et accepta cette situation, affirmation de soi pour lui inhabituelle. Au même moment, le couple se mit également à faire chambre commune, alors que depuis plus d'un an, ils faisaient chambre à part. La femme fut prise d'accès d'angoisse graves et se trouva dans l'incapacité de s'aventurer hors des limites de leur nouvelle demeure.

Un employé municipal, ayant un faible salaire, acheva en grande partie lui-même la construction d'une maison sortant du commun. Peu de temps après, sa femme fut prise d'accès d'angoisse qui la clouaient chez elle. Un autre mari finit par obtenir son diplôme et un travail; sa femme, qui jusque-là l'avait entretenu, connut les abîmes de l'angoisse (Fry, *op. cit.*, *p. 249-50)*.

Fry appelle « double contrôle » ce modèle et ce problème d'interaction, caractéristiques de ce genre de couples.

Les symptômes de la malade l'autorisent, en tant qu'elle est celle qui souffre, à exiger de son mari qu'il soit toujours à ses ordres et fasse ce qu'elle demande. Le partenaire ne peut faire un pas sans demander l'avis de la malade et débattre la question avec elle. Mais par ailleurs, la malade est continuellement sous la surveillance de son conjoint. Peut-être est-il dans l'obligation de se tenir près du téléphone afin qu'elle puisse le joindre, mais lui aussi contrôle toutes ses activités. La malade, comme son conjoint, dira souvent que *l'autre* n'en fait toujours qu'à sa tête.

Les difficultés de la malade font comme si elles permettaient au conjoint d'éviter nombre de situations qui pourraient être source d'angoisse ou de malaise, sans rencontrer cependant la possibilité de symptômes. La malade peut être pour lui une excuse raffinée. Il peut éviter les relations sociales, parce que, soi-disant, la malade s'y trouve mal à l'aise. Il peut réduire son travail, parce que, soi-disant, il doit soigner sa femme qui est souffrante. Il peut avoir une mauvaise attitude à l'égard de ses enfants en raison de son attitude de repli et de tendances à une hyper-réaction. Mais il s'épargne le face-à-face avec lui-même en pensant que les problèmes des enfants doivent etre provoqués par les symptômes de la malade. Il peut éviter toute relation sexuelle avec la malade, soi-disant parce qu'elle est malade et ne serait pas en forme. Il peut mal supporter la solitude, mais puisque la malade a peur de rester seule, il peut rester tout le temps auprès d'elle sans qu'apparaisse que *lui aussi* présente ce symptôme.

Une malade insatisfaite peut laisser voir des signes de son désir d'une relation extra-conjugale, mais ses symptômes phobiques l'empêchent de nouer des relations avec d'autres hommes. En raison de la personnalité du mari et de sa réaction à la maladie de sa femme, une aventure ne peut être sérieusement envisagée. La malade, et son mari, sont relativement protégés contre une telle situation par les symptômes mêmes de la malade.

En principe, le mariage est un douloureux échec, et le couple reste lointain et insatisfait, mais les symptômes fonctionnent comme ce qui maintient l'unité du couple. On pourrait appeler ce type de mariage : « mariage compulsif ».

Aussi longtemps que persistent les symptômes, il n'y a pas d'issue à ce dilemme. La malade s'inquiète de savoir si son conjoint tient à elle, et elle exige de plus en plus qu'il reste auprès d'elle, parce qu'elle est malade. Il reste auprès d'elle, mais cela ne la rassure pas pour autant, puisque, manifestement, il reste auprès d'elle parce qu'elle est malade, et non pas parce qu'il désire être auprès d'elle. Comme il se sent contraint de rester avec elle en raison de sa maladie, il ne peut jamais l'assurer, ni s'assurer lui-même, qu'il recherche volontairement sa compagnie.

Le mari ne peut résoudre ce problème. S'il reste avec la malade, on peut toujours penser que c'est seulement parce qu'elle est très malade. S'il la quitte, il fait figure de goujat qui se moque pas mal de son malheur. Mais par ailleurs, s'il la quittait, ou si elle retrouvait la santé, il lui faudrait affronter sa propre angoisse et ses symptômes. Étant donné son ressentiment, il ne peut pas compatir en toute franchise. Il ne peut pas non plus être délibérément indifférent. La malade, de son côté, ne peut pas être sensible aux sacrifices que son mari fait pour elle; elle ne peut pas non plus y être ouvertement insensible (Fry, *op. cit.*, *p. 20-2)*.

4. 443. Rétroaction et homéostasie

Des entrées d'information (« inputs »), c'est-à-dire des actions des membres de la famille ou du milieu, introduites dans le système familial, agissent sur ce système et sont modifiées par lui. Il faut tenir compte tout autant de la nature du système et de ses mécanismes de rétroaction que de la nature de l'entrée d'information (principe d'équifinalité). Certaines familles peuvent essuyer de gros revers et arriver à les transformer en occasions de se resserrer; d'autres semblent incapables de se sortir des crises les plus banales. C'est un cas encore plus extrême que l'on rencontre dans ces familles de schizophrènes qui paraissent incapables d'accepter les inévitables manifestations de la maturation de leur enfant, et qui contrecarrent ces « déviations » en disant que l'enfant est malade ou méchant. Laing et Esterson [1] décrivent la réaction de la mère (Mme Field) d'une

1. **Ronald D. Laing et A. Esterson, *op. cit.***

jeune fille schizophrène âgée de quinze ans (June) devant les manifestations croissantes de l'indépendance de sa fille. De deux ans à dix ans, June avait souffert d'une luxation congénitale de la hanche qui avait nécessité des appareils orthopédiques compliqués et inconfortables, et qui avaient réduit presque à néant ses activités.

LA MÈRE : Oh oui, elle a *toujours* été avec moi, toujours. Naturellement je ne pouvais pas la laisser, à cause de son support, je ne voulais pas qu'elle tombe. Elle est d'ailleurs tombée une fois et s'est cassé les dents de devant. Mais elle jouait quand même avec les autres enfants, vous voyez, nous sortions tous avec June parce que je l'emmenais partout, toujours. C'était naturel. Je ne la laissais jamais. Vous voyez, quand June avait un plâtre, je ne la mettais jamais à terre, car le plâtre se serait usé trop vite *(elle sourit)*, je la mettais sur le lit comme ceci *(elle fait une démonstration)* — et alors — il fallait lui mettre des courroies car elle était très active, et je mettais des cordes au-dessus du lit, puis autour, pour qu'elle puisse se mouvoir d'un point à un autre, puis aussi de bas en haut. Elle sauta tellement sur ce lit *(elle rit)* qu'en deux ans les ressorts étaient morts. Elle n'était pas toujours sur le lit parce que, comme je vous le disais, je l'emmenais partout avec moi. Je la mettais aussi dans le jardin, sous les arbres, pendant l'été, sur le tapis, vous voyez, et je l'attachais à l'arbre, comme cela elle pouvait se mouvoir tout autour de l'arbre sans aller sur le ciment. Parce que le plâtre — vous savez, ces plâtres ne sont pas très solides, ils s'usent facilement, surtout sur le ciment. Un matin, je l'ai trouvée sortie de son plâtre et j'ai dû l'emmener à l'hôpital pour lui en faire faire un autre. Comme je vous le disais, elle était débordante de vitalité, et toujours heureuse — n'est-ce pas, June?
JUNE : Mmm.
LA MÈRE : Mais oui, tu as toujours été choyée.

Mme Field raconta son histoire sur un ton animé, plein d'entrain. Sa façon de parler était aussi révélatrice que ce qu'elle racontait...

Non seulement Mme Field ne dit jamais que la vue de sa fille peut lui avoir été pénible à certains moments et que June put être quelquefois malheureuse, déprimée, triste, renfermée, et pas nécessairement toujours affectueuse, mais son répertoire d'adjectifs est toujours le même. Elle tient sa description de June pour absolument exacte, et cela nous semble être une vue extraordinairement limitée de quelque être humain que ce soit. Après plusieurs rencontres avec June, cette vue nous parut erronée. Mme Field exerce une puissante pression sur June afin que celle-ci accepte cette image d'elle-même et elle l'attaque durement au moindre signe de désaccord. Il semble qu'il n'y ait pas d'issue pour June. Ainsi que le répète constamment Mme Field : « Ce n'est plus ma petite June. Je ne la comprends plus. Elle était toujours heureuse lorsqu'elle était enfant. Elle était débordante de vitalité [1]... »

1. Laing et Esterson, *op. cit.*, p. 114-115.

Il faut noter le déni de toute manifestation du contraire. Quand les signes ont commencé à venir de June elle-même, cette dyade est alors entrée dans une phase nouvelle, caractérisée par les efforts massifs de Mme Field pour contrecarrer tout changement, efforts qui, de plus en plus, ont abouti à la conviction que June était malade :

Pendant l'été qui précéda l'hiver où elle fut admise à l'hôpital psychiatrique, June fut séparée de sa mère pour la première fois depuis le temps où elle avait été hospitalisée pendant six semaines, à l'âge de deux ans, pour sa hanche. Elle alla dans une colonie de vacances de la paroisse. Mme Field fut la seule mère qui accompagna sa fille jusqu'au lieu des vacances. Pendant le mois où elle fut loin de sa mère, June fit un certain nombre de découvertes sur elle-même et sur les autres, et malheureusement se brouilla avec sa meilleure amie. Elle devint aussi consciente de sa sexualité avec plus de force que précédemment.

Selon sa mère, lorsqu'elle revint de vacances, elle « n'était plus ma petite June. Je ne la reconnaissais plus ».

Ce qui suit est une description du comportement de June avant et après sa séparation d'avec sa mère, ainsi que nous la fit Mme Field.

AVANT	*APRÈS*
une charmante enfant	était hideuse se maquillait outrageusement avait grossi
une enfant très heureuse	était malheureuse
débordante de vitalité	repliée
me disait tout	ne se confiait plus
aimait s'asseoir à la maison le soir avec papa, maman et grand-père	se retirait dans sa chambre
adorait jouer aux cartes avec maman, papa et grand-père	préférait lire, ou bien jouait mais sans entrain
travaillait trop en classe	travaillait beaucoup moins — ne travaillait pas assez
était toujours obéissante	devint arrogante et insolente (c'est-à-dire qu'elle traita une fois sa mère de menteuse)
avait de bonnes manières	mangeait salement ne voulait pas attendre pour quitter la table que les autres aient fini de manger

croyait en Dieu	disait qu'elle ne croyait pas en Dieu; disait qu'elle avait perdu foi en la nature humaine
avait bon cœur	semblait possédée du mal

Sa mère fut très alarmée par ces changements et, entre août et décembre, consulta deux médecins et la directrice de l'école où allait June. Aucune de ces trois personnes ne trouva quoi que ce fût d'anormal dans le comportement de June, pas plus que la sœur de cette dernière ou son père. Toutefois, Mme Field ne pouvait la laisser tranquille.

Il est important de comprendre que Mme Field ne vit jamais June telle qu'elle était. Elle ne connut jamais la vie de sa fille. June était timide, se sentait maladroite, manquait de confiance en elle, mais elle était grande pour son âge, nageait beaucoup et pratiquait divers autres sports qu'elle avait entrepris de pratiquer afin de vaincre ses handicaps physiques (elle porta jusqu'à dix ans révolus des étriers de traction). Quoique très active, elle n'était pas indépendante, ainsi qu'elle nous le dit; elle avait dans l'ensemble toujours obéi à sa mère et avait rarement osé la contredire. Cependant, elle commença à treize ans à sortir avec des garçons, tout en prétendant aller au patronage.

Lorsqu'elle revint de colonie de vacances, elle chercha pour la première fois à exprimer ce qu'elle ressentait à propos d'elle-même, de sa mère, de ses études, de Dieu, des autres, etc., tout cela de façon bien courante, en fait d'une manière assez discrète dans l'ensemble.

Ce changement réjouit ses professeurs, rendit sa sœur quelque peu jalouse et rappela au père que les filles en grandissant imposent de nouvelles responsabilités. Seule la mère ne vit dans ce changement qu'un signe de *maladie*, et sa certitude sur ce point s'accentua lorsque June devint de plus en plus repliée sur elle-même pendant les vacances de Noël et par la suite.

L'opinion de la mère, en ce qui concerne les événements qui amenèrent June à un état d'immobilité presque complète, peut être résumée comme suit : June commença à être malade en août. Sa personnalité changea de façon insidieuse; elle devint grossière, agressive, arrogante et insolente à la maison alors qu'à l'école elle devenait timide et se repliait sur elle-même. Selon cette opinion maternelle, une mère connaît sa fille mieux que quiconque et peut détecter chez elle les premiers symptômes de schizophrénie avant les autres (c'est-à-dire le père, la sœur, les professeurs et les médecins [1]).

Dans cette observation exceptionnellement fouillée, la période d'hospitalisation et de guérison a pu être directement étudiée :

La phase durant laquelle June était du point de vue clinique dans un état catatonique, et pendant laquelle sa mère la nourrit comme un bébé, dura

1. Laing et Esterson, *op. cit.*, p. 115-117.

trois semaines et fut dans leurs relations la phase la plus harmonieuse, que nous pûmes observer directement.

Le conflit ne commença que lorsque June, à notre point de vue, alla mieux. Durant la convalescence, tout progrès accompli par June (d'après les infirmières, l'assistante sociale, les thérapeutes et nous-mêmes) rencontra une violente opposition de la mère : tout ce qui, pour nous — et pour June —, était un progrès, était ressenti par la mère comme une régression. Voici quelques exemples.

June commença à prendre quelques initiatives. Sa mère s'alarma chaque fois, prétendant que June était irresponsable ou bien que cela ne lui ressemblait pas du tout de faire quelque chose sans en demander la permission. Non que June désirât faire quelque chose de répréhensible, mais elle ne demandait pas d'abord la permission...

Puis elle nous expliqua qu'elle était aussi inquiète parce que June avait mangé une tablette de chocolat juste après le petit déjeuner, sans en demander la permission...

June ne recevait jamais d'argent de poche de ses parents, mais ces derniers lui avaient dit qu'ils lui en donneraient si elle disait ce qu'elle voulait en faire. Il n'est pas surprenant que June ait préféré emprunter des petites sommes en dehors de sa famille. Elle devait justifier de la moindre dépense.

Ce contrôle s'étendait fort loin. Un jour, June prit dans une boîte qu'avait son père, et sans les demander, six shillings pour s'acheter une glace. Le père dit à sa femme que, si June se mettait à le voler, il ne l'aimerait plus. Une autre fois, elle trouva un shilling dans une salle de cinéma, et ses parents lui dirent qu'elle devait le rapporter à la caisse : June dit que c'était ridicule, que c'était pousser l'honnêteté trop loin, car si elle-même perdait un shilling, elle n'espérerait pas qu'on le lui rapporterait. Mais ses parents insistèrent auprès d'elle toute la journée pour qu'elle rende cet argent, et le soir le père vint encore dans sa chambre pour l'en prier une dernière fois.

De tels faits se renouvelèrent de nombreuses fois et ils révélèrent clairement la réaction des parents devant l'apparition de l'émancipation de leur fille. Cette émancipation de June, Mme Field la définissait comme une « explosion ».

Pour l'instant, June tient bon. Sa mère continue à s'exprimer en termes très ambigus face aux efforts de June pour affirmer son indépendance. Elle lui dit qu'elle est hideuse lorsqu'elle se maquille, de façon modeste pourtant, se moque de ses petits espoirs lorsqu'un garçon lui marque de l'intérêt et lui reproche son irritation et son exaspération : pour elle, ce sont là des symptômes de « maladie » ou des marques de « méchanceté »...

June doit cependant exercer un contrôle étroit sur toute sa personne, parce que si elle élève la voix, pleure, jure, mange trop peu ou mange trop vite ou trop lentement, lit trop, dort trop ou pas assez, sa mère lui dit qu'elle est malade. Il faut beaucoup de courage à June pour ne pas risquer d'être ce que ses parents appellent « raisonnable [1] ».

1. Laing et Esterson, *op. cit.*, p. 117-122.

En abordant la question de la rétroaction, un examen critique de la terminologie devient nécessaire pour clarifier la théorie. On a fini par employer le terme « homéostasie » comme synonyme de stabilité ou d'équilibre, non seulement quand il s'agit de la famille, mais également dans d'autres domaines. Mais depuis l'époque de Claude Bernard, il existe deux définitions de l'homéostasie, ce qu'ont souligné Davis [1] et Toch et Hastorf [2] : 1° L'homéostasie comme *fin*, ou état, plus précisément l'existence d'une certaine constance en dépit des changements (externes); 2° L'homéostasie comme *moyen*, c'est-à-dire les mécanismes de rétroaction négative qui servent à atténuer les répercussions d'un changement. L'ambiguïté de ce double usage, et par suite les applications très étendues de ce terme, souvent d'ailleurs bien vagues, ont obscurci sa commodité d'analogie précise et de principe explicatif. Il vaut mieux actuellement parler de *l'état stable* ou de la *constance* d'un système, état qui est en général maintenu grâce à des mécanismes de *rétroaction négative.*

Il faut bien que toutes les familles qui ne se disloquent pas soient liées par une certaine rétroaction négative qui les caractérise, et qui leur permet de résister au « stress » imposé par le milieu et les membres mêmes de la famille. Les familles perturbées se montrent particulièrement réfractaires au changement et manifestent souvent une remarquable aptitude à maintenir le *statu quo* à l'aide d'une rétroaction surtout négative comme l'a observé Jackson [3], et comme l'illustre l'exemple de Laing et Esterson.

Pourtant dans une famille, il y a aussi des phénomènes d'appren-

1. R. C. Davis, « The Domain of Homeostasis », *Psychological Review*, 65 : 8-13, 1958.
2. H. H. Toch et A. H. Hastorf, « Homeostasis in Psychology », *Psychiatry*, 18 : 81-91, 1955.
3. Cf. Don D. Jackson, « The Study of the Family », *Family Process* 4 : 1-20, 1965, p. 13-14 : « Il est significatif que dans l'élaboration d'une théorie de la famille ce soit l'observation de mécanismes homéostatiques dans les familles de malades mentaux qui ait conduit à voir dans la famille un système homéostatique, et plus précisément un système régi par des règles. Car l'existence [de règles] apparaît assez vite quand on peut observer les réactions que provoque leur abrogation; ce qui permet de déduire les règles qui ont été rompues. La longue et fastidieuse observation des chemins battus, en notant scrupuleusement les voies possibles qui n'ont pas été prises, peut finalement permettre de conjecturer avec une exactitude assez grande, quelles étaient les règles du jeu. Mais observer l'opposition à une seule et unique déviation nous apporte une information cruciale en fonction du but que nous poursuivons. »

tissage *(learning)* et de croissance, et c'est sur ce point qu'un pur et simple modèle d'homéostasie risque d'induire particulièrement en erreur, car ces effets relèvent davantage d'une rétroaction positive. La différenciation du comportement de chacun des membres, le renforcement et l'apprentissage (d'un comportement adapté aussi bien que d'un comportement symptomatique), tout indique que si, à certains égards, la famille trouve son équilibre grâce à l'homéostasie, par ailleurs interviennent d'importants facteurs de changement [1]. Un modèle de l'interaction familiale doit incorporer ces principes à d'autres dans une configuration plus complexe.

4. 444. Échelle de mesure et changement d'échelle

Dans ce que nous venons de dire, une double hypothèse plus fondamentale est implicitement contenue : la *constance* dans les limites d'un *champ déterminé.* L'importance du changement et des fluctuations (exprimés en terme de rétroaction positive, rétroaction négative, ou tout autre mécanisme) repose sur des prémisses implicites : il doit y avoir une stabilité fondamentale de la fluctuation même, notion qui, nous l'avons déjà montré, a été obscurcie par le double usage du terme « homéostasie ». Le terme qui nous paraît le plus exact pour désigner ce champ fixe est *échelle de mesure* [2], ou « réglage » du système, terme qui, nous le verrons, est l'équivalent du concept plus spécifique de *règle*, tel que nous l'avons défini plus haut. L'analogie classique avec le thermostat d'une chaudière va illustrer ce que nous voulons dire. Le thermostat est réglé, ou « étalonné », pour que règne telle température dans une pièce; les fluctuations inférieures à cette température activeront la marche de la chaudière jusqu'à ce que l'écart soit corrigé (rétroaction négative) et que la température de la pièce atteigne de nouveau le degré fixé. Mais voyons ce qui se passe quand le réglage du thermostat est modifié, en hausse ou en baisse. Le système dans son ensemble se comporte différemment, bien que le mécanisme de rétroaction négative reste exactement le même. Cette modification dans l'échelle de mesure — changer le réglage d'un thermostat ou changer

1. Là encore, nous renvoyons à ce que dit Pribam (cf. § 1-3) : la constance peut conduire à de nouveaux modes de sentir et nécessiter l'élaboration de nouveaux mécanismes pour y faire face.

2. Gregory Bateson, « The Biosocial Integration of the Schizophrenic Family », in *Exploring the base for Family Therapy*, New York, 1961, p. 116-22.

de vitesse dans une voiture — nous l'appelons *changement d'échelle* (« step-function »).

Notons que ce changement d'échelle a souvent un effet stabilisateur. Abaisser le réglage d'un thermostat diminue l'urgence d'une rétroaction négative et allège le travail et la dépense d'énergie de la chaudière. Les changements d'échelle peuvent permettre également une meilleure adaptation. La boucle de rétroaction de l'accélérateur couplé à l'alimentation d'essence d'une voiture, rencontre des limites dans chaque vitesse, et pour augmenter la vitesse de croisière ou monter une côte, un changement d'échelle (changement de vitesse) est nécessaire. Dans les familles aussi, semble-t-il, les changements d'échelle ont un effet stabilisateur : la psychose représente un changement violent qui ré-étalonne le système et peut même faciliter une adaptation [1]. Des changements internes pratiquement inévitables (âge et maturation des parents et des enfants) peuvent modifier le réglage du système, soit de l'intérieur de façon progressive, soit de l'extérieur de façon brutale, dans la mesure où surgit un conflit entre les exigences du milieu social et ces changements (éducation supérieure, service militaire, retraite, etc.).

Vus sous cet angle, les mécanismes homéostatiques observés par Jackson [2] dans des cas cliniques peuvent être en réalité encore plus complexes que ceux dont nous avons parlé. Si certains mécanismes homéostatiques sont une réponse typique à un écart des règles familiales, ils constituent un modèle plus complexe : rupture et restauration d'un modèle à plus long terme.

Si nous appliquons ce modèle à la vie familiale, ou à des modèles sociaux plus larges, par exemple l'application de la loi, nous pourrions dire qu'il y a une échelle de mesure du comportement usuel ou admissible, règles de la famille ou lois de la société, et qu'en principe les individus ou les groupes s'y conforment. D'un côté, ces systèmes

1. Don D. Jackson et Paul Watzlawick, « The acute Psychosis as a manifestation of Growth Experience », *Psychiatric Research Reports*, 16 : 83-94, 1963. (Notons aussi la période catatonique dans l'exemple rapporté par Laing et Esterson.)

2. Id., « The Question of Family Homeostasis », *Psychiatric Quarterly Supplement*, 31 : 79-90, 1re partie, 1957. « Family Interaction, Family Homeostasis and some implications for Conjoint Family Psychotherapy », in Jules Masserman, *Individual and Familial Dynamics*, Grune and Stratton, New York, 1959, p. 122-41.

possèdent une grande stabilité, un écart de comportement par rapport à la moyenne admise est autant que possible neutralisé (discipliné, sanctionné ou même remplacé par un substitut, ce qui est le cas lorsqu'un autre membre de la famille devient « le malade »). D'un autre côté, le temps finit par provoquer des changements, ce qui, à notre avis, tient, au moins en partie, à l'amplification d'autres écarts. Ceci peut finalement conduire à un nouveau réglage du système (changement d'échelle).

4-5

RÉSUMÉ

On peut décrire l'interaction humaine comme un système de communication, régi par les propriétés des systèmes généraux : la variable temps, les relations système-sous-système, la totalité, la rétroaction et l'équifinalité. On peut voir dans les systèmes en interaction continue le centre même d'une étude des répercussions pragmatiques à long terme des phénomènes de communication. L'idée de limitation en général, et l'élaboration de règles familiales en particulier, conduisent à définir la famille comme un système régi par des règles et à y voir l'exemple d'un tel système.

5

Qui a peur de Virginia Woolf? Littérature et théorie de la communication

Adressez-vous aux poètes
S. Freud,
Nouvelles conférences
sur la psychanalyse.

5 - 1

INTRODUCTION

Le problème général consistant à trouver une bonne illustration de la théorie des systèmes en interaction que nous avons exposée dans le chapitre précédent, et le choix que nous avons fait d'un système imaginaire plutôt que de données cliniques réelles (comme dans les autres chapitres), appellent un commentaire. Nous avons parlé d'un ensemble de processus répétitifs, continus, sans incident ou variable unique et notable, mais marqués plutôt par une redondance dans le temps et dans des situations très diverses. Aussi se heurte-t-on d'abord à un problème de dimension quand il s'agit de donner des exemples. Pour montrer avec précision ce que nous entendons par les diverses abstractions qui définissent un système : règles, rétroaction, équifinalité, etc., il faut pouvoir disposer d'un nombre considérable de messages, les avoir analysés et avoir repéré leurs configurations. Transcrire par exemple des heures d'entretiens avec des familles serait impossible de par la masse des documents recueillis, et risquerait d'être faussé par le point de vue propre au thérapeute et par le contexte thérapeutique. Présenter sans annotations ni critiques « l'histoire d'un cas » porterait à l'extrême l'absence de limites et rendrait vaine une telle entreprise. Choisir et résumer n'est pas non plus une bonne solution, car l'inévitable partialité du choix interdirait au lecteur de suivre le processus même du choix. Outre une dimension maniable, nous poursuivons donc un second but essentiel : rechercher une autonomie suffisante des données, c'est-à-dire une autonomie des auteurs eux-mêmes, au sens de : auteurs accessibles à tout le monde.

La pièce insolite et bien connue d'Edward Albee semble satisfaire à ces critères. C'est la liberté artistique qui fixe les limites des données présentées dans la pièce, ce qui n'empêche pas que la pièce puisse être plus réelle que la réalité, un « incendie dans les cendres mouillées du naturalisme [1] ». Toute l'information est accessible au lecteur; il en résulte que bien d'autres interprétations peuvent être données, et ont été données, de cette pièce, et que nombre d'entre elles sont en effet possibles. Si nous nous attachons dans ce chapitre à une interprétation, cela ne veut pas dire que nous rejetions les autres. Mais notre but est ici d'illustrer une thèse, et non de faire une analyse exhaustive de la pièce, considérée comme un tout autonome. Après un résumé de l'intrigue, ce chapitre suivra d'aussi près que possible la structure du chapitre 4, les premiers paragraphes au moins (§ 5-2, 5-3 et 5-4), renvoyant à leurs homologues dans le chapitre précédent.

5 - 11. *L'intrigue*

Il y a peu d'action dans cette pièce qu'un critique a décrite comme « une fantastique scène de ménage [2] ». L'essentiel du mouvement dramatique est constitué d'échanges verbaux, rapides et serrés. A travers ces échanges, la complexité de la communication entre les quatre acteurs est peut-être plus fortement marquée que si l'auteur s'était davantage appuyé sur de « vrais » événements, au sens dramatique orthodoxe du terme.

Toute la pièce se déroule à l'aube d'un dimanche dans le salon de George et Martha qui vivent dans une maison située sur le campus d'une université de Nouvelle-Angleterre. Martha est la fille unique du « président » de l'université; son mari, George, est professeur-adjoint dans le département d'histoire. Martha est une forte femme, de tempérament volcanique, âgée de cinquante-deux ans, mais paraissant un peu moins. George est un intellectuel, mince et grisonnant, âgé de quarante-six ans environ. Ils n'ont pas d'enfants. Au dire de Martha,

1. Michael Smith, *The Village Voice*, vol. 7, nº 52, 18 octobre 1962.
2. Malcolm Muggeridge, « Books », *Esquire*, vol. 63, nº 4, avril 1965, p. 58-60.

son père et elle avaient espéré que George, nommé jeune à l'université, prendrait la direction du département d'histoire et succéderait ensuite au père de Martha comme « président » de l'université. George n'a jamais répondu à cette attente, il est resté professeur-adjoint.

Quand la pièce commence, George et Martha reviennent d'une réception donnée chez le père de Martha pour les membres de la faculté. Il est deux heures du matin, mais, à l'insu de George, Martha a invité un couple qu'ils ont rencontré à cette réception. Ces visiteurs sont Nick, nouvellement nommé dans le département de biologie, âgé de trente ans environ, blond et beau garçon, et sa femme, Honey, vingt-six ans, petite blonde timide et fade. Comme la suite le révélera, Nick a épousé Honey parce qu'il la croyait enceinte, mais il s'agissait d'une grossesse nerveuse qui, naturellement, avait disparu sitôt mariés; peut-être avait-il été poussé également par certaines considérations touchant la fortune du père de Honey. Que ce soit pour ces raisons ou non, Nick et Honey observent, l'un à l'égard de l'autre, un style de communication extrêmement et exagérément conventionnel.

George et Martha ont leurs propres secrets. Tout d'abord, ils partagent la fiction de l'existence d'un fils qui vient d'atteindre sa majorité, et ils observent une règle liée à cet enfant imaginaire : ils ne doivent dévoiler son « existence » à personne. Il y a également une page très sombre dans le passé de George. Il semble, qu'accidentellement, il ait tué sa mère d'un coup de fusil, et qu'un an plus tard, en prenant des leçons de conduite avec son père, il ait perdu le contrôle de la voiture, provoquant ainsi la mort de son père. Mais les spectateurs peuvent se demander si ce n'est pas encore un simple fantasme.

L'acte premier est intitulé « Jeux et Masques [1] ». C'est une introduction au style de communication du couple le plus âgé: brailler, beugler; c'est aussi une introduction au mythe du fils, et à l'attitude séductrice (manifestement stéréotypée) de Martha à l'égard de Nick. Le point culminant est atteint lors des attaques cinglantes de Martha à propos de l'échec professionnel de George.

Lorsque commence l'acte II, « La Nuit de Walpurgis » (le Sabbat), George et Nick sont seuls, et rivalisent pour ainsi dire dans les confidences : George parle de la mort de ses parents — mais il déguise ce

1. Les extraits de *Qui a peur de Virginia Woolf?* cités dans le texte sont publiés avec l'autorisation de M. Jean Cau, auteur de la traduction parue aux Éditions Robert Laffont en 1964 (*N.d.T.*).

récit en en faisant la triste histoire d'une tierce personne —, Nick explique les raisons qui l'ont conduit à se marier avec Honey. Les femmes reviennent, et Martha se met à danser effrontément avec Nick pour provoquer George. C'est alors qu'a lieu le premier jeu expressément nommé : « Comment humilier le patron. » Martha révèle à ses invités comment sont morts les parents de George, sur ce, George la frappe. Il inaugure ensuite le jeu suivant : « Comment posséder ses invités. » A l'extrême mortification de Nick et à l'horreur de Honey, il raconte le secret de leur mariage précipité. Après un armistice amer, George et Martha échangent des défis et jurent de continuer le combat. Le jeu suivant est alors « Comment sauter la patronne », et conduit à la séduction ouverte de Nick par Martha. Toutefois, les capacités de Nick se révèleront altérées par la boisson, les bouteilles n'ayant cessé de défiler depuis le début de la soirée.

Au début de l'acte III, « Exorcismes », Martha est seule; elle regrette, et elle revendique en même temps, son infidélité voulue. Entre-temps, George a préparé le dernier jeu (« Comment élever son bébé ») et il rassemble les trois autres protagonistes pour un dernier affrontement. Il révèle toute l'histoire du fils mythique, et annonce ensuite à Martha, impuissante et furieuse, que leur fils a été « tué » dans un accident de voiture. La nature de cet exorcisme apparaît brusquement à Nick (« Je crois que j'ai compris, nom de Dieu! (p. 320) »). Honey et lui s'en vont, et la pièce se termine sur une note d'épuisement ambigu qui fait qu'on ne sait pas très bien si George et Martha vont continuer à jouer le jeu des parents qui pleurent leur fils unique, mort dans la fleur de la jeunesse, ou bien si peut maintenant intervenir une modification totale de leurs modèles de relation.

5-2

L'INTERACTION COMME SYSTÈME

On peut considérer que les personnages de cette pièce, George et Martha en particulier, constituent un système en interaction qui possède, *mutatis mutandis*, bon nombre des propriétés des systèmes généraux. Il n'est pas inutile de souligner une fois de plus, que ce modèle que nous choisissons ne doit pas être pris au sens littéral ni considéré comme exhaustif; en d'autres termes, les personnages de cette pièce, comme les acteurs de relations réelles, continues, ne sont en aucune manière pour nous des mécaniques, des automates, entièrement définis par l'interaction qui les lie. Mais l'efficacité d'un modèle comme instrument scientifique, repose précisément sur une représentation et une structuration de l'objet du discours ainsi délibérément simplifiées [1].

5 - 21. *Le temps et l'ordre; l'action et la réaction*

Gregory Bateson a défini la psychologie sociale comme « l'étude des réactions des individus aux réactions d'autres individus », en ajoutant : « Il faut examiner non seulement les réactions de A au comportement de B, mais aussi comment ces réactions affectent la conduite de B, et l'effet de cette dernière sur A [2]. » Ce principe sous-tendra toute notre analyse. George et Martha sont intéressants en eux-mêmes, mais on ne peut les abstraire de leur contexte social (qui est d'abord leur attitude réciproque) pour les considérer comme des « types ». Notre unité d'analyse sera plutôt ce qui se passe entre eux, les séquences de leur interaction : les réactions de Martha à George et celles de George à Martha. Sur des périodes de temps relativement grandes, ces échanges sont cumulatifs, et revêtent un ordre qui, bien qu'abstrait, est cependant essentiellement constitué de processus séquentiels.

5 - 22. *Définition du système*

Au § 4-22, nous avons défini un système en interaction comme ce qui se passe entre deux ou plusieurs partenaires en train de définir la nature de leur relation, ou parvenus au stade d'une telle définition. Comme nous avons tenté de l'expliquer dans les chapitres précédents, les modèles de relation existent indépendamment du contenu, même si dans la vie réelle, ils sont toujours manifestés par et à travers le

1. Julia T. Apter, « Models and Mathematics, Tools of the mathematical biologist », *Journal of the American Medical Association*, 194 : 269-72, 1965.
2. Gregory Bateson, *La Cérémonie du Naven*, Minuit, 1971.

contenu. Quand on ne prête attention qu'au contenu de ce que les individus se communiquent, il est vrai que, bien souvent, il semble n'y avoir guère de continuité dans leur interaction : « Le temps recommence toujours à nouveau et l'histoire est toujours à l'année zéro. » Il en est ainsi dans la pièce d'Albee; pendant trois heures d'un spectacle pénible, on assiste à une succession kaléidoscopique d'événements en perpétuel changement. Mais quel est leur commun dénominateur? L'alcoolisme, l'impuissance, la stérilité, l'homosexualité latente, le sado-masochisme? Toutes ces explications ont été proposées pour rendre compte de ce qui se passe entre ces deux couples aux premières heures de l'aube d'un certain dimanche. Lorsqu'il a monté la pièce à Stockholm, Ingmar Bergman a souligné « la référence christologique du sacrifice du fils par le père, ce fils qui était un don du père à la mère, du ciel à la terre, de Dieu à l'humanité [1] ». Tant que le critère de jugement est le *contenu* de la communication, ces différents points de vue, même si certains sont contradictoires, peuvent dans une certaine mesure se justifier. Mais Albee lui-même nous offre un point de vue extrêmement différent. L'acte premier s'intitule « Jeux et Masques » : tout au long de la pièce se jouent des jeux de relations, et sans cesse des règles sont invoquées, observées, rompues. Ce sont des jeux terribles, dépouillés de tout caractère ludique; et leurs règles sont à eux-mêmes leur meilleure explication. Ni les jeux ni les règles ne répondent à la question du *pourquoi?* Comme Schimel le souligne lui aussi :

> Ce n'est pas sans raison que le premier acte s'intitule « Jeux et Masques »; c'est une étude des *modèles de comportement entre les êtres humains*, modèles répétitifs, même s'ils sont destructeurs. Albee nous donne une représentation vivante du « comment » de ces jeux, mais il laisse aux spectateurs et aux critiques le soin de chercher le « pourquoi [2] » *(c'est nous qui soulignons).*

Dans ces conditions, il importe peu de savoir si George est vraiment un intellectuel raté, et pour les raisons qu'en donne Martha, ou si Nick est vraiment le Savant de l'Avenir qui menace l'histoire et les historiens. Arrêtons-nous sur ce dernier point : les références fréquentes que fait George à l'histoire et à la biologie de l'avenir, eugé-

1. Ivan Nagels, dans *Spectaculum, Moderne Theaterstücke*, vol. 7., Suhrkamp Verlag, Francfort-sur-le-Main, 1964.
2. John L. Schimel, « Love and Games », *Contemporary Psychoanalysis*, 1 : 99-109, 1965.

nisme, conformisme... (p. ex. p. 63-67 et p. 98-102). On peut y voir le reflet d'une préoccupation personnelle, assez morose, comme il le dit; ou bien une critique sociale; ou même une allégorie du combat de l'occidental traditionnel contre le choc du futur (Nick), l'enjeu étant la « Grande Terre Mère » (comme Martha se nomme elle-même (p. 258)); ou bien tout cela à la fois et bien d'autres choses encore. Mais si l'on considère ce thème en fonction de la *relation* entre George et Nick, c'est une autre « sécurité sociale » (comme George nomme plus loin l'histoire du fils mythique (p. 144), c'est-à-dire un jouet, souvent une arme de jet, en tout cas le medium par lequel leur jeu se manifeste. En ce sens, on peut voir dans les digressions de George sur l'histoire et la biologie des provocations sous le masque de la défense. Comme telles, elles sont un phénomène de communication fort intéressant, mettant en jeu la disqualification, le refus de la communication (avec pour effet un engagement progressif) et une ponctuation qui conduit à une prédiction qui se réalise : Nick prend effectivement la femme de George. De la même manière, George et Martha sont si engagés dans leur lutte sur le plan de la relation qu'ils n'attachent pas d'importance au contenu même des insultes qu'ils échangent (et Martha ne permettra pas à Nick d'insulter George comme elle le fait elle-même, ni d'intervenir dans leur jeu (p. ex., p. 260, p. 278); à *l'intérieur du système,* ils semblent se respecter.

5 - 23. *Systèmes et sous-systèmes*

L'axe de la pièce, et de ce commentaire, est la dyade George-Martha. Cependant, ils forment un « système ouvert », et le concept de structure hiérarchisée s'applique bien ici. Chacun d'eux constitue une sous-dyade, avec Nick, et, dans une bien moindre mesure, avec Honey. Bien entendu, Nick-Honey forment un autre système dyadique qui se trouve de plus dans une relation remarquable avec la dyade George-Martha en raison de leur complémentarité fortement contrastée. George, Martha et Nick constituent un triangle de dyades labiles [1]. Les quatre protagonistes forment la totalité du système visible du

1. Dans lesquelles deux s'unissent contre un troisième, comme lorsque Martha danse avec Nick, c'est-à-dire qu'ils narguent George (cf. p. 183-191), ou lorsque George et Martha font équipe contre Nick (cf. p. 267-9).

drame, mais la structure ne se limite pas toutefois aux personnages présents, elle implique également, et à l'occasion elle invoque, le fils invisible, le père de Martha et le milieu social du campus. Le but que nous poursuivons ne nous permet pas une classification et une analyse exhaustives de toutes les possibilités, et nous nous en tenons à ce que Lawrence Durrell [1] appelle « contrepoints », c'est-à-dire une infinité potentielle de révolutions et de points de vue nouveaux, à mesure que l'on étudie d'autres faces de la structure en question; par exemple, la complémentarité spéciale de Nick et Honey; l'effronterie agressive de Martha s'accordant au narcissisme de Nick; le rapprochement tendu de George et Nick [2]; Martha et la rivalité de George avec son père, etc.; une dernière remarque : il est intéressant de voir qu'Albee travaille presque exclusivement sur les plus petites unités : des dyades se transformant tout au plus en triangles, ou bien deux contre deux (les hommes contre les femmes, aspect peut-être factice). Faire entrer en jeu en même temps trois ou quatre unités serait probablement trop compliqué.

5 - 3

PROPRIÉTÉS D'UN SYSTÈME OUVERT

On peut illustrer les caractéristiques générales des systèmes en les réénonçant en fonction du système George-Martha, ce qui offrira, par souci de clarté, un contraste avec l'approche individuelle ordinaire.

5 - 31. *Totalité*

Il serait possible de faire une description idéale de la *Gestalt*, de la qualité émergente, de cette distribution des rôles. Il y a dans leurs

1. Lawrence Durrell, *Clea*, E. P. Dutton and Co, New York, 1960 (trad. fr. Roger Giroux, Buchet-Chastel, 1960).
2. Ce qui, du point de vue de l'interaction, donne un sens au titre « La Nuit de Walpurgis », où George montre à Nick ce qu'est l'orgie (p. 135), comme Méphistophélès l'avait montré à Faust.

relations à la fois davantage et autre chose que ce que chaque personnage apporte. Ce que sont George ou Martha, pris individuellement, n'explique pas ce qui se noue entre eux, ni comment cela se noue. Fragmenter ce tout en traits de caractère ou en structures de personnalité revient au fond à les séparer les uns des autres, à nier que leurs comportements prennent un sens particulier dans le contexte de cette interaction précise, et qu'en fait, le modèle de cette interaction les perpétue. Énoncé en d'autres termes, le concept de totalité désigne cette imbrication des maillons de la triade stimulus-réponse-renforcement qu'ont décrite Bateson et Jackson [1], et dont nous avons parlé au § 2-41. Aussi, au lieu de s'appesantir sur les motivations des individus en jeu, on peut, à un autre niveau, décrire le système comme *viable*, l'accent mis sur les individus ne cherchant à montrer que la conformité de leur comportement avec ce système. On doit garder présentes à l'esprit, comme corollaires du principe de totalité d'un système, toutes les conclusions du chapitre 1 : méthode de la « boîte noire », conscience et inconscient, présent et passé, circularité, relativité du « normal » et du « pathologique ».

La plupart des critiques littéraires ont un point de vue *unilatéral* quand ils semblent « avoir un faible » pour George où ils voient une victime de la situation. Mais il n'y a qu'une seule différence entre les récriminations de George et celles de Martha : il lui reproche sa force, elle lui reproche sa faiblesse. Si les critiques consentent à reconnaître que George n'est pas une pure victime, ils disent qu'il a recours à sa tactique propre en réponse à une brutale provocation. Pour notre part, nous pensons que nous sommes en présence d'un système de provocation réciproque qu'aucune des parties en cause ne peut interrompre. Il est toutefois extrêmement difficile de décrire une telle circularité, ainsi que l'équilibre qu'elle motive et exige, surtout parce que nous manquons d'un vocabulaire apte à décrire des relations de causalité réciproque [2], mais aussi parce qu'il faut bien choisir un point de départ, et là où le cercle est brisé par l'analyse, un point de départ est sous-entendu.

1. Gregory Bateson et Don D. Jackson, *op. cit.*, p. 270-83.
2. Maruyama a créé l'expression « relations de causalité simultanée, réciproque et multilatérale » (Magoroh Maruyama, The Multilateral Mutual Causal Relationships among the modes of communication, sociometric pattern and the intellectual orientation of the Danish Culture », *Phylon*, 22 : 41-58, 1961).

Parce que les blessures qu'inflige Martha sont évidentes et manifestes, et qu'elle correspond parfaitement à l'image stéréotypée de la mégère castratrice, nous aurons tendance par contraste à mettre en relief les actions de George. Naturellement, il ne s'agit pas simplement de déplacer la responsabilité, la question n'est pas là. Ce que nous voulons dire, c'est que tous les deux, Martha *et* George, font en sorte qu'elle agisse comme elle le fait. En réalité, ils sont d'accord pour ponctuer les faits de manière qu'elle ait un rôle actif, et lui, un rôle passif (ce qui n'empêche pas qu'ils voient différemment activité et passivité : George se sent brimé, ce que Martha appelle faiblesse). Mais cela fait partie des tactiques de leur jeu; ce qui est fondamental pour notre propos, c'est qu'ils jouent le jeu ensemble.

Insister sur cette circularité nous conduit également à ne faire qu'une rapide mention des qualités personnelles qui rachètent leurs défauts, mais il est juste de dire que tous deux font preuve de beaucoup de brio et d'intuition, que tous deux sont capables parfois de pitié, et que tous deux semblent conscients, à divers moments, de l'effrayante destructivité de leur jeu et désirent apparemment l'interrompre.

5 - 32. *Rétroaction*

Les processus de rétroaction dans ce système, peut-être simplifié, correspondent exactement à la symétrie (rétroaction positive, écart amplifié) et à la complémentarité (rétroaction négative, effet stabilisateur). L'expression de la rivalité symétrique : « Tout ce que tu peux faire, je peux le faire encore mieux que toi », conduit inéluctablement à une rivalité toujours plus grande, la surenchère aggravant les choses jusqu'à « l'emballement » du système. Inversement, dans un tel système, un brusque virage vers la complémentarité : acceptation, soumission, rire, parfois même laisser-faire, permet généralement la clôture et une trêve au moins temporaire dans le combat.

Il y a cependant des exceptions à ce modèle général. A mesure que s'accélère le rythme dans l'aigreur des propos et dans la durée du cycle (depuis la brève raillerie, pour rire, jusqu'à des modèles plus vastes et de plus grande portée, comme « Comment humilier le patron »), des corrections d'écart également plus importantes sont nécessaires pour contrecarrer cette tendance, et comme le prouvent

Martha et George, leurs aptitudes à la conciliation contrastent fâcheusement avec leurs aptitudes à l'affrontement. La métacommunication, stabilisateur possible, s'avère soumise à la même règle de symétrie (cf. § 5.43), et au lieu de maîtriser l'incendie, elle le fait redoubler. Les problèmes sont encore plus nombreux quand la complémentarité au service de la symétrie (cf. § 5-41) conduit au paradoxe et interdit de la sorte toute résolution.

Au § 5-42, nous considérerons le mythe du fils comme un paradigme rigoureusement réglementé de leur système, comportant des mécanismes homéostatiques d'un type différent.

5 - 33. *Équifinalité*

Si l'on voit dans un système quelque chose qui s'est développé avec le temps, qui est parvenu à un certain état ou qui change d'état, on peut rendre compte de l'état présent de deux manières très différentes. Une méthode courante consiste à observer, ou comme il est plus courant et nécessaire quand il s'agit de l'homme, à inférer les conditions initiales (étiologie, passé, histoire personnelle) qui, selon toute probabilité, ont conduit aux conditions actuelles. Dans un système en interaction, comme celui de George et Martha, ces conditions initiales peuvent avoir été des expériences partagées lors des fiançailles ou des premières années du mariage, ou bien, à un stade beaucoup plus précoce, il peut s'agir de modèles de la personnalité individuelle, fixés dès les premières années de la vie de l'un d'eux ou de tous les deux. Dans le premier cas, il serait possible d'assigner ainsi un rôle déterminant au fait, par exemple, que Martha a fait tomber George accidentellement. A propos de cet incident, elle dit : « Je crois que cette histoire a marqué toute notre vie... Oui, je crois... Enfin... ça sert d'excuse à beaucoup de choses en tout cas (p. 89)... »; ou bien moins superficiellement, aux circonstances qui ont accompagné cet événement, notamment l'échec de George à se présenter comme « l'héritier présomptif » de la présidence du père de Martha; ou bien à la perte de la virginité de Martha et/ou à son alcoolisme (depuis « de vrais petits cocktails pour dames » jusqu'à « l'alcool à brûler » (p. 45-6) que George supporte depuis longtemps; ou à d'autres problèmes de ce genre remontant aux premières années de leur mariage. Quant aux « conditions initiales » individuelles, les explications possibles sont encore plus diverses [1]. On peut voir en George un homosexuel latent qui méprise Martha, et qui encourage subtilement son aventure avec un beau jeune homme (et probablement bien d'autres) pour y trouver une satisfaction substitutive. Ou bien, on peut voir dans le triangle George-Martha-le fils fantasmé, ou Nick, une situation œdipienne classique, dans laquelle non seulement Nick essaie de coucher avec la mère et se découvre impuissant, donc incapable de briser le tabou, mais dans laquelle également le fils qui grandit est tué par le père, exactement de la même manière dont George enfant aurait tué son propre père (comparer p. 139-40 et p. 314); en outre, lorsqu'il fait semblant de tuer Martha avec un pistolet d'enfant (p. 89), il répète le geste par lequel il aurait tué sa propre mère (p. 138). Ce ne sont là que des suggestions de directions possibles de l'analyse; dans tous les cas, l'interaction y est vue comme déterminée par des conditions antérieures, souvent individuelles, conditions qui seraient donc la meilleure explication de cette interaction.

Nous avons déjà fait plusieurs observations sur la nature et l'usage des données fournies par l'anamnèse (cf. § 1-2; 1-63; 3-64), et nous avons parlé dans le chapitre précédent (cf. § 4-53) de l'orientation vers une conceptualisation plus complexe que des relations univoques entre passé et présent. Il nous suffira donc, pour critiquer les approches historiques que nous avons décrites plus haut, de noter une fois de plus que dans ce cas, comme dans bien d'autres (et peut-être presque toujours), quand c'est l'homme qu'on étudie, le passé n'est accessible que tel qu'il est rapporté dans le présent; ce n'est donc pas un pur contenu, il a aussi un aspect relationnel. S'il apparaît dans une interaction réelle et actuelle, le passé rapporté peut entrer également comme matériel dans le jeu actuel. Vérité, choix, distorsion sont moins importants pour comprendre ce qui se passe dans le présent que la manière dont est employé ce matériel et le type de relation qui se définit. La conception que nous proposons ici a pour but de rechercher dans quelle mesure les paramètres d'un système (règles et limitations observées dans une interaction continue) peuvent rendre

1. Mais il est non moins clair qu'elles sont *sommatives*, et ne fournissent aucune explication explicite de la manière dont le partenaire s'accommode de cette situation.

compte à la fois de ce qui se perpétue et de ce qui se modifie dans un système; autrement dit, dans quelle mesure un système peut s'expliquer par un ensemble de lois qui ne dépend pas du passé [1].

5-4

UN SYSTÈME EN INTERACTION CONTINUE

Pour illustrer ce que nous entendons par interaction dans le présent, il nous faut maintenant esquisser les règles et les tactiques auxquelles ont recours George et Martha dans leur jeu, tel que nous le comprenons. Nous pourrons ensuite étudier certains aspects spécifiques des relations continues.

5 - 41.

On peut voir dans leur jeu le type d'une *escalade symétrique* (cf. § 3-61), aucun d'eux n'acceptant de se laisser dépasser, ou l'un tentant de l'emporter sur l'autre, selon la ponctuation que l'on adopte. Cette lutte s'établit dès le début de la pièce quand George et Martha se lancent dans plusieurs escalades symétriques rapides, en guise d'exercice, pour ainsi dire, « nous nous entraînons... voilà... », comme le dira George (p. 58). Dans chaque cas, le contenu est totalement différent, mais la structure est pratiquement identique et ils parviennent à une stabilité momentanée en riant ensemble. Par exemple, à un moment Martha dit à son mari : « Tu me donnes envie de dégueuler! », George prend ces paroles avec un détachement gouailleur :

GEORGE : Ce n'est pas très gentil de me dire des choses pareilles, tu sais, Martha.

1. En l'état actuel de nos connaissances, ceci ne revient pas à une dichotomie, où l'on devrait faire un choix entre une totale dépendance et une totale indépendance à l'égard des conditions initiales. Il s'agit plutôt du moyen le plus simple d'explorer en détail le pouvoir des effets réciproques du comportement dans un système de communication comme la famille, et de se demander s'il est possible de les arrêter, quelle que soit la manière dont ils ont commencé.

MARTHA : Hein? ce n'est pas *quoi*?
GEORGE : Ce n'est pas très gentil *(p. 32-33)*.

Martha insiste grossièrement :

MARTHA : J'aime bien quand t'es furieux... C'est même comme ça que je te préfère... furieux... Mais t'es quand même une lope, George... T'as quand même rien dans...
GEORGE : Dans le ventre? C'est ça?
MARTHA : Pantin! *un temps (p. 33)*.

Ils éclatent de rire tous les deux, peut-être rient-ils de leur jeu commun, et la clôture devient possible. Le rire semble signifier l'acceptation, il a ainsi un effet homéostatique, stabilisateur. Mais on peut déjà voir que la symétrie colore toutes leurs relations, car la plus légère avancée de l'un déclenche une nouvelle lutte, l'autre usant aussitôt de représailles pour affirmer son égalité. Ainsi Martha demande à George de mettre un peu plus de glace dans son verre, et George tout en obéissant, la compare à un cocker croquant sans cesse des glaçons avec « ses grandes dents », et les voilà repartis :

MARTHA : MES GRANDES DENTS BLANCHES SONT A MOI!
GEORGE : Quelques unes, quelques unes...
MARTHA : J'ai plus de dents que toi!
GEORGE : Oui, oui... deux de plus.
MARTHA : Deux de plus, c'est beaucoup plus *(p. 33-4)*.

Et George s'empresse d'embrayer sur un point faible qu'il connaît :

GEORGE : Mais oui... à ton âge, c'est même assez remarquable.
MARTHA : TA GUEULE, PANTIN! *un temps...* Toi, non plus, t'es pas si jeune.
GEORGE *voix enfantine; il chantonne :* J'ai six ans de moins que toi, moi... et toujours je les ai eus et toujours je les aurai...
MARTHA *maussade :* Mais toi tu deviens chauve.
GEORGE : Et toi aussi... *un temps, ils rient*. Bonsoir, toi.
MARTHA : Bonsoir... Viens ici... viens faire un gros baiser tout chaud et tout mouillé à ta maman *(p. 34)*.

Et une nouvelle escalade recommence. George refuse ironiquement de l'embrasser :

GEORGE *ton trop noble :* Non, non, mon chéri, car si je vous embrassais, j'en serais tout excité... J'en perdrais la tête, et je vous prendrais là, de force, par terre (...).

MARTHA : Espèce de porc!
GEORGE *toujours noblement guindé, imite le grognement d'un porc :* Grrrooh... grrrrooh...
MARTHA *rit :* Ha, ha, ha, ha! Donne-moi un autre verre, Casanova *(p. 35).*

La discussion vire alors sur le penchant de Martha pour la boisson, l'escalade devient âpre et conduit à une épreuve de force pour savoir qui va aller ouvrir la porte aux invités qui viennent d'arriver et ont déjà sonné plusieurs fois.

Notons ici que si aucun d'eux n'accepte une initiative ou un ordre de l'autre, tous deux *ne* peuvent *que* diriger ou ordonner. Martha ne dit pas : « Tu pourrais me donner un peu plus de glace? », encore moins : « Pourrais-je avoir, s'il te plaît...? » mais « Hé, un peu plus de glace ». De même, elle lui ordonne de l'embrasser et d'aller ouvrir la porte. Ce n'est pas une question de grossièreté et de mauvaise éducation : si elle n'agissait pas ainsi, elle se trouverait très infériorisée, comme George le fait voir plus loin par une manœuvre très habile, exécutée devant leurs invités, après que Martha l'a ouvertement ridiculisé :

GEORGE *fait un grand effort sur lui-même, puis très doux, comme si Martha n'avait rien dit d'autre que « George, mon chéri... » :* Oui Martha? Tu as besoin de quelque chose?
MARTHA *entre dans le jeu :* Mais bien sûr. Allume ma cigarette, veux-tu?
GEORGE : *réfléchit, puis s'éloigne :* Non... Il y a des limites. Il y un seuil que l'être humain ne peut pas dépasser sinon... c'est la dégringolade jusqu'au bas de l'échelle de l'évolution... *A Nick rapidement* Ça c'est votre affaire... hein? *De nouveau à Martha* Drôle d'échelle... impossible de la remonter une fois qu'on l'a descendue... *Martha épanouie lui envoie un baiser du bout des doigts.* A partir de maintenant, je te tiendrai la main dans le noir quand tu auras peur du grand méchant loup; je jetterai en cachette les bouteilles de gin que tu vides... *Mais,* je n'allumerai pas ta cigarette! Et c'est comme ça, et pas autrement, voilà! *Un temps.*
MARTHA *sotto voce :* Ah là, là! *(p. 80-81).*

De même, si George se montre poli, autrement dit s'il accepte la position « basse », Martha lui dit qu'il n'est qu'une chiffe, ou bien, non sans raison, elle flaire un piège.

Tout jeu comporte une *tactique;* le style de George et celui de Martha sont très différents, mais tous deux sont parfaitement cohérents, et ce qui est plus important, leurs tactiques respectives s'enclenchent adroitement. Martha est grossière, ses insultes sont directes, elle se montre franchement, et presque physiquement, agressive. Son langage est cru, ses insultes en disent rarement long, mais visent juste. Même le coup le plus blessant qu'elle porte à George (« Comment humilier le patron ») n'est dans sa bouche qu'un simple exposé des faits.

George, pour sa part, pose habilement des pièges et emploie comme armes la passivité, les procédés obliques et la retenue polie. Alors que Marthe l'insulte à sa manière habituelle (épithètes vulgaires, lourde insistance sur son échec professionnel), il fait appel à des valeurs plus subtiles, et il l'insulte avec précision et maîtrise, mais il s'assure le plus souvent que ses insultes à elle ne passent pas inaperçues. En relevant calmement les traits caractéristiques de son comportement, il s'en sert contre elle à la manière d'un miroir, il le lui retourne avec subtilité, comme nous l'avons vu ci-dessus : « Ce n'est pas très gentil de me dire des choses pareilles, tu sais, Martha », ou bien il se fait nettement plus provocant, quand par exemple il singe les minauderies de Honey :

GEORGE *imitant Honey :* Hi, hi, hi, hi!...
MARTHA *se tourne brusquement vers George :* Toi, enfoiré, tu la fermes, hein.
GEORGE *feignant d'être scandalisé :* Ho! Martha!... *A Honey et à Nick...* Martha a parfois de ces expressions! *(p. 41-42).*

Si Martha n'avait rien dit et avait laissé se manifester la grossièreté de George, l'effet n'aurait peut-être pas été négligeable. Mais elle n'emploie pas sa tactique à lui, et il le sait, aussi l'emporte-t-il habilement sur elle. Il est clair que le comportement de l'un est fonction de celui de l'autre, et les insultes de Martha se transforment en flèches qui la font hurler encore plus fort [1]. Leur combat se situe donc à des niveaux entièrement différents, ce qui constitue un obstacle très efficace à la clôture ou résolution : *la tactique n'est pas seulement ce qui permet le jeu, mais ce qui le perpétue.*

1. L'expression « symbiose sado-masochiste » peut dans ce cas venir à l'esprit, mais il y a deux points qui ne s'accordent pas avec cette manière de voir :
1) Du fait de la circularité de leur modèle, il est difficile, et peut-être arbitraire, de décider du rôle à attribuer à chaque partenaire.
2) De plus, une telle étiquette est une spéculation sur le *pourquoi*, mais pas une description précise; elle ne fait pas la moindre allusion à *la manière* dont cette dyade fonctionne, ceci parce qu'il s'agit là d'une expression sommative.

Une telle situation ne va pas sans une certaine instabilité. Si Martha, en attaquant, pratique une escalade qui dépasse les limites acceptables, ce qui lui arrive, George peut alors opérer un brusque virage pour se mettre à son niveau, ce qu'il fait dans un cas extrême, lorsqu'il l'agresse physiquement, à la suite de la révélation de son double parricide, apparemment accidentel, dans le jeu « Comment humilier le patron » :

GEORGE *lui saute dessus, l'empoigne à la gorge; ils se battent :* JE VAIS TE TUER, SALOPE!
NICK *les sépare :* Hé là!... Hé la!... Hé là!...
HONEY *elle crie :* ILS SE TUENT! ILS SE TUENT!
George, Martha et Nick se battent, hurlent, etc.
MARTHA *persistant :* C'EST ARRIVÉ! A MOI! A MOI!
GEORGE : CHAROGNE!... SALOPE!...
NICK : ARRETEZ!... ÇA SUFFIT!... STOP!...
HONEY : ILS SE TUENT! ILS SE TUENT!
Les trois luttent, George serre Martha à la gorge. Nick l'agrippe, le sépare de Martha, le jette à terre où il l'écrase de tout son poids. Martha, debout, se masse le cou (p. 193).

Il ne peut cependant gagner à ce niveau; aussi doit-il exagérer sa réaction dans le style qui lui est propre, comme il le laisse voir dans l'accalmie qui suit cet affrontement :

GEORGE : Très bien... d'accord... on va être sages... nous allons tous être bien sages.
MARTHA *doucement, avec un très lent mouvement de la tête :* Assassin... A... ssa... ssin...
Un temps; ils bougent lentement. Mouvements lents et fatigués de lutteurs qui récupèrent.
GEORGE *affecte d'être soudain décontracté mais très nerveux en réalité :* Eh bien!... La première manche est terminée. On joue à quoi maintenant? *Martha et Nick rient nerveusement.* Allons... essayons de trouver autre chose... Voyons... nous venons de jouer à « Comment humilier le patron »... ça, c'est terminé... Qu'est-ce que nous jouons maintenant?
NICK : Écoutez...
GEORGE : ÉCOUTEZ... *Il traîne comme un gémissement.* Eccc... couououou.. teez... *Engageant.* Allons, allons... Des intellectuels dans notre genre, ça connaît d'autres jeux... nous avons de la ressource, du vocabulaire, hein? *(p. 194-5).*

Et il suggère aussitôt une variante du jeu qui va les occuper jusqu'au dénouement final : « Comment sauter la patronne », jeu de *coalitions* qui demande la participation de Nick. Or, l'adjonction d'un tiers à une interaction déjà passablement embrouillée, avec pour conséquence la formation de sous-dyades labiles, accroît considérablement la complexité du jeu. Jusque-là, les invités n'étaient pas vraiment partie prenante, ils servaient pour ainsi dire à étayer les coups échangés entre George et Martha [1]. Mais dans cet avant-dernier tournoi, le tiers (Nick) est plus directement impliqué. Et comme ce dernier ne mord pas tout de suite au jeu, George prépare le terrain à l'aide d'un autre jeu : « Comment posséder ses invités ». Après quoi, Nick est prêt :

NICK *à George, en sortant :* Vous le regretterez.
GEORGE : Sans doute, je regrette toujours tout.
NICK : Je vous ferai payer ça très cher.
GEORGE *doucement :* Mais oui... *comme s'il récitait le titre d'un chapitre de son histoire.* — Embarras soudain du petit Blondinet.
NICK : Je sais jouer à ça, moi aussi... Moi aussi je sais raconter des histoires... et je les raconte *comme vous*... et moi aussi je saurai être un salaud.
GEORGE : Vous *êtes* un salaud. Mais vous ne le saviez pas *(p. 208-9)*.

Ce qu'il y a toutefois de plus remarquable dans les événements qui vont suivre, c'est leur conformité aux règles fondamentales et à la tactique respective de George et de Martha. De nouveau, chacun

1. Ogden Nash a apporté sa pierre dans la formalisation de cette méthode dans le poème : « N'attends pas, frappe-moi tout de suite! » où l'on trouve, entre autres, ceci :

« Voici la formule où la présence d'un tiers est le seul ingrédient supplémentaire essentiel; (...)

« Supposons que vous trouvez que votre cher Grégoire danse un peu trop souvent avec Mme Limbworthy aux réunions du club. Vous n'allez pas lui dire tout de go : « Grégoire, je te flanque une gifle à te faire voir trente-six chandelles si tu ne plaques pas cette espèce de garce aux cheveux platinés. »

« Non, vous attendez qu'une amie vienne vous voir, et alors, en regardant Grégoire du coin de l'œil, vous lui dites : « N'est-ce pas comique de voir comment ces pauvres imbéciles de quadragénaires font des frais dès qu'apparaît une blonde à la croupe ondulante? Peux-tu arriver à comprendre qu'un homme, qui n'est pas ivre et qui a tout son bon sens, puisse regarder deux fois une bonne femme comme cette Limbworthy? Mais naturellement, ma chère, Grégoire n'avait pas tout son bon sens la nuit dernière, n'est-ce pas? »

« C'est une manière de mettre Grégoire au supplice infiniment plus efficace que les discours et les cris shakespeariens,

« Parce qu'il n'y a pas de défense contre les carambolages. (...)

« Parce que l'imparabilité meurtrière du ricochet ne peut se comparer au coup direct. » (Ogden Nash, « Don't wait, Hit Me Now » in *Marriage Lines*, Little, Brown and Company, Boston, 1964, p. 99-101.)

est sur le pied de guerre pour posséder l'autre, Martha par l'insulte notoire d'un adultère commis ouvertement, George en prenant note de son comportement injurieux pour le lui retourner comme une arme. Aussi, au lieu de s'engager dans une nouvelle escalade symétrique, brusquement, non seulement il acquiesce à sa menace de le tromper avec Nick, mais il lui suggère même de la mettre en exécution, et prépare la situation en conséquence (complémentarité). Ce n'est pas seulement une manière de se mettre hors jeu, et cela ne va pas sans souffrance pour George (cf. p. 236-7). Martha était prête à une nouvelle escalade, mais pas à ce type de communication (que nous étudierons en détail au § 7-3 sous la rubrique « Prescrire le symptôme »), qui la laisse sans défense, et comme le précise Albee « bizarrement furieuse » (p. 233). En réponse à sa menace, George se contente de dire calmement qu'il va lire un livre :

MARTHA : Hein? Qu'est-ce que tu vas faire?
GEORGE *calme, haut :* Je vais lire. Lire un livre! Je vais lire!
MARTHA : Hein? Qu'est-ce qu'il y a? Qu'est-ce qu'il y a George? *(p. 233)*.

Martha se trouve alors placée devant une alternative : s'arrêter ou continuer, pour voir si George parle sérieusement. Elle choisit le deuxième terme de cette alternative et se met à embrasser Nick. George est plongé dans sa lecture.

MARTHA : Tu sais ce que je fais, George?
GEORGE : Non... Qu'est-ce que tu fais, Martha?
MARTHA : Je m'amuse... et je m'occupe d'un de nos invités. Je suis pendue au cou d'un de nos invités *(p. 235)*.

Mais George ne mord pas à ce défi, et Martha a épuisé les défis qui auraient pu d'ordinaire susciter les réactions de George. Elle essaie encore une fois :

MARTHA : ... Je te dis que j'étais pendue au cou de notre invité.
GEORGE : Très bien... très bien... Continue.
MARTHA *un temps... désemparée :* Très bien?...
GEORGE : Mais oui... c'est bien... Tu as raison.
MARTHA *les yeux mi-clos de fureur, la voix dure :* Ouais... je comprends, je sais où tu en es et où tu veux en venir, ignoble petit...
GEORGE : J'en suis à la page 130... *(p. 236)*.

Ne sachant trop que faire, Martha envoie Nick dans la cuisine, puis se tourne de nouveau vers George :

MARTHA : Maintenant, toi, écoute-moi...
GEORGE : Je préférerais lire, Martha, si ça ne te dérange pas.
MARTHA *furieuse, mais au bord des larmes :* Si, ça me dérange! Maintenant, écoute-moi bien. Ou tu arrêtes, ou je te jure que je le ferai... Je te jure sur ma tête que je vais chercher ce type dans la cuisine et que je l'emmène dans ma chambre et...
GEORGE *il se tourne vers elle — haut — crachant les mots :* ET ALORS QUOI, MARTHA? *(p. 238).*

Il s'adresse ensuite à Nick :

NICK : Et vous... vous n'y avez...
GEORGE : Rien? Exact, exact! Absolument rien! Écoutez, *il désigne Martha,* ramassez ce tas de linge sale, jetez-le sur vos épaules et...
NICK : Vous êtes ignoble!...
GEORGE *étonné :* Parce que *vous,* vous allez sauter Martha, c'est *moi* qui suis ignoble? *il éclate de rire (p. 237-8).*

Un moment plus tard, George n'a même pas besoin d'attirer l'attention de Martha sur ce qui vient de se passer, elle-même critique son propre comportement :

MARTHA : Et je me dégoûte!... *un temps.* Je passe mon temps en coucheries... sinistres, sans intérêt... *Elle rit, morne...* si on peut appeler ça *coucher.* « Sauter la patronne »? Ah là, là!... Y aurait de quoi rire... *(p. 258).*

5. 411.

La rivalité entre George et Martha n'est pas, comme les apparences ou des exemples particuliers pourraient le laisser croire, un jeu qui ne serait qu'un conflit ouvert ayant uniquement pour but de détruire l'autre. Dans son ensemble, il apparaît bien plutôt comme un conflit coopératif, ou une coopération conflictuelle : il doit y avoir une « limite supérieure » à leur escalade, et il existe des règles communes, nous l'avons déjà suggéré, concernant la manière dont le jeu doit se dérouler. Ces règles spécifient la règle fondamentale de symétrie et donnent sa valeur à la victoire (ou à la défaite) à l'intérieur du jeu; sans ces règles, gagner et perdre n'ont pas de sens.

Sans formaliser exagérément, on peut dire que la redondance dans leur symétrie (qui par elle-même devrait logiquement conduire au meurtre, au sens littéral et non au sens métaphorique comme dans la pièce), exige qu'ils n'échangent pas seulement des coups qui portent, mais qu'ils fassent preuve d'esprit et d'audace.

L'échange d'insultes qui suit, parfaitement symétrique, a une valeur paradigmatique :

GEORGE : Schwein!
MARTHA : Hund!
GEORGE : Puta!
MARTHA : Tonto!
GEORGE : Mierda! *(p. 147).*

Il y a dans leur conduite, bien structurée quoique perverse, un certain piquant non-conformiste qui, par comparaison, fait paraître Nick, et surtout Honey, encore plus mièvres. Aucun d'eux ne peut faire un second acceptable dans ce jeu; la déception que Martha éprouve avec Nick n'est pas seulement d'ordre sexuel, elle le trouve passif et dépourvu d'imagination. George, qui soumet Nick à une épreuve prolongée pour voir s'il pourrait faire par hasard un bon partenaire de combat, semble trouver lui aussi qu'il s'agit d'un bien médiocre adversaire :

GEORGE *jouant avec lui :* Je vous ai demandé si vous aimiez cette déclinaison : essayer, réussir, triompher, se faire posséder. Hein? Alors?
NICK *coincé :* Je ne sais... heu... que vous répondre...
GEORGE *joue l'étonnement :* Vous ne savez vraiment pas *quoi* répondre?
NICK *vivement :* Bon. Qu'est-ce que vous voulez que je vous dise? Que c'est drôle et vous affirmerez que c'est sinistre... ou que c'est sinistre et vous jurerez que c'est drôle? Et que ce petit jeu continue, peut-être, sans qu'il y ait aucune raison de s'arrêter?
GEORGE *comme s'il battait en retraite :* Très bien... très bien...
NICK *encore plus excité :* Dès que ma femme sera revenue, vous me permettrez de prendre congé... *(p. 57).*

En plus du style haut en couleurs de leur relation, George et Martha trouvent l'un dans l'autre, et même exigent l'un de l'autre, une certaine force, une aptitude à tout faire entrer dans le jeu sans sourciller. Au dernier acte, George s'associe à Martha pour ridiculiser Nick, et pourtant c'est son cocuage qui fournit la matière de la plaisanterie :

MARTHA *à Nick :* Ach so! Nein! Reste ici, là! Sers à boire à mon mari.
NICK : Ne comptez pas sur moi!
GEORGE *gentiment, comme s'il prenait la défense de Nick et comme s'il sermonnait Martha :* Non, Martha, voyons... Ça c'est trop. C'est ton petit boy, chérie, ce n'est pas le mien.
NICK : Je ne suis le boy de personne.
GEORGE ET MARTHA *ensemble, ils scandent :* Un, deux!... *Et chantent* « Je ne suis le boy de personne »... *Ils éclatent de rire.*
NICK : Sales...
GEORGE *achève la réplique de Nick :* Gosses! Hein? C'est ça? Des gosses vicelards qui montent des farces... tellement tristes! Oh, oh!... et qui traversent la vie... hop, hop! *(Il mime en sautant d'un pied sur l'autre)*... hop! Comme on joue à la marelle et coetera, et coetera. C'est bien ça?
NICK : A peu près ça.
GEORGE : Bon, hé bien maintenant, tu vas aller jouer à l'homme ailleurs, hein...
MARTHA *parle « petit nègre » :* Lui y'en a pas pouvoi'! Lui y'en a t'o plein d'alcool!
GEORGE *lui aussi parle « petit nègre » :* V'aiment, petit ga'çon? *(Il tend le bouquet à Nick — Voix normale.)* — Tiens, mets-ça dans un vase avec du gin » *(p. 268-9).*

Cette impitoyable audace apparaît également dans cette « politique au bord du gouffre » qui est la leur, dans laquelle pour l'emporter sur l'autre, ou pour « posséder » l'autre, il est nécessaire d'avoir de moins en moins de retenue et de plus en plus d'imagination. Martha est par exemple ravie d'une riposte particulièrement effrayante de George : elle est en train de ridiculiser George devant Nick et Honey quand George rentre en scène, les mains derrière le dos; tout d'abord Honey seule peut le voir; Martha poursuit l'histoire des coups qu'elle a donnés à George et qui l'ont envoyé au tapis :

MARTHA : Pourtant, c'était un *hasard...* un pur et simple hasard! *(George sort de derrière son dos une sorte de fusil de chasse à canon court et, calmement, vise la nuque de Martha. En même temps, Honey hurle... et se lève toute droite. Nick se lève. Martha tourne la tête et voit George. Celui-ci appuie sur la gachette.)*
GEORGE : Boum! *(Du canon du fusil, jaillit en gerbe une belle ombrelle chinoise rouge et jaune. Honey pousse encore un cri, mais cette fois, de soulagement et de surprise.)* Tu es morte! Boum! ... tu es morte, Martha!
NICK *(riant) :* Ho!... Bon Dieu!... *(Honey rit convulsivement. Martha rit également...* de toutes ses forces. *Le rire s'éteint peu à peu.)*
HONEY : Oh! c'est drôle... drôle!
MARTHA *d'excellente humeur :* Où est-ce que tu as trouvé ça, espèce de voyou? (...)

GEORGE *étrangement rêveur. A Nick :* Je l'ai depuis pas mal de temps. C'est amusant, non?
MARTHA *mi-sérieuse, mi-rieuse :* Quelle ordure, tu fais *(p. 89-90)*.

On peut voir dans la bonne humeur de Martha et ses petits rires, l'expression d'une espèce de pur et simple soulagement, mais il y a aussi le plaisir presque sensuel du jeu bien joué, un plaisir que tous deux partagent :

GEORGE *doucement à Martha vers laquelle il se penche :* Ça t'a *excitée*, pas vrai?
MARTHA *:* Oui... beaucoup... *(plus doucement)* Viens ici... embrasse-moi...

Il ne peut en résulter cependant une clôture, car si leur rivalité a des aspects sexuels, leur comportement sexuel est aussi rivalité, et quand Martha persiste à lui faire des avances, George se montre réticent : ce qui ne la dissuade pas pour autant. George finit par remporter « une victoire à la Pyrrhus » (cf. p. 91) en la repoussant, et en critiquant, à l'intention de leurs invités, l'indécence de son comportement.

Ainsi, partager un certain style est une limitation supplémentaire, une régularité de plus dans leur jeu. Ils trouvent, en outre, semble-t-il, une certaine confirmation réciproque de leur moi dans l'excitation du risque. Mais l'extrême rigidité de leur relation les empêche d'éprouver, sinon à de brefs instants, cette confirmation, et de faire fond sur elle.

5 - 42. *Le fils*

Le thème très particulier du fils imaginaire demande à être traité à part. De nombreux critiques, enthousiasmés par la pièce dans son ensemble, font des réserves sur ce point. Malcolm Muggeridge trouve que « la pièce s'écroule au troisième acte lorsqu'intervient toute cette lamentable histoire de l'enfant imaginaire [1] », et Howard Taubman s'élève contre le fait que « M. Albee voudrait nous faire croire que pendant vingt et un ans, George et Martha ont nourri la fiction de l'existence d'un fils, que cette existence imaginaire est un secret qui les lie puis les sépare brutalement, et que l'annonce

1. Malcolm Muggeridge, *op. cit.*, p. 58.

de sa mort par George pourrait être un tournant dans la vie du couple. Cette partie de l'histoire ne sonne pas juste, et cette fausse note altère la crédibilité des personnages principaux [1] ».

Nous ne sommes pas de cet avis, en nous fondant d'abord sur notre expérience psychiatrique. Les proportions délirantes de cette fiction, et la nécessité pour le couple de la partager, ne sont pas un obstacle à sa crédibilité. Depuis la classique *folie à deux*, ou folie partagée, on a pu recenser d'autres expériences qui impliquent une distorsion de la réalité. Ferreira [2] a parlé du « mythe familial » où il voit « une série de croyances fort bien intégrées, partagées par tous les membres de la famille, concernant chacun d'eux et les positions réciproques dans la vie familiale, croyances qui ne sont remises en cause par aucun des membres concernés en dépit des distorsions manifestes qu'elles peuvent faire subir à la réalité » (p. 457).

Retenons de cette formulation que le problème du caractère littéral de la croyance n'est pas essentiel, et que l'illusion n'acquiert une fonction que dans le cadre d'une relation.

Réfléchissant sur le premier point, Ferreira observe que « l'un des membres de la famille peut fort bien savoir, et il le sait souvent, que pour une bonne part l'image est fausse et qu'elle est assimilable à une espèce de « ligne officielle du parti [3]. » A aucun moment, Albee ne laisse supposer que George et Martha croient « réellement » qu'ils ont un fils. Quand ils *en* parlent, il est évident qu'ils en font un usage impersonnel; ils se réfèrent, non pas à une personne, mais au mythe lui-même. Lorsque, pour la première fois, au début de la pièce, la fiction du fils est évoquée, George parle de « la *chose*... » ... « l'histoire du gosse » (p. 38-9). Plus loin, il va même jusqu'à faire des mots d'esprit sur leur système à double-référence :

GEORGE : ... C'est *toi* qui as voulu qu'on parle de lui... Quand revient notre fils?
MARTHA : Laisse tomber *comme pour en finir avec ce sujet*. Je regrette d'avoir parlé de ça!

1. Howard Taubman, dans le *New York Times*, vol. 112, nº 38, 250 (15 octobre 1962), p. 33.
2. Antonio J. Ferreira, « Family Myth and Homeostasis », *Archives of General Psychiatry*, 9 : 457-63, 1963.
3. Id., *ibid.*, p. 458.

GEORGE : De *lui*... pas de *ça*! C'est de *lui* que tu as parlé! Enfin... plus ou moins... n'est-ce pas? *Insinuant.* Alors, hein, quand est-ce qu'elle rapplique cette petite frappe? *Enjoué.* A propos, est-ce que tu n'as pas dit que c'était demain quelque chose comme son anniversaire?
MARTHA : (...) JE NE VEUX PAS PARLER DE ÇA!
GEORGE *un temps* : Oui... *(un léger temps)* Comme je te comprends! *A Honey et Nick — Comme s'il s'excusait pour Martha* — Martha ne veut pas parler de ça... enfin de lui... Martha regrette d'avoir parlé de ça... heu... de lui *(p. 106-7)*.

La distinction entre « le fils » et le « jeu du fils » est maintenue avec tant de rigueur, même lors de la première réaction de Martha à l'annonce que George fait de sa mort (« Tu ne peux pas en décider tout seul! »), qu'il n'est pas possible d'affirmer qu'ils croient avoir réellement un fils. Mais dans ce cas, pourquoi jouent-ils au jeu d'avoir un fils? Une fois de plus, il vaut mieux se demander *à quoi cela sert-il* que *pourquoi.* Citons encore Ferreira :

> Le mythe familial constitue des points nodaux, des points d'appui dans la relation. Il assigne des rôles et prescrit un comportement qui, en retour, va renforcer et consolider ces rôles. Entre parenthèses, remarquons qu'il signifie pour le groupe une distance par rapport au réel, distance que nous pourrions dire « pathologique ». Mais en même temps, il constitue par *sa seule existence* un fragment de la vie, un aspect du réel que rencontrent les enfants qui y sont nés, et qui par suite les modèle, ainsi que les étrangers qui entrent en contact avec eux *(p. 462, c'est nous qui soulignons)*.

Ce dernier point est de la plus haute importance. Si le fils est imaginaire, l'interaction dont il est le pivot ne l'est pas, et la question féconde porte alors sur la nature de cette interaction. Elle demande tout d'abord que George et Martha fassent bloc; ils *doivent* travailler ensemble à cette fiction pour l'entretenir, car, à la différence d'un enfant réel qui, une fois engendré, existe, ils doivent sans cesse s'unir pour créer leur enfant. Au prix d'une légère mise au point, dans ce seul domaine, ils *peuvent* s'associer dans une collaboration sans rivalité. Cette histoire fait partie d'un « domaine réservé », elle est à usage privé, c'est peut-être pourquoi ils peuvent se permettre une association en ce domaine, précisément parce que ce n'est pas une histoire réelle. En tout cas, s'ils se battent au sujet de cet enfant, comme ils le font à propos de tout, il y a une limite interne à ce jeu d'escalade symétrique qui est justement la nécessité de partager cette fiction. *Le mythe de l'enfant est pour eux un mécanisme homéostatique.*

Dans ce qui apparaît comme un chapitre capital de leur vie, ils sont capables de former un bloc symétrique stable. Dans le monologue onirique où elle raconte la vie de l'enfant, Martha en parle d'une manière qui évoque la métaphore :

MARTHA : ... En grandissant... et en grandissant... oh! comme il était intelligent!... il trottinait entre nous deux *(Elle tend la main)*... en nous donnant la main...comme s'il attendait de nous protection, tendresse, et amour... et comme si ces petites mains qu'il nous tendait devaient nous lier à lui... et nous défendre... nous protéger (...) comme pour se protéger... oui... et comme pour *nous* protéger... *(p. 300-301).*

Il est fort probable qu'un enfant réel, s'ils en avaient eu un, aurait rempli le même rôle. Sans pouvoir les vérifier, puisque la pièce s'ordonne autour d'un mauvais usage du mythe, nous pouvons avec Ferreira faire les hypothèses suivantes :

Il semble que le mythe familial entre en jeu quand certaines tensions, parmi les membres de la famille, atteignent des seuils prédéterminés, et menacent, de manière réelle ou fantasmée, de faire éclater les relations actuellement établies. Le mythe familial fonctionne donc comme un thermostat dont le déclenchement est provoqué par la « température » de la famille. Comme tout mécanisme homéostatique, le mythe empêche le système familial de se détériorer, éventuellement de se détruire. Il possède donc les propriétés d'une « soupape de sûreté », autrement dit il a une importance *vitale*... Il a tendance à maintenir, parfois même il accroît, le niveau de structuration de la famille, en établissant des modèles qui se perpétuent grâce à la circularité et à l'auto-régulation propres à tout mécanisme homéostatique *(op. cit., p. 462).*

Les enfants réels, eux aussi, peuvent être dans une union à la fois une planche de salut et une échappatoire. Comme Fry l'a souligné, le comportement symptomatique peut remplir la même fonction (cf. § 4-442).

Mais la pièce d'Albee n'a pas pour objet cet usage du mythe; elle s'attache plutôt, semble-t-il, au processus de destruction du mythe. Comme nous l'avons noté, tout ce qui concerne l'existence même du fils ne fait pas partie des munitions permises dans le combat que se livrent George et Martha. En décider autrement, même dans le feu de la bataille, est considéré comme intrinsèquement pervers :

MARTHA : La question que se pose George au sujet de cette petite... ha! ha, ha, ha!... au sujet de notre fils, de notre grand garçon... c'est qu'en fait... tout à fait en fait, hein?... il se demande s'il en est le père.
GEORGE *lentement :* Tu es un *monstre*, Martha.
MARTHA : Pourtant, mon chéri, je te l'ai répété un million de fois... Tu sais bien que je n'aurais jamais pu avoir d'enfant d'un autre que toi, mon chéri...
GEORGE : Tu es un *vrai* monstre...
HONEY *ivre et soudain larmoyante :* Oh mon Dieu! mon Dieu! mon Dieu! mon...
NICK : Je ne suis pas sûr que ces propos soient...
GEORGE *très « avocat » :* Martha est en train de mentir... Il faut que vous le sachiez... Martha... ment. Dans la vie, je ne suis sûr que d'un très petit nombre de choses... On me dira : et les frontières nationales? et le niveau de la mer? et les étiquettes politiques? et la moralité publique?... Eh bien! je répondrai que je ne mettrai jamais ma main au feu pour ce qui concerne la vérité de ces problèmes... MAIS, par contre, je suis sûr d'une chose et d'une seule chose... dans ce monde de malheur et de perdition, et *il assène* c'est de ma res-pon-sa-bi-li-té, de mon entière responsabilité chro-mo-so-mo-lo-gi-que... dans la fabrication de notre enfant aux cheveux bleus et aux yeux blonds *(sic) (p. 108-109).*

Cependant, autant qu'on en puisse juger, c'est un « coup » de George qui va déclencher la modification du système. Tout au début de la pièce, George semble pris entre l'ordre que lui donne Martha d'aller ouvrir la porte et les invités qui attendent dehors; il fait une concession, mais, ce qui est typique de son comportement, il riposte à sa manière pour rester quitte : elle ne devra pas parler du fils (cf. p. 39). Comme le dit George explicitement un peu plus loin, ils se sont fait une règle de n'en parler à personne (cf. p. 321). Aussi cette recommandation peut-elle paraître superflue, mais aussi sans conséquence. Or, une « règle » plus complexe, qui est leur jeu lui-même, veut qu'aucun d'eux ne dicte le comportement de l'autre, donc tout ordre donné est fait pour être disqualifié ou désobéi. En ce sens, peu importe de savoir lequel des deux a mal joué le premier, car le résultat prévisible de ce brouillage des frontières du jeu, c'est le défi de Martha et l'incorporation de ce matériel dans leur rivalité symétrique :

GEORGE *avec un ton de très douce menace :* Je te demande simplement de ne pas te lancer dans l'histoire du gosse... C'est tout...
MARTHA *faussement indignée :* George... tu as vraiment une triste opinion de moi...

GEORGE : Pas assez triste...
MARTHA *menaçante :* Ah oui? Et moi je te dis que si ça me plaît, j'en parlerai, du gosse...
GEORGE : Tu aurais tort, tu aurais tort...
MARTHA : *Il est autant à moi qu'à toi,* et si ça me plaît, j'en parlerai!
GEORGE : Ce serait une erreur, Martha, une grave erreur...
MARTHA : Je me fous de tes conseils, t'entends? *On frappe* Entrez!... *A George* Va ouvrir!
GEORGE : Je t'aurai prévenue.
MARTHA : C'est ça, tu m'auras prévenue... Va ouvrir! *(p. 39-40, c'est nous qui soulignons).*

Dès que s'offre l'occasion, Martha parle à Honey de leur fils et de son anniversaire [1]. Désormais leur mécanisme homéostatique n'est plus que de l'huile jetée sur le feu, et George finira par détruire totalement le fils, en faisant appel à un droit implicite (« J'ai le droit, Martha. Mais nous avions oublié d'en parler, c'est tout. J'avais le droit de le tuer, quand ça me plairait, p. 320 »).

Nous sommes alors les spectateurs du début d'un « emballement » symétrique, qui finit par conduire à la ruine d'un modèle de relation installé depuis longtemps. Cette pièce est avant tout l'histoire d'un cas de *modification* systémique, modification dans les règles d'un jeu relationnel qui provient, pensons-nous, d'un léger, mais sans doute inévitable, bouleversement de ces règles. La pièce ne définit pas un nouveau modèle, de nouvelles règles; elle se borne à décrire la succession des états qui mènent l'ancien modèle à sa destruction (au § 7-2, nous étudierons les aspects *généraux* d'une modification systémique de l'intérieur et de l'extérieur d'un système). Ce qui peut se passer ensuite reste incertain :

1. Il n'est pas sans intérêt de voir qu'après la « mort », elle prétend ne pas s'en souvenir :

GEORGE : Tu n'as pas respecté nos règles, mon petit. Tu as parlé de lui devant des gens. Tu as parlé de lui... *geste pour désigner Nick et Honey.*
MARTHA *elle pleure :* Non... Je n'ai pas parlé de lui. Jamais.
GEORGE : Hé si !
MARTHA : A qui? A QUI?
HONEY *elle pleure :* A moi. Vous m'avez parlé de lui.
MARTHA *pleure plus encore :* J'OUBLIE... Il y a des moments... la nuit... tard dans la nuit... alors que tout le monde... parle... il y a des moments où j'oublie... et alors j'ai envie de parler de lui... mais... je... me retiens... je ME RETIENS... mais j'ai eu si souvent envie... » *(p. 321).*

Ni elle ni George ne voient que c'est un conflit des règles de leur relation qui les a menés là.

GEORGE *un long temps :* C'est mieux, tu verras.
MARTHA *un long temps :* Je ne sais pas.
GEORGE : Tu verras...
MARTHA : Je... n'en suis pas... sûre...
GEORGE : Non.
MARTHA : Alors... rien que toi... et moi?
GEORGE : Oui.
MARTHA : Tu ne crois pas qu'on pourrait peut-être de nouveau le...
GEORGE : Non, Martha.
MARTHA : Oui... c'est ça... non *(p. 326).*

Laissant de côté une donnée dont le retentissement ne peut être évalué — Nick et Honey sont désormais atteints par ce qu'ils ont appris —, Ferreira résume avec force la situation et dessine l'avenir en fonction du mythe familial :

... un mythe familial... remplit d'importantes fonctions homéostatiques dans une relation... Nulle part ailleurs peut-être, ces fonctions du mythe familial n'apparaissent avec plus de clarté que dans la pièce bien connue d'Edward Albee *Qui a peur de Virginia Woolf*? Un mythe familial de dimension psychotique y domine toute l'action. Tout au long de la pièce, un mari et une femme parlent, se battent et crient à propos de leur fils absent. Dans un débordement d'injures, ils contestent tous les faits de la vie de leur fils, la couleur de ses yeux, les circonstances de sa naissance, son éducation, etc. Pourtant, beaucoup plus tard, nous apprenons que ce fils est une fiction sur laquelle tous deux s'accordent, une histoire, un mythe, mais un mythe qu'ils ont tous deux cultivé. Au sommet de la pièce, le mari, en proie à une colère folle, annonce la mort de ce fils. Par cet acte, il « tue » le mythe. Cependant leur relation se poursuit, non troublée, semble-t-il, par cette nouvelle, et on ne discerne aucun signe de changement imminent, ou de dissolution. En fait, rien n'a changé. *Car le mari n'a détruit le mythe du fils vivant que pour le remplacer par le mythe du fils mort.* Il est évident que le mythe familial a seulement changé de contenu, contenu peut-être plus complexe, plus « psychotique », mais sa fonction, pensons-nous, est restée intacte. Il en est de même de la relation [1].

Par ailleurs, la mort du fils pourrait être le passage à une nouvelle échelle de mesure, une modification qui serait un changement d'échelle permettant un nouveau type de fonctionnement. Nul ne peut le dire.

1. Antonio J. Ferreira, « Psychosis and Family Myth » (exemplaire dactylographié).

5 - 43. *La métacommunication entre George et Martha*

Par métacommunication, nous entendons (conformément à la définition du § 1-5) un discours sur les règles de la communication, entre George et Martha. Mais dans la mesure où George et Martha parlent, ou essaient de parler, *sur* leur jeu, ils « métacommuniquent » à l'intérieur même de la pièce. Ceci nous intéresse pour plusieurs raisons : par exemple, le problème de leur apparente « conscience-de-jeu ». En effet, ils se réfèrent souvent à des règles de jeux, ils les nomment, ils y font appel, ce qui peut les faire apparaître comme un couple bizarre dont le modèle d'interaction se fonde avant tout sur un souci obsessionnel et compulsif d'inventer et d'étiqueter des jeux étranges et cruels : qu'il ne s'agit, comme le dit George, que de « gosses vicelards qui montent des farces... tellement tristes! Oh, oh!... et qui traversent la vie... hop, hop!... hop! comme on joue à la marelle, et cœtera, et cœtera » *(p. 269)*. Mais ceci implique deux choses : leur comportement de jeu est pleinement délibéré (ou régi par des métarègles différentes), et donc, peut-être, les principes qu'ils exposent, parce qu'ils ne sont essentiellement que le *contenu* idiosyncrasique de leur jeu, ne sont pas applicables à d'autres couples, et notamment des couples réels. La nature de leur métacommunication a un rapport direct avec cette question, car, nous le verrons, *même leur communication sur leur communication est soumise aux règles de leur jeu.*

Dans deux exemples frappants et assez longs *(p. 212-21 et p. 283-5)*, George et Martha parlent explicitement de leur interaction. Le premier de ces échanges du type de la métacommunication montre à quel point ils voient différemment leur interaction, et lorsque ces différences éclatent, aussitôt sont portées les accusations réciproques de malignité ou de folie (cf. § 3-4). Martha a soulevé des objections au jeu « Comment posséder ses invités »; elle paraît le considérer comme déplacé ou pas dans les règles :

GEORGE *s'efforce de contenir sa rage :* Toi, tu peux rester là, assise dans ton fauteuil; toi, tu peux rester là, assise, à cuver et à baver l'alcool; toi, tu peux m'humilier, toi, tu peux me piétiner... TOUTE LA NUIT... et ça, c'est normal, ça, c'est tout à fait normal...
MARTHA : TU SUPPORTES ÇA TRÈS BIEN!

GEORGE : NON, JE NE LE SUPPORTE PAS!
MARTHA : TU LE SUPPORTES TRÈS BIEN! C'EST POUR ÇA QUE TU M'AS ÉPOUSÉE! *un temps.*
GEORGE *calme :* C'est un mensonge insensé, c'est un mensonge... *fou...*!
MARTHA : TU NE T'EN ÉTAIS PAS RENDU COMPTE? PAS ENCORE?
GEORGE *secoue la tête :* Oh!... Martha!...
MARTHA : J'en ai marre... de te fouetter; *un temps.* Ça me fatigue
GEORGE *il la regarde avec une étrange curiosité :* Tu es *folle.*
MARTHA : Depuis vingt-trois ans!
GEORGE : Tu te trompes, Martha... Tu te trompes...
MARTHA : ET CE N'EST PAS CE QUE JE SOUHAITAIS!
GEORGE : Et moi je croyais que tu étais au moins consciente de tout... Je ne voulais pas... Non, je ne savais pas... *(p. 212-213).*

C'est un exemple particulièrement clair d'une ponctuation pathologique de la séquence des faits; George considère qu'il use à bon droit de représailles contre les attaques de Martha, et Martha se voit presque comme une prostituée payée pour le « fouetter »; chacun est persuadé qu'il ne fait que réagir à l'autre, mais aucun n'a idée qu'il pourrait être aussi un stimulus des actions de l'autre. Ils ne voient pas la vraie nature de leur jeu, sa véritable circularité. La discordance de leurs conceptions sert de matériel pour une nouvelle escalade symétrique. L'épisode précédent se poursuit ainsi :

GEORGE : Et moi je croyais que tu étais au moins... consciente de tout... Je ne voulais pas... Non, je ne savais pas...
MARTHA *dont la colère renaît :* Je suis parfaitement consciente.
GEORGE *comme si elle était un animal répugnant :* Non... non... tu es... malade.
MARTHA *elle se lève et crie :* TU VEUX QUE JE TE MONTRE QUI EST MALADE? *(p. 213-214).*

La rivalité pour savoir qui est malade, qui se trompe, qui est incompris, se poursuit jusqu'à une conclusion que nous connaissons bien maintenant, où ils montrent leur inaptitude à « être ensemble » par la manière même dont ils abordent le problème de cette inaptitude :

GEORGE : Allons, allons, Martha... J'ai l'habitude, tu sais... Une fois par mois, à peu près, nous avons droit à Martha l'Incomprise, à la fille au bon petit cœur qui bat sous la cuirasse, à la petite demoiselle qui ne demande qu'à ronronner de tendresse. Et dire que j'y ai cru! Combien de fois? Je préfère ne pas m'en souvenir... parce que ce n'est pas tellement gai de s'apercevoir qu'on a été roulé à chaque fois... Non, Martha, c'est moi qui ne te

crois pas... c'est moi qui ne te crois plus... Nous n'arriverons pas... nous n'arriverons plus jamais à être... *ensemble.*
MARTHA *de nouveau regonflée :* Oui, peut-être, que tu as raison, mon coco. C'est vrai qu'on ne peut pas être *ensemble* avec RIEN..., et voilà, tu n'es rien! Ça a craqué cette nuit, quand nous étions chez papa. *Avec mépris, mais avec une sourde colère et comme une sorte de tristesse morne.* J'étais assise chez Papa et je te regardais... Je te voyais, assis dans ton coin, et je regardais tous ces hommes jeunes autour de toi... ces hommes qui existaient, qui fonçaient vers quelque chose. Et moi, assise, je te regardais, et tu n'étais pas *là.* Toi, tu n'existais pas! Alors ça a craqué! Finalement ça a craqué! et je vais le crier sur les toits et je me fous de ce qu'on dira et je vais provoquer le plus formidable bordel que tu aies jamais vu!
GEORGE *ne bronche pas :* Essaie. Je te parie que je te bats sur ton propre terrain.
MARTHA : C'est un défi, George?
GEORGE : C'en est un, Martha.
MARTHA *comme si elle lui crachait au visage :* Tu l'auras en pleine gueule, petit.
GEORGE *doucereux :* Attention, Martha... Je te casserai en morceaux.
MARTHA : Il faudrait que tu sois un homme... Mais tu n'en es pas un!...
GEORGE : La guerre totale?
MARTHA : Totale. *Un temps. Ils semblent soulagés, détendus (p. 219-21).*

De nouveau, George a calmement défié Martha, ce qui ne veut pas dire qu'il prend l'initiative de cet affrontement, pas plus que de n'importe quel autre : de tels affrontements n'ont pas vraiment de commencement. Martha contre-attaque de front, et il riposte par un défi qu'elle ne peut pas refuser. Ainsi s'engage, comme nous l'avons souvent souligné, un nouveau tournoi du même jeu sempiternel, avec des mises encore plus élevées, qui les laisse soulagés, et même détendus, mais pas pour autant plus sages ou différents. Rien en effet ne permet de distinguer leur métacommunication de leur communication ordinaire; une observation, un plaidoyer, un ultimatum *au sujet de* leur jeu ne font pas exception aux règles du jeu; ils ne peuvent donc être admis, ni même en un sens, entendus par l'autre. A la fin, lorsque Martha, implorante et pathétique, prend complètement la position « basse », et supplie George à plusieurs reprises de s'arrêter, le résultat est strictement identique :

MARTHA *tendre, elle va pour toucher George :* Je t'en supplie, George, on ne joue plus, Je...
GEORGE *il lui donne une violente tape sur la main qu'elle avance vers lui :* Ne me touche pas! Garde tes pattes propres pour caresser ton étudiant!

(Martha a comme une plainte — très brève.) Maintenant, Martha, écoute ce que je vais te dire. Tu as passé une très bonne soirée, hein?... une très bonne nuit... et maintenant que tu es gorgée de sang, tu voudrais qu'on arrête, hein? Et moi, je te dis qu'on continue... ET je te dis que tu vas voir ce que tu vas voir, et que tout ce que tu as pu montrer de tes talents, cette nuit, c'est du patronage à côté de ce que je prépare. Mais il faut que tu te secoues... Allons! *il la gifle très légèrement.* Allons! Secouons-nous! *il la gifle doucement.*
MARTHA *se secouant :* Arrête!
GEORGE *il lui donne de très légères claques :* Allons! Un peu de nerf! *Il continue.* Debout! En garde, mon chéri! Vas-y! Frappe des deux mains! J'ai l'intention de te sonner, tu comprends, et j'aimerais que tu encaisses debout. *Il la gifle encore. Puis la repousse. Elle se lève.*
MARTHA : D'accord, George, qu'est-ce que tu veux?
GEORGE : Un bon combat équilibré, mon chéri, c'est tout.
MARTHA : Tu l'auras.
GEORGE : Je veux te rendre folle de rage!
MARTHA : JE LE SUIS!
GEORGE : Encore plus folle!
MARTHA : T'EN FAIS PAS POUR ÇA!
GEORGE : Très bien, ma belle, cette fois, on va jouer jusqu'à la mort.
MARTHA : Jusqu'à *ta* mort!
GEORGE : Tu vas voir : tu vas être étonnée. Ah! voilà les petits! Tiens-toi prête!
MARTHA : *elle va et vient, comme un lutteur qui se prépare au combat :* Je suis prête *(p. 283-285).*

Nick et Honey reviennent et l'Exorcisme commence. Ils jouent donc ce que nous décrirons plus en détail au § 7-2 comme un « jeu sans fin », dans lequel la réflexivité des règles aboutit à un paradoxe qui interdit toute résolution à l'intérieur du système.

5 - 44. *Limitation dans la communication*

Au § 4-42, nous avons souligné que, dans une séquence de communication, tout échange de messages limite le nombre des « coups » possibles suivants. La synchronisation du jeu de George et Martha, le mythe qu'ils partagent, et la symétrie qui pénètre toute leur relation, ont été des illustrations de cette limitation stabilisée que nous avons appelée règles de la relation.

Certains échanges entre Georges et Nick fournissent des exemples de limitation dans une relation nouvelle. Nick, par son comportement initial et ses propres protestations, montre qu'il ne veut pas être impliqué dans les histoires ou la querelle de George et Martha. Pourtant (rappelons l'exemple cité au § 5-411, p. 57), il se trouve de plus en plus amené, à leur niveau, alors même qu'il se tient en dehors. Au début de l'acte II, Nick, maintenant sur ses gardes, est pris dans le même type d'escalade, depuis l'échange de paroles insignifiantes jusqu'au déchaînement de la colère :

GEORGE : (...) Ça barde plutôt, ici, de temps en temps.
NICK *froid :* Oui... j'ai compris.
GEORGE : Vous venez d'avoir droit à une séance.
NICK : Je préfère ne pas...
GEORGE : ... vous en mêler, hein? C'est bien ça?
NICK : Oui, c'est ça.
GEORGE : Bien sûr... bien sûr...
NICK : Je trouve ça... gênant.
GEORGE *sarcastique* : Ah oui? Vraiment?
NICK : Oui. Tout à fait. Vraiment.
GEORGE *il l'imite :* Oui. Tout à fait. Vraiment *in petto, mais assez haut,* c'est RÉPUGNANT...
NICK : Je n'ai en tout cas aucune responsabi...
GEORGE : RÉPUGNANT... *calme, mais avec force.* Vous croyez que j'aime ça... être ridiculisé par cette espèce de... être piétiné devant... *comme si, d'un revers de main distrait, il chassait Nick... Vous...* vous croyez que j'adore ça?
NICK *sec :* Non... je crois que vous n'aimez pas ça...
GEORGE : Ah!... c'est ce que vous croyez?
NICK *hostile :* Oui...
GEORGE *sarcastique :* Votre sympathie me touche... Votre compréhension me tire des larmes... De bonnes grosses larmes salées... et pas scientifiques du tout, hein?...
NICK *sec et méprisant :* Je ne comprends pas pourquoi vous éprouvez le besoin de vous offrir en spectacle...
GEORGE : Moi?
NICK : Si vous avez tellement envie de vous déchirer comme...
GEORGE : Moi? J'ai envie, moi?
NICK : ... deux bêtes, je me demande pourquoi vous ne faites pas ça lorsque...
GEORGE *rit, malgré sa colère* : PARCE QUE! Sale petit curé, va... Sale petit prétentieux!
NICK *menaçant :* ÇA SUFFIT... MONSIEUR! *Silence* Et... faites gaffe! *(p. 132-4).*

Dans cette séquence, les sarcasmes de George à l'adresse de Nick, qui ne veut pas se mêler de ces histoires, poussent celui-ci à accentuer son détachement dédaigneux. Mais cela rend George furieux, semble-t-il, et, même s'il cherchait peut-être une certaine compassion, il finit par insulter Nick, poussant celui-ci à le menacer. Du côté de Nick, la tentative de ne pas communiquer conduit en fait à un vif engagement; par ailleurs, les efforts de George pour persuader Nick que sa ponctuation du jeu qui se joue entre Martha et lui est correcte, ont pour résultat de faire voir jusqu'où peut monter sa propre fureur. Un modèle pour l'avenir se trouve ainsi clairement dessiné.

5 - 45. *Résumé*

On doit comprendre maintenant le travail considérable que demande la description d'un système familial, même relativement simple et fictif comme celui-ci. Les variations du contenu à partir de quelques règles de relation sont en effet innombrables, et souvent très complexes (problème qui fait penser à l'interprétation que donne Freud du rêve de l'injection faite à Irma [1], dans laquelle un rêve d'une demi-page aboutit à huit pages d'interprétation). Dans ce qui va suivre, nous donnons un résumé très général du système d'interaction qui lie George et Martha.

5. 451.

On dit qu'un système est stable par rapport à certaines de ses variables, si ces variables demeurent à l'intérieur de limites déterminées. Cela est vrai du système dyadique que forment George et Martha. On pensera peut-être que le terme « stabilité » est bien inadéquat pour qualifier leurs jeux de commando de salon, mais tout dépend des variables prises en compte. Leurs dialogues sont vifs, tumultueux, choquants; retenue et politesse sociale sont rapidement abandonnées, au fur et à mesure que tout semble se défaire. Il serait à vrai dire bien difficile de deviner à un moment quelconque quelle sera la suite. Mais il serait relativement facile de décrire *comment* les choses se passeront entre George et Martha. Car les variables qui définissent ici la stabilité ne sont pas celles du contenu, mais celles de la relation, et ce couple dispose d'une gamme extrêmement

1. Sigmund Freud, *Die Traumdeutung* 1938 (trad. fr. *L'Interprétation des Rêves*, P.U.F., nouvelle édition, 1967).

réduite de comportements, si l'on ne considère que leur modèle de relation [1].

5. 452.

Cette gamme de comportements constitue l'échelle de mesure, le « réglage » de leur système. La symétrie de leur comportement en définit la nature, et ce n'est que rarement et fugitivement que l'on peut entrevoir une « limite inférieure », très sensible, de cette gamme, c'est-à-dire un comportement non symétrique. La « limite supérieure », nous l'avons déjà noté, est marquée par le style qui leur est propre, une certaine rétroaction négative en complémentarité, et le mythe du fils qui, parce qu'il exige leur coopération, fixe une limite aux attaques qu'ils peuvent se porter réciproquement; ce mythe renforce une symétrie relativement stable, jusqu'au moment, bien entendu, où s'effondre la distinction entre le comportement que demande le mythe du fils et tout autre comportement. A partir de là, ce domaine n'est plus sacro-saint et ne joue plus de rôle homéostatique. Même en restant dans la gamme des comportements symétriques, il y a des limites : leur symétrie est presque exclusivement celle du *potlatch* [2], elle est destruction, et non accumulation ou accomplissement.

5. 453.

Avec l'escalade qui conduit à la destruction du fils, on aboutit à un éclatement dramatique du système qui, selon nous, pourrait être le passage à une autre échelle, un changement d'échelle de mesure dans le système de George et Martha. Ils se sont livrés presque

1. Nous appuyant sur l'observation clinique et sur certaines expériences (cf. Jay Haley, « Research on Family Patterns : an Instrument Measurement », *Family Process*, 3 : 41-65, 1964), nous dirions même que les familles pathogènes présentent généralement des modèles d'interaction *plus redondants* que les familles normales. Ce qui est en opposition frappante avec la conception sociologique traditionnelle des familles perturbées, où l'on veut voir chaos et destructuration. Mais une fois de plus, la différence est dans le niveau d'analyse choisi et la définition des variables retenues. Une extrême rigidité des relations à l'intérieur de la famille peut apparaître, dans la confrontation de la famille et de la société, comme un chaos (et peut-être même en rendre compte).

2. Rite de certaines tribus indiennes du nord-ouest, dans lequel les chefs rivalisent dans la *destruction* de ce qu'ils possèdent, en brûlant de manière symétrique leurs biens matériels. (Cf. Ruth Benedict, *Patterns of Culture*, Boston, 1934.)

sans contrainte à une escalade qui a détruit leurs limitations mêmes. A moins que le mythe du fils ne se perpétue comme mythe du fils mort, selon la suggestion de Ferreira, il faut trouver un nouvel ordre d'interaction. George et Martha expriment tous deux ouvertement leur peur et leur insécurité, mêlées d'espérance, devant ce que leur réserve l'avenir.

6

La communication paradoxale

6-1

NATURE DU PARADOXE

Depuis deux mille ans, l'esprit humain est fasciné par le paradoxe. Il l'est encore aujourd'hui. De fait, certaines des œuvres les plus importantes de notre siècle, en logique, mathématique et épistémologie, traitent du paradoxe, ou lui sont étroitement liées. C'est le cas de la métamathématique, de la théorie de la preuve, de la théorie des types logiques et des problèmes de « consistance », de calculabilité, de décidabilité, etc. En tant que profanes, déconcertés par la nature complexe et ésotérique de ces sujets, nous sommes enclins à les écarter, parce que nous les jugeons trop abstraits pour avoir une incidence quelconque dans notre vie. Certains d'entre nous se souviennent peut-être des paradoxes classiques dont ils ont entendu parler pendant leurs études, mais sans doute n'y voient-ils que des bizarreries amusantes. Et pourtant nous avons l'intention de montrer dans ce chapitre et les chapitres suivants que quelque chose dans la nature du paradoxe a une portée pragmatique directe, et même existentielle, pour chacun de nous. Non seulement le paradoxe peut envahir l'interaction et affecter notre comportement et notre santé mentale (cf. § 6-4), mais il est un défi à notre croyance en la cohérence, et donc finalement en la solidité, de notre univers (cf. § 8-5 et 8-63). Au § 7-4, nous tenterons en outre de montrer que le paradoxe intentionnel peut avoir des virtualités thérapeutiques non négligeables, selon la maxime d'Hippocrate : « Le semblable guérit le semblable. » Au § 7-6, nous parlerons brièvement du rôle du paradoxe dans certaines des plus nobles entreprises de l'esprit humain. En traitant ainsi le paradoxe, nous espérons faire comprendre que le concept de paradoxe a une importance capitale, et qu'y réfléchir n'est en aucune manière une façon de se retirer dans sa tour d'ivoire. Voyons d'abord ses fondements *logiques*.

6 - 11. *Définition*

On peut définir le paradoxe comme une *contradiction qui vient au terme d'une déduction correcte à partir de prémisses « consistantes »*. Cette définition nous permet d'exclure immédiatement toutes les formes de « faux » paradoxes basés sur une erreur cachée du raisonnement ou sur un sophisme introduit délibérément dans l'argumentation [1]. Pourtant, là déjà, la définition devient floue, car la division entre paradoxes véritables et faux paradoxes est relative. Il n'est pas absurde de penser que les prémisses « consistantes » d'aujourd'hui seront les erreurs et les sophismes de demain. Par exemple, le paradoxe de Zénon disant qu'Achille ne peut rattraper la tortue était incontestablement un « vrai » paradoxe jusqu'à ce qu'on découvre que des séries infinies et convergentes (dans ce cas, la distance sans cesse décroissante entre Achille et la tortue) ont une limite finie [2]. Une fois cette découverte faite, et la preuve étant fournie qu'une hypothèse que jusqu'alors on tenait pour vraie était erronée, le paradoxe a disparu. Ce point est bien explicité par Quine :

> La révision d'un schème conceptuel n'est pas sans précédent. Tout progrès scientifique entraîne une légère correction, et les grands progrès entraînent de grandes corrections, comme la révolution copernicienne et le passage de la mécanique de Newton à la théorie de la relativité d'Einstein. Avec le temps, il est même possible que nous arrivions à nous habituer à des changements aussi considérables et à trouver naturels les nouveaux schèmes. Il y eut un temps où la doctrine selon laquelle la terre tourne

1. Un exemple typique de ce genre de paradoxe est l'histoire des six hommes qui demandaient six chambres à un aubergiste qui n'en avait que cinq. Il a « résolu » le problème en conduisant le premier homme à la chambre n° 1 et en demandant au second d'attendre là quelques instants avec le premier. Il conduit ensuite le troisième homme à la chambre n° 2, le quatrième homme à la chambre n° 3 et le cinquième homme à la chambre n° 4. Ceci fait, l'aubergiste revint à la chambre n° 1, prit avec lui le sixième homme qui attendait là, et le mit dans la chambre n° 5. (Le sophisme réside dans le fait de considérer le deuxième et le sixième homme comme un seul et même homme.)

2. Pour une explication de ce paradoxe et du sophisme qu'il comporte, cf. Eugene P. Northrop, *Riddles in Mathematics*, D. van Nostrand Co, New York, 1944.

autour du soleil a été appelée le paradoxe de Copernic, même par ceux qui l'admettaient. Le temps viendra peut-être où des locutions de vérité, sans indices au moins implicites, ou autres garanties du même genre, sembleront aussi absurdes que les antinomies paraissent l'être [1].

6. - 12. *Les trois types de paradoxes*

Les « antinomies », ce terme que comporte la dernière phrase de cette citation, demandent une explication. On emploie parfois le mot « antinomie » comme synonyme de « paradoxe », mais la plupart des auteurs préfèrent limiter l'usage de ce terme aux paradoxes qui surgissent dans des systèmes formalisés, comme la logique et les mathématiques (le lecteur se demandera peut-être où pourraient bien surgir des paradoxes si ce n'est en ce domaine; dans ce chapitre, et le chapitre suivant, nous montrerons qu'ils peuvent tout aussi bien apparaître dans la sémantique et la pragmatique, et nous verrons au chapitre VIII comment et où ils peuvent également s'introduire dans l'expérience et l'existence humaines). Selon Quine *(op. cit., p. 85)*, une antinomie « produit une contradiction en suivant les modes admis de raisonnement ». Stegmüller [2] est plus précis et définit une antinomie comme un énoncé qui est à la fois contradictoire *et* démontrable. Ainsi, soit un énoncé Sj et un second énoncé qui est la négation du premier [3], $\neg$ Sj (ce qui veut dire non — Sj ou « Sj est faux »), on peut combiner ces deux énoncés en un troisième, Sk, tel que Sk = Sj et $\neg$ Sj. Nous obtenons par là une contradiction formelle, car rien ne peut être à la fois soi-même et non-soi-même, c'est-à-dire à la fois vrai et faux. Mais, poursuit Stegmüller, si l'on peut montrer déductivement que Sj, comme sa négation, $\neg$ Sj, sont démontrables, alors Sk est également démontrable et nous aboutissons à une antinomie. Ainsi toute antinomie est une contradiction logique, mais, nous le verrons, toute contradiction logique n'est pas une antinomie.

1. Willard van Orman Quine, « Paradox », *Scientific American*, 206 : 84-95, 1962.
2. Wolfgang Stegmüller, *Das Wahrheitsproblem und die Idee der Semantik* (Le problème de la vérité dans la sémantique), Springer-Verlag, Vienne, 1957, p. 24.
3. Le signe $\neg$ est un symbole utilisé en logique.

Or, il existe une seconde catégorie de paradoxes qui ne diffèrent des antinomies que par un seul aspect, mais il est important : ils ne surgissent pas dans des systèmes logiques ou mathématiques, et ne sont donc pas fondés sur des termes comme la classe formelle et le nombre, ils surgissent plutôt de certaines contradictions cachées dans la structure même de la pensée et du langage [1]. On désigne souvent ce second groupe par l'expression *antinomies sémantiques* ou *définitions paradoxales.*

Il existe enfin un troisième groupe de paradoxes, le moins étudié de tous. Ils offrent le plus grand intérêt pour nos recherches, car ils surgissent dans des interactions continues où ils déterminent le comportement. Nous appellerons ce groupe : *paradoxes pragmatiques,* et nous verrons plus loin qu'il peut être subdivisé en *injonctions paradoxales* et en *prévisions paradoxales.*

En résumé, il y a trois types de paradoxes :

1° Les paradoxes logico-mathématiques (antinomies).

2° Les définitions paradoxales (antinomies sémantiques).

3° Les paradoxes pragmatiques (injonctions paradoxales et prévisions paradoxales).

On peut voir aisément que ces trois types correspondent aux trois grands domaines de la théorie de la communication : le premier type à la syntaxe logique, le second à la sémantique et le troisième à la pragmatique. Nous allons maintenant donner des exemples de

1. En faisant cette distinction, nous suivons Frank Plumpton Ramsey (*The Foundations of Mathematics and other logical Essays,* Harcourt, Brace and Co, New York, 1931) qui a introduit la classification suivante :

Groupe A : 1) la classe de toutes les classes qui ne sont pas membres d'elles-mêmes.
2) la relation entre deux relations, lorsque l'une d'elles n'accepte pas l'autre comme relatée.
3) la contradiction de Burali Forti concernant le plus grand ordinal.

Groupe B : 4) « Je mens ».
5) le plus petit nombre entier que l'on ne peut pas définir en moins de 24 syllabes.
6) la contradiction de Richard.
7) le plus petit nombre ordinal qu'on ne peut pas définir.
8) la contradiction de Weyl concernant le prédicat « hétérologique ».

(Notons que Ramsey préfère parler de « contradiction dans la théorie des ensembles » plutôt que de « paradoxe ».)

Tous ces paradoxes se trouvent explicités dans l'ouvrage de I. M. Bochénski, *A History of Formal Logic,* University of Notre Dame Press, Notre Dame, Indiana, 1961.

chacun de ces types, et nous tenterons de montrer comment les paradoxes pragmatiques, trop peu connus, naissent, pour ainsi dire, des deux autres types.

6-2

LES PARADOXES LOGICO-MATHÉMATIQUES

Le paradoxe le plus célèbre de ce groupe est le paradoxe de la « classe de toutes les classes qui ne sont pas membres d'elles-mêmes ». Il se fonde sur les prémisses suivantes : une classe est la totalité des objets ayant une certaine propriété. Ainsi, tous les chats, passés, présents et futurs, appartiennent à la classe des chats. Une fois posée cette classe, tous les autres objets de l'univers peuvent être considérés comme la classe des non-chats, car tous ces objets ont en commun une propriété bien précise : ils *ne sont pas* des chats. Or tout énoncé qui prétendrait qu'un objet appartient à ces deux classes à la fois serait une simple contradiction, puisque rien ne peut être en même temps chat et non-chat. Dans ce cas, rien d'extraordinaire ne s'est passé; le surgissement de cette contradiction prouve simplement qu'une loi fondamentale de la logique a été violée, et la logique elle-même n'y est pour rien.

Laissons maintenant de côté les chats et les non-chats. Passons à un niveau logique supérieur, et voyons ce que sont les classes elles-mêmes. Nous voyons tout de suite que les classes peuvent être membres d'elles-mêmes ou non. Par exemple, la classe de tous les concepts est bien évidemment elle-même un concept, tandis que notre classe des chats n'était pas elle-même un chat. Ainsi, à ce second niveau, l'univers se divise de nouveau en deux classes : celles qui sont membres d'elles-mêmes et celles qui ne le sont pas. Là aussi, tout énoncé qui prétendrait que l'une de ces classes *est et n'est pas* membre d'elle-même reviendrait à une simple contradiction, à rejeter sans autre forme de procès.

Mais si l'on répète la même opération au niveau immédiatement supérieur, c'est le désastre. Il nous faut unir toutes les classes qui sont membres d'elles-mêmes en une seule classe, que nous appellerons M, et toutes les classes qui ne sont pas membres d'elles-mêmes en une classe N. Si nous nous demandons alors si la classe N est ou n'est pas membre d'elle-même, nous tombons tout droit dans le célèbre paradoxe de Russell. Souvenons-nous que la division de l'univers en classes membres d'elles-mêmes et classes non membres d'elles-mêmes est exhaustive : par définition, il ne peut y avoir d'exception. Cette division doit donc s'appliquer aussi aux classes M et N. Donc, si la classe N est membre d'elle-même, elle *n'est pas* membre d'elle-même, puisque N est la classe des classes qui *ne sont pas* membres d'elles-mêmes. Par ailleurs, si N n'est pas membre d'elle-même, elle satisfait à la condition d'auto-appartenance : elle est membre d'elle-même précisément parce qu'elle *n'est pas* membre d'elle-même, puisque le fait de ne pas appartenir à soi-même est la distinction essentielle de toutes les classes qui composent N. Il ne s'agit plus d'une simple contradiction, mais d'une véritable antinomie, parce que le résultat paradoxal est fondé sur une déduction logique rigoureuse, et non sur une violation des lois de la logique. A moins qu'il n'y ait un sophisme caché dans la notion même de classe et d'appartenance, on ne peut échapper à la conclusion logique que la classe N est membre d'elle-même si, et seulement si, elle n'est pas membre d'elle-même, et vice versa.

En fait, il y a bien là un sophisme. Russell l'a rendu manifeste en introduisant sa *théorie des types logiques*. Très schématiquement, cette théorie avance ce principe fondamental, tel que Russell l'a exprimé [1] : ce qui comprend « tous » les éléments d'une collection ne doit pas être un élément de la collection. Autrement dit, le paradoxe de Russell provient d'une confusion des types logiques, ou niveaux. Une classe est d'un type supérieur à ses éléments; pour énoncer ce postulat, nous avons dû passer à un autre niveau dans la hiérarchie des types. Donc, dire, comme nous l'avons fait, que la classe de tous les concepts est elle-même un concept, n'est pas faux, mais *dénué de sens*, comme nous allons le voir. Cette distinction a son importance, car si cet énoncé était purement et simplement faux, sa négation devrait être vraie, ce qui manifestement n'est pas le cas.

1. Alfred North Whitehead et Bertrand Russell, *Principia mathematica*, 3 vol., Cambridge University Press, Cambridge, 1910-13.

6 - 3

DÉFINITIONS PARADOXALES

L'exemple de la classe de tous les concepts nous fournit un trait d'union commode pour passer des paradoxes logiques aux paradoxes sémantiques (définitions paradoxales ou antinomies sémantiques). Comme nous l'avons vu, le terme « concept », au niveau inférieur (élément), et le terme « concept », au niveau immédiatement supérieur (classe), ne sont pas des termes identiques. Pourtant le même *nom*, « concept », sert à désigner les deux, ce qui crée l'illusion linguistique d'une identité. Pour éviter ce piège, il faut employer des *signes qui indiquent le type logique :* indices dans les systèmes formalisés, guillemets ou italiques plus généralement, toutes les fois qu'il pourrait y avoir un risque de confusion des niveaux. Ceci nous permet de voir clairement que dans notre exemple le concept 1 et le concept 2 ne sont pas identiques, et que la notion d'appartenance à soi-même d'une classe doit être rejetée. Il est non moins clair que dans des cas de ce genre, la source du mal se trouve dans des inconséquences du langage, et non pas dans la logique.

L'antinomie sémantique, la plus célèbre, sans doute, est celle de l'homme qui dit de lui-même : « Je suis menteur ». Suivons cet énoncé jusqu'à sa conclusion logique et nous constaterons là encore qu'il n'est vrai que s'il n'est pas vrai; autrement dit, l'homme ment seulement s'il dit la vérité, et vice versa, il est véridique quand il ment. Dans un tel cas, on ne peut pas avoir recours à la théorie des types logiques pour supprimer l'antinomie, car des mots ou des combinaisons de mots ne présentent pas une hiérarchie de types logiques. Autant que nous le sachions, c'est encore Russell qui a le premier pensé à une solution. Dans le dernier paragraphe de son introduction au *Tractatus logico-philosophicus* de Wittgenstein, il suggère, presque incidemment, que « tout langage possède, comme le dit M. Wittgenstein, une structure sur laquelle, *dans le langage même*, on ne peut rien dire, mais qu'il y a peut-être un autre langage ayant pour objet la structure du premier langage, et qui possède lui-même une nouvelle structure, et qu'à cette hiérarchie des langages, il n'y a peut-être pas de limites [1] ». Carnap et Tarski, surtout, ont développé cette suggestion, et ont abouti à ce que l'on connaît maintenant sous le nom de théorie des niveaux de langage. Comme la théorie des types logiques, cette théorie offre une protection contre la confusion des niveaux. Elle énonce qu'au plus bas niveau du langage, les énoncés concernent des objets. C'est le domaine de la *langue-objet*. Mais lorsque nous voulons parler *sur* ce langage, il nous faut employer une *métalangue*, et une méta-métalangue si nous voulons parler de cette métalangue, et ainsi de suite dans une régression théoriquement infinie.

Appliquons ce concept de niveaux des langages à l'antinomie sémantique du menteur : nous voyons que l'affirmation qu'elle contient, bien que constituée de trois mots seulement, contient en fait deux énoncés. L'un appartient à la langue-objet, l'autre est au niveau de la métalangue, et dit quelque chose sur le premier, à savoir qu'il n'est pas vrai. En même temps, par un tour de passe-passe, on signifie aussi que cet énoncé dans la métalangue est lui-même l'un des énoncés sur lesquels porte le « méta-énoncé », qu'il est lui-même un énoncé dans la langue-objet. Dans la théorie des niveaux du langage, ce type de réflexivité des énoncés qui enveloppent leur propre vérité ou fausseté (ou autres propriétés analogues, comme la démontrabilité, la définissabilité, la décidabilité, etc.) est l'équivalent du concept d'appartenance à soi-même d'une classe dans la théorie des types logiques; dans les deux cas, ce sont des affirmations dénuées de sens [2].

Cependant, ce n'est pas sans une certaine répugnance que nous suivons les logiciens qui veulent nous prouver que l'énoncé du menteur est dénué de sens. On garde l'impression qu'il y a quelque part une attrape. Ce sentiment est plus vif encore pour une autre définition paradoxale tout aussi célèbre. Dans un petit village, dit-on, il y a un barbier qui rase tous les hommes qui ne se rasent pas eux-mêmes. Dans ce cas aussi, cette définition est par certains côtés exhaustive, mais par ailleurs, elle conduit tout droit à un paradoxe si l'on veut

1. Bertrand Russell, Introduction to Ludwig Wittgenstein, *Tractatus Logico-philosophicus*, Humanities Press, New York, 1951, p. 23.
2. Le dessin humoristique qui se trouve à la page 225 fournit un plaisant exemple, dans un contexte d'interaction, de la réflexivité d'un énoncé qui nie ce qu'il affirme.

classer le barbier lui-même, soit dans les hommes qui se rasent eux-mêmes, soit dans les hommes qui ne se rasent pas eux-mêmes. Et dans ce cas aussi, une déduction rigoureuse prouve qu'un tel barbier ne peut exister. Pourtant, nous gardons un sentiment de malaise : et après tout, pourquoi pas? Ce doute tenace nous conduit à examiner maintenant les conséquences du paradoxe sur le comportement, c'est-à-dire ses conséquences pragmatiques.

6 - 4

PARADOXES PRAGMATIQUES

6 - 41. *Injonctions paradoxales*

Le paradoxe du barbier est presque toujours présenté sous cette forme; il en existe cependant une autre version, légèrement différente, celle qu'a choisie Reichenbach [1]. Sans raison précise à première vue, le barbier est un soldat à qui son capitaine ordonne de raser tous les soldats de la compagnie qui ne se rasent pas eux-mêmes, et aucun autre. Reichenbach arrive naturellement à la seule conclusion logique que le « barbier de la compagnie, au sens qui a été défini, n'existe pas ».

Quels que soient les motifs qui aient amené Reichenbach à présenter l'histoire sous cette forme assez inhabituelle, nous y trouvons un exemple *par excellence* [2] de paradoxe pragmatique. Il n'y a au fond aucune raison pour qu'une telle injonction ne soit pas faite, en dépit de son absurdité logique. Les éléments essentiels de la situation sont les suivants :

1. Une forte relation de complémentarité (officier-subordonné).
2. Dans le cadre de cette relation, une injonction est faite à laquelle on doit obéir, mais à laquelle il faut désobéir pour obéir (l'ordre

1. Hans Reichenbach; *Elements of Symbolic Logic*, The Macmillan Company, New York, 1947.
2. En français dans le texte *(N.d.T.)*.

définit le soldat comme se rasant lui-même si, et seulement si, il ne se rase pas lui-même, et vice versa).

3. L'individu qui, dans cette relation, occupe la position « basse » ne peut *sortir* du cadre, et résoudre ainsi le paradoxe en le critiquant, c'est-à-dire en métacommuniquant à son sujet (cela reviendrait à une « insubordination »).

Un individu pris dans une telle situation se trouve dans *une position intenable.* Aussi, si d'un point de vue purement logique, l'ordre du capitaine est dénué de sens et ce barbier soi-disant inexistant, dans la vie réelle les choses sont bien différentes. Les paradoxes pragmatiques, surtout les injonctions paradoxales, sont en réalité beaucoup plus fréquents qu'on ne pourrait le croire. Dès qu'on étudie le paradoxe dans des contextes d'interaction, ce phénomène cesse de n'être qu'une fascination de l'esprit pour le logicien ou le philosophe des sciences, et devient un sujet d'une importance pratique considérable pour la santé mentale des partenaires, qu'il s'agisse d'individus, de familles, de sociétés ou de nations. Nous allons en donner plusieurs exemples, allant d'un modèle purement théorique jusqu'à des cas cliniques, en passant par des emprunts à la littérature et à des domaines voisins.

6 - 42. *Exemples de paradoxes pragmatiques*

Exemple 1 : Du point de vue de la syntaxe et de la sémantique, il est correct d'écrire : *Chicago est une ville très peuplée.* Mais il serait incorrect d'écrire : *Chicago est trisyllabique,* car dans ce cas, on doit employer les guillemets et écrire : « *Chicago* » *est trisyllabique.* Dans le premier énoncé, le mot renvoie à un objet (une ville), alors que dans le second énoncé, le même mot renvoie à un nom (qui est un mot) et donc à lui-même. Ces deux emplois du mot « Chicago » appartiennent donc manifestement à des types logiques différents (le premier énoncé se situe au niveau de la langue-objet, le second appartient à la métalangue), et les guillemets ont pour fonction d'indiquer le type logique (cf. *Ernst Nagel et James R. Newman, Gödel's Proof,* New York, 1958, p. 30-1 sq. [1]).

1. Nous devons ici rendre hommage au mathématicien Frege qui dès 1893 lançait cet avertissement :

Imaginons maintenant le cas peu banal de quelqu'un qui condenserait en un seul les deux énoncés concernant Chicago *(Chicago est une ville très peuplée et trisyllabique)*, qui le dicterait à sa secrétaire, et menacerait de la renvoyer si elle ne pouvait ou ne voulait pas l'écrire correctement. Il est évident qu'elle ne peut pas l'écrire correctement (ni nous non plus dans les lignes qui précèdent). Quels sont les effets de cette communication sur le comportement, puisque c'est là l'objet de la pragmatique de la communication humaine? L'ineptie de l'exemple cité n'amoindrit nullement sa portée théorique. Il n'est pas douteux qu'une communication de ce genre crée une situation intenable. Puisque le message est paradoxal, toute réaction à ce message à l'intérieur du cadre qu'il fixe, ne peut être que paradoxale, elle aussi. Il est absolument impossible de se comporter de manière cohérente et logique dans un contexte incohérent et illogique. Tant que la secrétaire reste dans le cadre que lui fixe son employeur, elle n'a que deux solutions possibles : tenter d'obéir, et naturellement ne pas y réussir, ou refuser d'écrire quoi que ce soit. Dans le premier cas, on pourra l'accuser d'incompétence, et dans le second cas, d'insubordination. Remarquons que la première de ces accusations met en cause une altération des facultés intellectuelles, et la seconde la mauvaise volonté. Nous ne sommes pas très loin des accusations caractéristiques de folie ou de malignité dont nous avons parlé dans les chapitres précédents. Dans les deux cas, la secrétaire aura vraisemblablement une réaction affective : pleurer ou se mettre en colère, par exemple. On pourrait objecter que jamais une personne saine d'esprit ne se comporterait comme ce patron imaginaire. Mais dire cela est illogique. Car, en théorie du moins, et très probablement aussi de l'avis de la secrétaire, un tel comportement peut avoir deux motifs : ou bien le patron cherche un prétexte pour la renvoyer, et lui joue dans cette intention un vilain tour, ou

---

« L'emploi fréquent des guillemets paraîtra peut-être bizarre; par ce moyen je différencie les cas où je parle du *signe lui-même* et ceux où je parle de *son sens*. Même si cela peut paraître pédant, je le tiens néanmoins pour nécessaire. *Il est frappant de voir comment une manière de parler ou d'écrire inexacte* qui, à l'origine, a pu être employée par souci de commodité et de concision, avec une entière conscience de son inexactitude, *peut finir par obscurcir la pensée*, une fois que cette conscience a disparu *(c'est nous qui soulignons)*. » (Gottlob Frege, *Grundgesetze der Arithmetik begriffsschriftlich abgeleitet* (Les lois fondamentales de l'arithmétique), vol. 1, Verlag Hermann Pohle, 1893, Iéna, p. 4.)

bien *il n'est pas* sain d'esprit. Remarquons une fois de plus que malignité ou folie semblent les seules explications possibles.

La situation change complètement si la secrétaire, au lieu de rester dans le cadre que lui fixe l'injonction, critique cette injonction, autrement dit, si, au lieu de réagir au contenu de l'ordre du patron, elle communique sur sa communication à lui. Par là, elle sort du contexte qu'il a créé et elle échappe au dilemme. Mais d'ordinaire ce n'est pas chose facile. Pour cette raison d'abord qu'il est difficile de communiquer sur la communication, ce que les chapitres précédents ont mis en lumière à plusieurs reprises. Il faudrait que la secrétaire explique pourquoi cette situation est intenable et ce qu'elle ressent, ce qui en soi ne serait déjà pas si mal. D'autre part, parce que la métacommunication n'est pas une solution simple : le patron, usant de son autorité, peut fort bien refuser d'accepter qu'elle se place au niveau de la métacommunication, et y voir une preuve supplémentaire de son incompétence ou de son insolence [1].

Exemple 2 : Des définitions paradoxales de soi-même, du type du paradoxe du Menteur, sont très fréquentes, du moins dans notre expérience clinique. Leur portée pragmatique est plus évidente si nous nous souvenons que des énoncés de ce genre, non seulement transmettent un contenu logiquement dénué de sens, mais définissent la relation de soi à autrui. C'est pourquoi, lorsqu'on les rencontre dans l'interaction humaine, ce qui importe n'est pas tant que le contenu

1. Bloquer les métacommunications pour empêcher quelqu'un de sortir d'une situation intenable est un procédé que connaissait bien Lewis Carroll. Revenons à Alice (cf. § 3-22) : les questions de la Reine Rouge et de la Reine Blanche ont fini par lui faire perdre connaissance; les deux Reines l'éventent avec des feuilles jusqu'à ce qu'elle revienne à elle, et le lavage de cerveau reprend :

« Elle est remise d'aplomb, à présent, déclara la Reine Rouge. Connaissez-vous les langues étrangères ? Comment dit-on « Turlututu » en Javanais ?

— « Turlututu » n'est pas de l'anglais », répondit, sans se départir de son sérieux, Alice.

« Qui donc a prétendu qu'il le fût ? » dit la Reine Rouge.

Alice crut, cette fois, avoir trouvé le moyen de se tirer d'embarras : « Si vous me dites à quelle langue appartient « Turlututu », je vous le traduis en Javanais ! » délara-t-elle avec aplomb.

« Mais la Reine Rouge se redressa roidement de toute sa taille pour déclarer : « *Les Reines ne font pas de marchés.* » (C'est nous qui soulignons. *)

*. Lewis Carroll, *De l'autre côté du miroir*, trad. fr. H. Parisot, Flammarion, 1969, p. 162.

(indice) soit dénué de sens, mais que la relation (ordre) qu'ils impliquent ne peut être ni éludée ni parfaitement comprise. Ce problème se présente sous plusieurs formes. En voici des exemples tirés, à peu près au hasard, d'entretiens récents :

a) LE THÉRAPEUTE : Eh bien, M. X., quels sont, à votre avis, vos principaux problèmes familiaux?
M. X. : Mon rôle dans notre problème, c'est que je suis un fieffé menteur... bien des gens parleraient de... heu... oh... fausseté, ou exagération, ou d'un goût pour raconter des craques, et bien d'autres choses... mais en fait il s'agit bel et bien de mensonge...

Nous avons tout lieu de croire que cet homme n'avait jamais entendu parler du paradoxe du Menteur, et rien ne nous permet de penser qu'il essayait délibérément de se payer la tête du thérapeute. C'est pourtant à cela qu'il aboutit, car comment peut-on continuer en présence d'un message, impliquant une relation, aussi paradoxal?

b) Une famille, composée des parents et de leur fils âgé de vingt ans, obèse et soi-disant arriéré mental, interprète ensemble le proverbe : « Pierre qui roule n'amasse pas mousse », ce qui fait partie d'un « Entretien familial structuré [1] ».

LE PÈRE : Ce proverbe, ça veut dire pour nous, pour Maman et moi, que si nous sommes occupés et actifs comme une pierre qui roule, tu comprends, qui bouge, eh bien... euh... nous ne deviendrons pas trop... gros, tu seras plus vif mentalement...
LE FILS : Ah oui?
LA MÈRE : Alors tu comprends? ...
LE FILS : J'ai pigé.
LA MÈRE *en même temps :* Comprends-tu?...
LE FILS *en même temps :* Mais oui, JE COMPRENDS.
LE PÈRE *en même temps :* ... que ce serait BON pour...
LE FILS *l'interrompant : ... l'arriération mentale.*
LE PÈRE *poursuivant :* ... avoir des occupations...
LA MÈRE : Hum... tu crois vraiment que ça veut dire ça? tu as bien compris : « Pierre qui roule n'amasse... »
LE FILS *l'interrompant : Mais oui, guérir l'arriération mentale, oui, c'est ça.*
LA MÈRE : Eh bien...
LE PÈRE *l'interrompant :* Eh bien, avoir des occupations, être actif, ça AIDERAIT, c'est... je pense que c'est bien ça.

1. Paul Watzlawick, « A structural Family Interview », *Family Process*, 5 : 256-71, 1966.

Quelle attitude les parents, ou un thérapeute, peuvent-ils avoir envers un « arriéré mental » qui parle des moyens de surmonter son arriération mentale et même emploie le terme [1]? Comme le Menteur, il entre brusquement dans le cadre fixé par le diagnostic (définition de soi) pour en sortir tout aussi brusquement, réduisant par là le diagnostic à l'absurde, d'une manière qui évoque une véritable schizophrénie. L'emploi du terme barre l'état que ce terme désigne.

c) Dans une séance de thérapie conjugale, les relations sexuelles du couple et leurs attitudes personnelles à l'égard des divers comportements sexuels vinrent en discussion. Cette discussion mit en lumière le malaise extrême du mari à l'égard du problème de la masturbation. Il dit que « pour être absolument franc », s'il était fréquemment « contraint » de se masturber parce que sa femme le repoussait, il était cependant torturé par la crainte d'être anormal et la crainte du péché (le mari était catholique et pensait que la masturbation était un péché mortel). Le thérapeute répondit qu'il ne pouvait rien dire quant au problème du péché, mais qu'en ce qui concernait le caractère anormal ou déviant de ce comportement, de nombreuses études indiquaient que les catholiques mentionnaient une fréquence plus faible que tout autre confession, bien que l'incidence de la masturbation soit plus élevée chez les catholiques qu'on aurait pu le croire. Le mari se moqua des résultats de ces études en disant : « Oh, les catholiques mentent toujours sur les questions sexuelles. »

Exemple 3 : La forme la plus fréquente, peut-être, sous laquelle le paradoxe s'introduit dans la pragmatique de la communication humaine est celle d'une injonction exigeant un comportement déterminé qui, de par sa nature même, ne saurait être que spontané. Le prototype d'un tel message est donc : « Soyez spontané! » Toute personne mise en demeure d'avoir ce comportement, se trouve dans une position intenable, car pour obéir, il lui faudrait être spontanée

1. A plusieurs reprises, des tests psychologiques avaient conduit à reconnaître à ce malade un Q.I. de 50-80 environ. Juste avant l'entretien que nous avons rapporté, il avait refusé de participer à un test sous le prétexte qu'il était incapable de comprendre ce qu'on lui demandait. (Au cours de la thérapie, le diagnostic fut revu et on posa celui de schizophrénie; sa guérison s'est effectuée de façon satisfaisante, et ses possibilités en de nombreux domaines dépassent de loin ce que laissaient prévoir les tests psychologiques.)

par obéissance, donc sans spontanéité. Voici quelques variantes de ce type d'injonction paradoxale :

1. « Tu devrais m'aimer. »
2. « Je veux que tu me domines. » (Demande faite par une femme à un mari passif.)
3. « Tu devrais aimer jouer avec les enfants, comme les autres pères. »
4. « Ne sois donc pas si docile. » (Des parents à leur enfant qu'ils jugent trop dépendant d'eux.)
5. « Tu es libre de partir, tu le sais, t'en fais pas si je pleure. » (Exemples tirés d'un roman de William Styron [1].)

Les clients du bordel de luxe du *Balcon*, la pièce de Genêt, sont tous pris dans ce dilemme. Les filles sont payées pour jouer le rôle complémentaire qu'attendent d'elles leurs clients afin de vivre leurs rêves d'eux-mêmes, mais tout reste de l'ordre du trompe-l'œil, car ils savent que le pécheur n'est pas un « vrai » pécheur, le voleur un « vrai » voleur, etc. C'est aussi, d'une manière analogue, le problème de l'homosexuel, qui désire ardemment une relation étroite avec un « vrai » mâle, pour finir par découvrir que ce dernier est toujours, et doit toujours être, un autre homosexuel. Dans chacun de ces exemples, au pire, l'autre refuse d'obéir, ou au mieux, fait ce qu'on lui demande pour de mauvaises raisons, et ces « mauvaises raisons », c'est alors l'obéissance elle-même. En termes de symétrie et de complémentarité, ces injonctions sont paradoxales parce qu'elles exigent un comportement symétrique dans le cadre d'une relation définie comme complémentaire. C'est dans la liberté que s'épanouit la spontanéité, sous la contrainte elle disparaît [2].

Exemple 4 : Les idéologies sont particulièrement exposées à se trouver prises dans les dilemmes du paradoxe, surtout si leur métaphysique

1. William Styron, *Lie down in Darkness*, The Viking Press, New York, 1951 (traduit en français sous le titre : *Un lit de ténèbres*, Gallimard, N.R.F.).

2. La liberté est elle-même analogue à un paradoxe. Pour Sartre, la seule liberté que nous ne possédions pas, c'est de n'être pas libre. Dans un esprit voisin, le Code civil suisse, l'un des plus « éclairés » d'Europe, stipule à l'article 27 : « Personne ne peut renoncer à sa liberté ou la limiter dans une mesure qui viole la loi ou la moralité. » Et Berdiaëff, résumant la pensée de Dostoïevski, écrit : « On ne peut identifier la liberté à la bonté, ou à la vérité, ou à la perfection; elle est par nature autonome, elle est la liberté, et non la bonté. Toute identification ou confusion entre liberté et bonté ou perfection implique une négation de la liberté et renforce les méthodes de coercition; la bonté obligatoire cesse d'être la bonté, du seul fait qu'on y est contraint » (p. 69-70), (Nicolas Berdiaëff, *Dostoïevski*, Meridian Books, New York, 1957).

est une antimétaphysique. Les pensées de Roubachov, le héros du roman de Kœstler : *le Zéro et l'Infini*, sont à cet égard, un modèle du genre :

Le Parti niait le libre-arbitre de l'individu — et en même temps exigeait de lui une abnégation volontaire. Il niait qu'il eût la possibilité de choisir entre deux solutions — et en même temps il exigeait qu'il choisît constamment la bonne. Il niait qu'il eût la faculté de distinguer entre le bien et le mal — et en même temps il parlait sur un ton pathétique de culpabilité et de traîtrise. L'individu — rouage d'une horloge remontée pour l'éternité et que rien ne pouvait arrêter ou influencer — était placé sous le signe de la fatalité économique, et le Parti exigeait que le rouage se révolte contre l'horloge et en change le mouvement. Il y avait quelque part une erreur de calcul, l'équation ne collait pas *(p. 272)*.

Il est dans la nature du paradoxe que des « équations » fondées sur lui ne puissent être résolues. Là où le paradoxe corrompt les relations humaines, la maladie n'est pas loin. Roubachov s'est aperçu des symptômes, mais il cherche en vain comment les guérir :

Tous nos principes étaient bons, mais nos résultats ont été mauvais. Ce siècle est malade. Nous en avons diagnostiqué le mal et ses causes avec une précision microscopique, mais partout où nous avons appliqué le bistouri, une nouvelle pustule est apparue. Notre volonté était pure et dure, nous aurions dû être aimés du peuple. Mais il nous déteste. Pourquoi sommes-nous ainsi odieux et détestés?

Nous vous avons apporté la vérité, et dans notre bouche elle avait l'air d'un mensonge. Nous vous avons apporté la liberté, et dans nos mains, elle ressemble à un fouet. Nous vous avons apporté la véritable vie, et là où notre voix s'élève, les arbres se déssèchent et l'on entend bruire les feuilles mortes. Nous vous avons apporté la promesse de l'avenir, mais notre langue bégaye et glapit (...) *(p. 70* [1]*)*.

Exemple 5 : Si nous comparons maintenant ces réflexions avec le récit autobiographique d'un schizophrène, nous pouvons constater que le dilemme de celui-ci est intrinsèquement le même que celui de Roubachov. Le malade est mis dans une situation intenable par ses « voix », et se trouve accusé de tromperie ou de mauvaise volonté quand il se montre incapable d'obéir à leurs injonctions paradoxales. Ce qui rend ce récit si extraordinaire, c'est qu'il a été écrit il y a près

1. Arthur Kœstler, *Darkness at Noon*, 1941 (traduit en français sous le titre *Le Zéro et l'Infini*, Calmann-Lévy, 1945).

de cent trente ans, c'est-à-dire bien avant l'avènement de la théorie psychiatrique moderne :

J'étais tourmenté par les commandements de ce que je croyais être le Saint-Esprit de dire certaines choses, mais chaque fois que j'essayais de le faire, on me faisait des reproches terrifiants parce que j'avais parlé avec ma propre voix et non avec la voix qui m'avait été donnée. Ces commandements contradictoires, maintenant comme auparavant, expliquent l'incohérence de ma conduite, et ces imaginations ont constitué les motifs principaux du dérangement total qui s'est finalement emparé de mon esprit. Car on me commandait de parler, sous peine de subir d'horribles tourments, de provoquer le courroux du Saint-Esprit, et d'encourir le châtiment d'une abominable ingratitude; et en même temps, chaque fois que j'essayais de parler, on me réprimandait durement et outrageusement parce que je ne me servais pas de la voix d'un esprit qu'on m'avait envoyée; et si j'essayais encore, j'avais quand même toujours tort, et quand j'objectais intérieurement que je ne savais ce que je devais faire, on m'accusait de mensonge et de tromperie, et de ne pas vouloir en réalité faire ce qu'on me commandait. J'ai alors perdu patience, et je me suis mis à dire pêle-mêle ce qu'on désirait que je dise, déterminé à montrer que ce n'était pas la peur ou le manque de volonté qui m'en empêchaient. Mais quand j'ai agi ainsi, j'ai senti en parlant cette douleur dans les nerfs de mon palais et de ma gorge, que j'avais déjà ressentie, et cela m'a convaincu que je ne me rebellais pas seulement contre Dieu, mais contre la nature; et je suis retombé dans l'angoisse du désespoir et de l'ingratitude [1].

Exemple 6 : Lorsque vers 1616, les autorités japonaises entreprirent une persécution systématique des convertis au christianisme, ils donnèrent le choix à leurs victimes entre la mort et une formule d'abjuration aussi tortueuse que paradoxale. Cette abjuration se présentait sous la forme d'un serment que mentionne Sansom dans une étude de l'interaction culturelle entre l'Europe et l'Asie. Il écrit ceci :

En reniant la foi chrétienne, tout apostat devait répéter les motifs de son abjuration selon une formule imposée. Cette formule est un hommage involontaire rendu à la puissance de la foi chrétienne, car selon une logique singulière, on demandait aux convertis qui avaient abjuré leur foi (généralement sous la menace) de faire un serment par ces puissances mêmes qu'ils venaient de renier : « par le Père, le Fils, le Saint-Esprit, la Vierge Marie et tous les anges ..., si je manque à mon serment, que je perde à jamais la grâce de Dieu et sois réduit à l'état misérable de Judas Iscariote. » Au prix d'une en-

1. Gregory Bateson, *Perceval's Narrative, A patient's Account of his Psychosis, 1830-1832*, Stanford University Press, Stanford, 1961, p. 32-33.

torse supplémentaire à la logique, cette formule était suivie d'un serment par les divinités bouddhiques et shintoïstes [1].

Il vaut la peine d'analyser en détail les conséquences de ce paradoxe. Les Japonais s'étaient fixé pour but de changer les croyances de tout un groupe social, entreprise particulièrement difficile du fait que toute croyance est à la fois puissante et sacro-sainte. Sans doute se sont-ils rendu compte dès le début que les méthodes de persuasion, de coercition ou de corruption étaient parfaitement inefficaces; de telles méthodes peuvent sans doute obliger à une adhésion purement verbale, mais laissent toujours planer un doute sur le changement « réel » de l'esprit de l'ex-converti. Ce doute persistera même devant les protestations où peut se confondre l'apostat, parce que non seulement ceux qui abjurent sincèrement leur foi, mais tout homme qui veut sauver sa vie et garder cependant sa foi au plus profond de son cœur, n'agirait pas autrement.

Aux prises avec le problème de changer « vraiment » l'esprit de quelqu'un, les Japonais ont eu recours à l'expédient du serment; il leur paraissait évident que, s'agissant de convertis, un tel serment ne pourrait les lier que s'il était prononcé au nom du Dieu chrétien et aussi des divinités bouddhiques et shintoïstes. Mais une telle « solution » les conduisait tout droit au problème de l'indécidabilité des énoncés portant sur eux-mêmes. Si la formule imposée pour le serment d'abjuration avait le pouvoir de lier ceux qui la prononçaient, c'est parce qu'elle invoquait la divinité même que le serment avait pour but d'abjurer. Autrement dit, on formulait un énoncé *à l'intérieur* d'un cadre de référence clairement défini (la foi chrétienne), énoncé qui affirmait quelque chose *sur* ce cadre, et donc sur soi-même, à savoir une dénégation du cadre de référence, et par suite, du serment lui-même. On doit accorder une attention toute particulière aux deux mots soulignés dans la phrase précédente : *à l'intérieur* et *sur*. Appelons **C** la classe de tous les énoncés que l'on peut formuler à l'intérieur du cadre de la foi chrétienne. Dans ce cas, tout énoncé portant sur **C** pourra être appelé « méta-énoncé », c'est-à-dire un énoncé sur un corps d'énoncés. On constate alors que le serment est à la fois membre de **C**, puisqu'il invoque la Trinité, et en même temps un

1. G. B. Sansom, *The Western World and Japan, A Study in the interaction of European and Asiatic Cultures*, Alfred A. Knopf, New York, 1950, p. 176.

« méta-énoncé » qui dénie C, c'est-à-dire un « méta-énoncé » sur C. Mais nous tombons dans l'impasse logique que nous connaissons bien maintenant. Aucun énoncé, formulé à l'intérieur d'un cadre de référence donné, ne peut en même temps « sortir », si l'on peut dire, de ce cadre, et se nier lui-même. C'est le dilemme du rêveur qui se débat dans un cauchemar : ce qu'il s'efforce de faire dans son rêve pour sortir de cette situation ne peut être suivi d'effet [1]. Pour échapper à son cauchemar, il faut qu'il se réveille, c'est-à-dire qu'il sorte du cadre fixé par le rêve. Mais le réveil ne fait pas partie du rêve, c'est un cadre d'un tout autre ordre, un « non-rêve », si l'on peut dire. En théorie, le cauchemar pourrait se poursuivre éternellement, comme c'est manifestement le cas de certains cauchemars de schizophrènes, car rien à l'intérieur du cadre n'a le pouvoir de nier le cadre. Mais, *mutatis mutandis*, c'est à cela précisément que visait le serment inventé par les Japonais.

A notre connaissance, l'histoire ne dit rien des effets du serment sur les convertis japonais ou sur les autorités qui l'ont fait prêter,

1. Cf. encore Lewis Carroll dans *A travers le miroir*. Comme *Alice au Pays des Merveilles*, ce livre est plus une introduction aux problèmes de la logique, sous la forme d'un conte, qu'un livre pour enfants. Twiddeuldeume et Twideuldie sont en train de parler du Roi rouge qui dort :

« Il est présentement en train de rêver, dit Twideuldie; et de qui croyez-vous qu'il rêve? »

« Nul ne peut deviner cela », répondit Alice.

« Allons donc! Il rêve de *vous!* » s'exclama Twideuldeume en battant des mains d'un air triomphant. « Et s'il cessait de rêver de vous, où croyez-vous donc que vous seriez? »

« Où je me trouve à présent, bien entendu », dit Alice.

« Jamais de la vie! » répliqua, d'un air de profond mépris Twideuldie. « Vous ne seriez nulle part — Vous n'êtes qu'une espèce d'objet figurant dans son rêve! »

« Si le Roi ici présent venait à se réveiller, ajouta Twideuldeume, vous vous trouveriez soufflée — pfutt! tout comme une chandelle! »

« Ce n'est pas vrai! s'exclama avec indignation Alice. Du reste, si, *moi*, je ne suis qu'une espèce d'objet figurant dans son rêve, j'aimerais savoir ce que *vous*, vous êtes. »

« Dito », dit Twideuldeume.

« Dito, Dito », répéta Twideuldie.

« Il cria cela si fort qu'Alice ne put s'empêcher de dire :

« Chut! Vous allez le réveiller, je le crains, si vous faites tant de bruit. »

« Allons donc, comment pouvez-*vous* parler de le réveiller, repartit Twideuldeume, alors que vous n'êtes qu'un des objets figurant dans son rêve. Vous savez fort bien que vous n'êtes pas réelle. »

« *Bien sûr que si*, que *je suis* réelle! » protesta Alice en se mettant à pleurer.

Lewis Carroll, *De l'autre côté du miroir* (trad. fr. H. Parisot, Flammarion, 1969, p. 73).

mais ces effets ne sont pas difficiles à imaginer. Pour les convertis, le dilemme est bien évident. En abjurant, ils restaient dans le cadre défini par la formule paradoxale, et se trouvaient prisonniers du paradoxe. On peut penser que leurs chances de sortir de ce cadre étaient infimes. Mais ayant été contraints de prêter serment, les convertis ont dû faire face à un terrible dilemme religieux personnel. Laissons de côté la question de la contrainte ; leur serment était-il valide ou non? S'ils désiraient rester chrétiens, ce fait même ne rendait-il pas leur serment valide, serment qui les excommuniait? Mais s'ils souhaitaient sincèrement abjurer le christianisme, le serment par la foi chrétienne elle-même, ne les liait-il pas désormais solidement à cette foi? En dernière analyse, le paradoxe rencontre ici la métaphysique; il est de l'essence d'un serment de lier à la fois celui qui le prête et la divinité qui est invoquée. Le converti ne pouvait-il alors se demander si Dieu lui-même n'était pas mis dans une situation intenable, et dans ce cas où pouvait-on bien trouver dans l'univers un espoir de solution?

Mais le paradoxe n'a pas dû épargner les persécuteurs eux-mêmes. Il n'est pas possible qu'ils ne se soient pas aperçus que la formule du serment plaçait le dieu chrétien au-dessus de leurs propres dieux. Aussi, au lieu de nettoyer les âmes des convertis du « Père, du Fils, du Saint-Esprit, de la Vierge Marie et de tous les anges », ils les ont en fait intronisés dans leur propre religion. Ils ont donc fini par se trouver pris au piège de leur propre invention, qui déniait ce qu'elle affirmait et affirmait ce qu'elle déniait.

Mentionnons un sujet voisin : le lavage de cerveau qui, au fond, est presque exclusivement basé sur le paradoxe pragmatique. L'histoire de l'humanité montre qu'il y a en fin de compte deux manières de faire plier les esprits; il y a les hommes qui considèrent que la destruction physique de leurs adversaires est une assez bonne solution du problème, et qui se moquent pas mal de ce que leurs victimes pensent « réellement »; et il y a les hommes qui, poussés par un souci eschatologique digne d'une meilleure cause, s'en préoccupent au plus haut point. On peut penser que les seconds sont enclins à déplorer une très regrettable absence de spiritualité chez les premiers, mais là n'est pas la question. En tout cas, les hommes du second groupe s'attachent avant tout à changer l'esprit d'un homme, ils peuvent secondairement le supprimer. Le tortionnaire du roman d'Orwell *1984*, O'Brien, est un expert en la matière, comme il l'explique à sa victime :

Pour chaque hérétique brûlé sur le bûcher (par l'Inquisition), des milliers d'autres se levèrent. Pourquoi? Parce que l'Inquisition tuait ses ennemis en public, et les tuait alors qu'ils étaient encore impénitents. En fait, elle les tuait parce qu'ils étaient impénitents. Les hommes mouraient parce qu'ils ne voulaient pas abandonner leur vraie croyance... Plus tard... c'étaient les Nazis germains et les Communistes russes... Nous ne commettons pas d'erreurs de cette sorte. Toutes les confessions faites ici sont exactes. Nous les rendons exactes... Vous serez annihilé, dans le passé comme dans le futur. Vous n'aurez jamais existé.

Alors, pourquoi se donner la peine de me torturer? pensa Winston.

O'Brien sourit légèrement « Vous êtes une faille dans l'échantillon, Winston, une tache qui doit être effacée. Est-ce que je ne viens pas de vous dire que nous sommes différents des persécuteurs du passé? *Nous ne nous contentons pas d'une obéissance négative, ni même de la plus abjecte soumission. Quand, finalement, vous vous rendez à nous, ce doit être de votre propre volonté.*

Nous ne détruisons pas l'hérétique parce qu'il nous résiste. Tant qu'il nous résiste, nous ne le détruisons jamais. Nous le convertissons. Nous captons son âme, nous lui donnons une autre forme. Nous lui enlevons et brûlons tout mal et toute illusion. Nous l'amenons à nous, pas seulement en apparence, *mais réellement de cœur et d'âme.* Avant de le tuer, nous en faisons un des nôtres. Il nous est intolérable qu'une pensée erronée puisse exister quelque part dans le monde, quelque secrète et impuissante qu'elle puisse être *(c'est nous qui soulignons)* [1]. »

Nous sommes ici en présence du paradoxe : « Soyez spontané » sous sa forme la plus pure. Bien sûr, le lecteur ne doute pas un instant qu'O'Brien est fou, mais si O'Brien n'est qu'un personnage de roman, sa folie est celle d'un Hitler, d'un Himmler, d'un Heydrich et de leurs collaborateurs.

Exemple 7 : En 1938, Sigmund Freud s'est trouvé face aux autorités nazies dans une situation analogue, pour le fond, à celle des convertis japonais face à leurs persécuteurs, à cette différence près toutefois, que le paradoxe a été imposé par la victime à ses persécuteurs, et de manière telle qu'il lui a été possible de leur échapper. Les Nazis avaient promis à Freud de lui accorder un visa de sortie d'Autriche à la condition qu'il signe une déclaration affirmant qu'il avait été « traité par les autorités allemandes, et la Gestapo en particulier, avec tout le respect et la considération dus à ma réputation

1. George Orwell, *1984*, Harcourt, Brace & Co., New York 1949, trad. fr. Gallimard, 1950, Le Livre de Poche, p. 365-368.

scientifique », etc. [1]. En admettant même que cela ait pu être vrai dans le cas personnel de Freud, replacé dans le contexte plus large de la persécution effroyable subie par les Juifs de Vienne, ce document aboutissait cependant à prétendre effrontément que les autorités nazies se conduisaient de manière irréprochable, dans le but manifeste de faire servir la renommée internationale de Freud à la propagande nazie. La Gestapo avait donc tout intérêt à obtenir la signature de Freud, mais Freud a dû se trouver en face d'un dilemme : signer, et par là collaborer avec l'ennemi aux dépens de sa probité, ou bien refuser de signer et subir alors toutes les conséquences prévisibles de ce refus. En termes de psychologie expérimentale, il se trouvait en présence d'un conflit « évitement — évitement » (cf. § 6-434). Il s'arrangea pour retourner la situation et prendre les Nazis au piège de leur propre invention. Quand le fonctionnaire de la Gestapo apporta le document pour la signature, Freud demanda la permission d'y ajouter une phrase. Manifestement assuré d'être dans la position « haute », le fonctionnaire acquiesça, et Freud écrivit de sa main : « Je puis cordialement recommander la Gestapo à tous. » La situation était désormais renversée, car la Gestapo, après avoir obligé Freud à faire son éloge, ne pouvait élever d'objection à un éloge supplémentaire. Mais pour quiconque savait, même vaguement, ce qui se passait à Vienne à ce moment-là (et on le savait de plus en plus), cet « éloge » était l'équivalent d'un sarcasme accablant qui rendait ce document inutilisable aux fins de la propagande. En résumé, Freud avait encadré ce document d'un énoncé qui en faisait partie, mais qui, en même temps, par le biais du sarcasme, était une négation de tout le document.

Exemple 8 : Dans *les Plaisirs et les Jours*, Proust nous fournit un bel exemple de paradoxe pragmatique, naissant, comme il arrive souvent, de la contradiction entre le comportement socialement admis et l'émotion personnelle. Alexis a treize ans, il se prépare à rendre visite à son oncle qui va mourir d'une maladie incurable. Le dialogue suivant a lieu entre Alexis et son précepteur :

1. Ernest Jones, *The Life and Work of Sigmund Freud*, vol. 3, Basic Books, New York, 1957 (trad. fr. *La Vie et l'Œuvre de Freud*, vol. 3, P.U.F., 1969).

... Au moment de parler, il devint très rouge :
— Monsieur Legrand, vaut-il mieux que mon oncle croie ou ne croie pas que je sais qu'il doit mourir?
— Qu'il ne le croie pas, Alexis!
— Mais s'il m'en parle?
— Il ne vous en parlera pas.
— Il ne m'en parlera pas? dit Alexis étonné, car c'était la seule alternative qu'il n'eût pas prévue; chaque fois qu'il commençait à imaginer sa visite à son oncle, il l'entendait lui parler de la mort avec la douceur d'un prêtre.
— Mais, enfin, s'il m'en parle?
— Vous direz qu'il se trompe.
— Et si je pleure?
— Vous avez trop pleuré ce matin, vous ne pleurerez pas chez lui.
— Je ne pleurerai pas! s'écria Alexis avec désespoir, mais il croira que je n'ai pas de chagrin, que je ne l'aime pas... mon petit oncle!
Et il se mit à fondre en larmes [1].

Si Alexis, par inquiétude, cache ses sentiments d'inquiétude, il peut, pense-t-il, passer pour indifférent et par suite dépourvu d'affection.

Exemple 9 : Un jeune homme sentait que ses parents n'approuvaient pas qu'il sorte avec une certaine jeune fille qu'il pensait épouser. Le père était un bel homme, riche et dynamique, qui tenait entièrement sous sa coupe sa femme et ses trois enfants. La mère occupait la position « basse » complémentaire. C'était une femme repliée sur elle-même et silencieuse qui, à plusieurs reprises, avait fait des séjours de « repos » dans une maison de santé. Un jour, le père fit venir le jeune homme dans son bureau — cérémonial exclusivement réservé aux déclarations très solennelles — et il lui dit : « Louis, il faut que tu saches quelque chose. Nous, les Alvarado, nous épousons toujours des femmes qui nous sont supérieures. » Ceci fut prononcé avec le plus grand sérieux, et le jeune homme se trouva plongé dans la plus grande perplexité, parce qu'il n'arrivait pas à savoir ce que pouvait impliquer un pareil énoncé. Quelle que fût son interprétation, il se trouvait conduit à une contradiction déroutante, ce qui le faisait douter de la sagesse de sa décision d'épouser la jeune fille en question.

On pourrait expliciter l'énoncé du père comme suit : Nous, les Alvarado, nous sommes des gens supérieurs : la preuve en est, par

1. Marcel Proust, *Les Plaisirs et les Jours*, Gallimard, 1924, p. 19-20.

exemple, que nous épousons toujours des femmes supérieures. Cependant, non seulement la preuve de cette supériorité des femmes est fortement démentie par les faits que le fils peut observer, mais l'énoncé par lui-même implique que les Alvarado sont *inférieurs* à leur femme. Ce qui nie l'affirmation qu'il avait pour but d'étayer. Si l'énoncé de supériorité, portant sur la définition du conjoint et de soi-même, est vrai, alors il n'est pas « vrai ».

Exemple 10 : Au cours de la psychothérapie d'un jeune homme, le psychiatre lui demanda d'inviter ses parents à venir d'une ville assez éloignée pour que puisse avoir lieu au moins une séance thérapeutique commune. Pendant cette séance, il apparut que les parents n'étaient d'accord que lorsqu'ils faisaient bloc contre leur fils, mais que par ailleurs ils étaient en désaccord presque sur tous les points. On apprit aussi que le père avait fait une dépression quand le fils était enfant, qu'il n'avait pas travaillé pendant cinq ans, et qu'ils avaient vécu pendant ce temps-là avec l'argent de sa riche épouse. Dans la suite de cet entretien, le père critiqua âprement le fils parce qu'il n'avait pas assez le sens des responsabilités, parce qu'il ne devenait pas plus indépendant, et ne réussissait pas assez bien. A ce moment-là, le thérapeute intervint, et souligna prudemment que, peut-être, il y avait entre le père et le fils plus de points communs qu'ils ne pensaient... Cette allusion ne fut pas saisie par les deux hommes, mais la mère intervint avec vivacité et accusa le psychiatre d'être un fauteur de troubles. Elle regarda ensuite son fils avec amour et admiration et dit : « Mais au fond, c'est très simple. Tout ce que nous désirons, c'est que George fasse un mariage aussi heureux que le nôtre. » Selon cette définition, la seule conclusion est qu'un mariage est heureux quand il est malheureux, et par induction, malheureux quand il est heureux.

Entre parenthèses, il est intéressant de noter que le fils fut déprimé après cette réunion; à sa séance suivante, il fut incapable de dire pourquoi il était déprimé. Quand le psychiatre lui rappela le paradoxe du souhait de sa mère, il s'en souvint et parut comme ébloui par une lumière brutale. Il dit que, très probablement, elle avait dû dire des « trucs comme ça » pendant des années, mais qu'il n'avait jamais pu les remarquer, ou les identifier, comme il venait de le faire dans ce cas précis. Il faisait des rêves à répétition où il portait quelque chose de lourd, où il se battait contre quelque chose, ou bien où il était englouti par quelque chose, mais il n'avait jamais pu jusqu'alors identifier ce « quelque chose ».

Exemple 11 : Une mère téléphone au psychiatre au sujet de sa fille schizophrène; elle se plaint que la jeune fille soit en train de faire une rechute. Par ces paroles, neuf fois sur dix, la mère voulait dire que sa fille s'était montrée plus indépendante et lui avait « répondu ». Par exemple, la fille avait récemment déménagé pour habiter un appartement à elle, ce qui n'avait pas été sans contrarier la mère. Le thérapeute demanda à la mère de lui donner un exemple du comportement soi-disant perturbé de la fille. Elle répondit : « Eh bien, par exemple aujourd'hui, je voulais qu'elle vienne dîner, et nous avons eu une grande discussion parce qu'elle disait qu'elle n'en avait pas envie. » Quand le thérapeute demanda quelle avait été l'issue de cette discussion, la mère dit avec une certaine colère : « Eh bien, je l'ai persuadée de venir, bien sûr, parce que je savais qu'en réalité, elle en avait envie, et elle n'a jamais le courage de me dire « *Non* ». » Pour la mère, quand la fille dit « non », cela signifie en réalité qu'elle a envie de venir, parce que la mère sait mieux qu'elle ce qui se passe dans son esprit troublé; mais qu'arrive-t-il si la fille dit « oui »? Un « oui » ne signifie pas « oui », il signifie seulement que la fille n'a jamais le courage de dire « non ». Mère et fille sont ainsi prisonnières de cet étiquetage paradoxal des messages.

Exemple 12 : Greenburg a récemment publié une merveilleuse et effarante collection de communications maternelles paradoxales. Voici l'une de ses perles :

> Faites cadeau à votre fils Marvin de deux chemises sport. La première fois qu'il en met une, regardez-le avec tristesse, et dites-lui d'un ton pénétré : « Alors, et l'autre, elle ne te plaît pas? [1] »

6 - 43. *La théorie de la double contrainte*

Les effets du paradoxe dans l'interaction humaine ont été décrits pour la première fois par Bateson, Jackson, Haley et Weakland dans

1. Dan Greenburg, *How to be a Jewish Mother*, Los Angeles, Price/Stern/Sloan, 1964, p. 16.

une communication intitulée : « Vers une théorie de la schizophrénie », publiée en 1956 [1]. Ce groupe de chercheurs a abordé le problème de la communication chez les schizophrènes en partant d'hypothèses radicalement différentes de celles qui voient traditionnellement la schizophrénie comme un trouble essentiellement intra-psychique (désordre de la pensée, faiblesse du Moi, submersion de la conscience par le processus primaire, etc.), qui affecterait secondairement les relations du malade avec les autres et pour finir celles des autres avec lui. Inversement, Bateson et ses collaborateurs ont pris le contrepied de cette position, et ont cherché les séquences d'expérience interpersonnelle qui pourraient *induire* (et non être causées par) un comportement justiciable du diagnostic de schizophrénie. Ils ont émis l'hypothèse que le schizophrène « *doit vivre dans un univers où la séquence des faits est telle que les modes de communication, qui lui sont propres et qui sortent de l'ordinaire, peuvent être considérés en un sens comme adéquats* [2] ». Ce qui les a conduits à postuler et à identifier certaines caractéristiques essentielles d'une telle interaction; pour la désigner, ils ont forgé le terme de « double contrainte [3] ». Ces caractéristiques sont aussi le commun dénominateur du mélange hétéroclite des exemples du paragraphe précédent de ce chapitre qui, sans cela, pourrait paraître déroutant.

6. 431.

Au prix d'une légère modification de la définition, et en l'élargissant un peu, les éléments qui composent une « double contrainte » peuvent se décrire ainsi :

1. Deux ou plusieurs personnes sont engagées dans une relation intense qui a une grande valeur vitale, physique et/ou psychologique pour l'une d'elles, pour plusieurs ou pour toutes. Les situations caractéristiques où interviennent ces relations intenses comprennent, sans s'y limiter, la vie familiale (notamment l'interaction parents-enfants); l'infirmité; la dépendance matérielle; la captivité; l'amitié; l'amour; la fidélité à une croyance, une cause ou une idéologie; des contextes

1. Gregory Bateson, Don D. Jackson, Jay Haley et John Weakland, « Toward a theory of schizophrenia », *Behavioral Science*, 1 : 251-64, 1956.
2. Id., *ibid.*, p. 253.
3. Nous traduisons ainsi l'américain « double-bind » *(N.d.T.)*.

marqués par les normes et traditions sociales; la situation psychothérapeutique.

2. Dans un tel contexte, un message est émis qui est structuré de manière telle que: *a*) il affirme quelque chose, *b*) il affirme quelque chose sur sa propre affirmation, *c*) ces deux affirmations s'excluent. Ainsi, si le message est une injonction, il faut lui désobéir pour lui obéir; s'il s'agit d'une définition de soi ou d'autrui, la personne définie par le message n'est telle que si elle ne l'est pas, et ne l'est pas si elle l'est. Le sens du message est donc indécidable au sens indiqué dans le § 3-333.

3. Enfin, le récepteur du message est mis dans l'impossibilité de sortir du cadre fixé par ce message, soit par une métacommunication (critique), soit par le repli. Donc, même si, logiquement, le message est dénué de sens, il possède une réalité pragmatique : on ne peut pas *ne pas* y réagir, mais on ne peut pas non plus y réagir de manière adéquate (c'est-à-dire non paradoxale) puisque le message est lui-même paradoxal. Cette situation est souvent combinée à la défense plus ou moins explicite de manifester une quelconque conscience de la contradiction ou de la question qui est réellement en jeu. Un individu, pris dans une situation de double contrainte, risque donc de se trouver puni (ou tout au moins de se sentir coupable), lorsqu'il perçoit correctement les choses, et d'être dit « méchant » ou « fou » pour avoir ne serait-ce qu'insinué que, peut-être, il y a une discordance entre ce qu'il voit et ce qu'il « devrait » voir [1].

C'est là l'essence de la double contrainte.

1. Il en va de même pour la perception qu'un individu peut avoir de l'humeur ou du comportement d'un autre. Cf. Johnson et coll., dont nous extrayons le passage suivant : « Quand ces enfants ont perçu la colère ou l'hostilité de l'un des parents, ce qui leur est arrivé en maintes occasions, aussitôt le parent a dénié être en colère, et a exigé que l'enfant le dénie lui aussi. Si bien que l'enfant s'est trouvé pris dans un dilemme : croire le parent ou croire ses propres sens. S'il s'est fié au témoignage de ses sens, il a pu maintenir une prise solide sur le réel : s'il a cru le parent, il a maintenu la relation dont il avait besoin, mais sa perception du réel a subi une distorsion. » (Adelaïde M. Johnson; Mary E. Giffin; E. Jane Watson et Peter G. S. Beckett, « Studies in Schizophrenia at the Mayo Clinic — II — Observations on Ego functions in Schizophrenia », *Psychiatry* — 19 : 143-8, 1956.)

Pour désigner un modèle en son fond analogue, Laing a introduit le concept de mystification. (Ronald D. Laing, « Mystification, Confusion and Conflict », *in* I. Boszormenyi-Nagy et J. L. Framo, *Intensive Family Therapy-Theoretical and Practical Aspects*, Harper and Row, 1965, New York, p. 343-63.)

6. 432.

Depuis qu'il a été formulé, ce concept a trouvé de larges échos en psychiatrie [1], et dans les sciences du comportement en général [2]; il est même entré dans le vocabulaire politique [3]. Le problème du caractère pathogène de la double contrainte a été tout de suite, et est resté, l'aspect le plus discuté et le plus mal compris de cette théorie. Il nous faut donc examiner ce point avant de poursuivre notre propos.

Le monde où nous vivons est certes loin d'être un monde logique, et tous, nous avons été pris dans des doubles contraintes mais pour la plupart d'entre nous, nous réussissons à préserver notre santé mentale. Toutefois, ces expériences sont en général isolées et factices, même si au temps où elles se sont produites, elles ont pu avoir un caractère traumatique. La situation est tout à fait différente quand on est pris de façon durable dans des doubles contraintes, et qu'on finit peu à peu par s'y attendre comme une chose allant de soi. Bien entendu, ceci vaut surtout pour l'enfance, puisque les enfants sont portés à conclure que ce qui leur arrive, arrive à tout le monde, qu'il s'agit pour ainsi dire d'une loi universelle. Il n'est plus question dans ce cas de traumatisme isolé; nous sommes au contraire en présence d'un modèle d'interaction bien déterminé. On comprendra peut-être mieux l'interaction propre à ce modèle, si l'on se souvient qu'une double contrainte, de par la nature même de la communication humaine, ne peut être un phénomène à sens unique. Nous avons vu ci-dessus (point n° 3) qu'une double contrainte provoque un comportement paradoxal; à son tour, ce comportement même engendre une double contrainte chez celui qui l'a créé [4]. Une fois ce modèle mis en branle, il est pratiquement dénué

1. Ses auteurs ont reçu en 1961-2 le Prix Frieda Fromm-Reichmann de l'Académie de psychanalyse pour avoir apporté une contribution importante à la compréhension de la schizophrénie.

2. Paul Watzlawick, « A Review of the Double-Bind Theory », *Family Process*, 2 : 132-53, 1963.

3. Clare Booth Luce, « Cuba and the unfaced truth : our global double-bind », *Life*, 53 : 53-6, 1962.

4. Cette réciprocité existe même lorsqu'un partenaire semble disposer d'un pouvoir absolu et l'autre réduit à la totale impuissance, cas des persécutions politiques. Car en fin de compte, comme l'explique Sartre (dans l'introduction au livre de Henri Alleg, *La Question*), le tortionnaire est aussi avili que sa victime. Cf. également le récit que fait Weissberg (A. Weissberg, *The Accused*, Simon and Schuster, New York, 1951) de ses expériences de victime de la Grande Purge en U.R.S.S., et le concept élaboré par Merloo « d'un pacte masochiste mystérieux

de sens de se demander *quand, comment* et *pourquoi*, il s'est établi. En effet, nous le verrons dans le chapitre suivant, les systèmes pathologiques ont l'étrange propriété des cercles vicieux de se perpétuer. Pour cette raison, nous soutenons qu'on ne peut répondre à la question du caractère pathogène de la double contrainte en termes d'une relation de cause à effet, empruntée au modèle médical, par exemple la relation entre infection et inflammation. Une double contrainte ne *cause* pas la schizophrénie. Tout ce qu'on peut dire, c'est que là où prédomine la double contrainte comme modèle de communication, si l'attention diagnostique se concentre sur l'individu *ouvertement* le plus malade [1], on constate que le comportement de cet individu répond aux critères de la schizophrénie. C'est en ce sens seulement qu'on peut accorder à la double contrainte une valeur étiologique, et par suite un caractère

---

entre le « laveur de cerveau et sa victime » (A. M. Joost Merloo, *The Rape of the Mind : the psychology of Thought Control, Menticide and Brainwashing*, The World Publishing Company, Cleveland, 1956). Pour une étude plus détaillée de la réciprocité de la double contrainte dans le milieu familial, cf. Weakland (John H. Weakland et Don D. Jackson, « Patient and Therapist : Observations on the circumstances of a schizophrenic episode », *Archives of Neurology and Psychiatry*, 79 : 554-74, 1958), et également Sluzki et coll.

(Carlos E. Sluzki, Janet Beavin, Alejandro Tarnopolsky et Eliseo Veron, « Transactional Disqualification, *Arch. of Neur. and Psy.*, 1967.)

1. Nous ne pouvons discuter dans ce livre de tous les aspects et ramifications de la théorie de la double contrainte, mais le problème du degré de « maladie » demande une brève digression. Nous avons fait l'expérience répétée de constater que les parents de schizophrènes peuvent apparaître à première vue comme des êtres au comportement cohérent et bien adapté, ce qui donnerait crédit au mythe selon lequel ces familles auraient tout pour être heureuses, si seulement leur fils ou leur fille n'était pas psychotique. Mais quand on s'entretient avec ces parents, même en l'absence du malade, on s'aperçoit rapidement des incohérences extraordinaires de leur communication. Attirons de nouveau l'attention sur les nombreux exemples cités par Laing et Esterson *(op. cit.)*, et sur une communication antérieure de Searles qui a fait œuvre de pionnier, et dont nous extrayons le passage suivant : « La mère d'un jeune homme atteint d'une grave schizophrénie, personne très vive qui parlait comme une mitrailleuse, me débita dans un flux verbal ininterrompu les phrases suivantes, si débordantes d'illogicités dans leur tonalité affective que, sur le moment, j'en suis resté pantois : « Il était très heureux. Je ne peux pas comprendre ce qui lui est arrivé. Il n'était jamais déprimé, toujours. Il adorait son travail de réparateur-radio dans le magasin de M. Mitchell à Lewinston. M. Mitchell est très perfectionniste. Je crois qu'avant Edward, aucun de ses employés n'a résisté plus de quelques mois. Mais avec Edward, ça marchait formidablement bien. Il revenait à la maison en disant (la mère imite un soupir d'épuisement) : « Je ne supporterai pas ça une seconde de plus! » » (Harold F. Searles, « The effort to drive the other person crazy. An element in the Aetiology and Psychotherapy of Schizophrenia », *British Journal of Medical Psychology*, 32 : 1-18, 1re partie, 1959, p. 3-4).

pathogène. Une telle distinction semblera peut-être byzantine; nous pensons qu'elle est pourtant nécessaire si l'on veut effectuer le passage conceptuel de la « schizophrénie, maladie mystérieuse de l'individu », à la « schizophrénie, modèle spécifique de communication ».

6. 433.

Ayant cela présent à l'esprit, nous pouvons ajouter maintenant deux critères supplémentaires aux trois caractéristiques essentielles d'une double contrainte que nous avons mentionnées au § 6-431. Cela nous permettra de définir les rapports entre double contrainte et schizophrénie :

4° Là où s'établit une double contrainte durable, éventuellement chronique, l'individu s'y attendra comme à une chose allant de soi, propre à la nature des relations humaines et au monde en général, conviction qui ne demande pas plus ample confirmation.

5° Le comportement paradoxal qu'impose la double contrainte (cf. point n° 3 du § 6-431) possède en retour la propriété d'être « doublement contraignante », ce qui conduit à un modèle de communication qui est un cercle vicieux. Si l'on étudie isolément le comportement du partenaire qui paraît le plus manifestement malade, ce comportement satisfait aux critères cliniques de la schizophrénie.

6. 434.

D'après ce que nous venons de dire, on voit que les doubles contraintes ne sont pas de simples injonctions *contradictoires*, mais de véritables paradoxes. Lorsque nous avons parlé des antinomies, nous avons déjà examiné la différence essentielle entre une contradiction et un paradoxe, et nous avons constaté que si toute antinomie est une contradiction logique, toute contradiction logique n'est pas une antinomie. Il en est de même pour les injonctions contradictoires opposées aux injonctions paradoxales (ou doubles contraintes). Cette distinction est de la plus haute importance, car les effets pragmatiques de ces deux groupes d'injonctions sont fort différents (cf. les deux illustrations en face de la p. 227).

Notre pensée, la structure logique du langage et, d'une manière générale, notre perception du réel, sont si solidement fondées sur le principe aristotélicien qui veut que A ne puisse être en même temps *non*-A, que les contradictions logiques de ce type sautent aux yeux et ne posent pas de très gros problèmes. Même les contradictions que nous impose la vie quotidienne ne sont pas pathogènes. En présence de deux solutions possibles qui s'excluent mutuellement, on doit choisir. On peut s'apercevoir assez vite qu'on a fait un mauvais choix, ou bien on peut tergiverser trop longtemps et par suite manquer le coche. Un dilemme de ce genre peut aller du regret modéré de ne pouvoir à la fois manger son gâteau et le garder, à la situation désespérée d'un homme surpris au sixième étage d'une maison en flammes et qui n'a le choix qu'entre la mort par le feu et la mort par défenestration. De même, dans les expériences classiques où l'on place un organisme dans une situation conflictuelle (approche-évitement; approche-approche; évitement-évitement), le conflit provient de ce qui équivaut à une contradiction entre les solutions possibles proposées ou imposées. Les effets de ces expériences sur le comportement peuvent aller de l'indécision par peur d'un choix erroné à l'inanition pour éviter la punition. Mais on ne rencontre jamais les troubles pathologiques spécifiques que l'on observe lorsque le dilemme est véritablement paradoxal.

Par contre, de tels troubles pathologiques apparaissent clairement dans les célèbres expériences de Pavlov : on commence par entraîner un chien à faire une discrimination entre un cercle et une ellipse; on le rend ensuite incapable de faire cette discrimination, en élargissant progressivement l'ellipse jusqu'à ce qu'elle ressemble de plus en plus à un cercle. A notre avis, nous sommes là en présence d'un contexte où sont présents tous les éléments d'une double contrainte, tels que nous les avons énumérés; pour désigner les effets de cette expérience sur le comportement, Pavlov a forgé le terme de « névrose expérimentale ». Le point essentiel est que, dans ce type d'expérience, l'expérimentateur commence par soumettre l'animal à la nécessité vitale pour lui de faire une discrimination correcte, puis à l'intérieur même de ce cadre, rend toute discrimination impossible. Le chien se trouve ainsi plongé dans un monde où il dépend pour sa survie de sa soumission à une loi qui se viole elle-même; le paradoxe montre sa tête de Méduse. L'animal se met à ce moment-là à manifester des troubles du comportement typiques : état stuporeux ou violence hargneuse, et il présentera aussi les modifications physiologiques qui accompagnent une angoisse aiguë[1].

1. Il est significatif que des animaux, qu'on n'a pas commencé par entraîner à faire une discrimination, ne manifestent pas ce type de comportement dans un contexte où la discrimination est impossible.

Résumons : La distinction la plus importante entre injonctions contradictoires et injonctions paradoxales réside en ceci : face à une injonction contradictoire, on choisit l'une des solutions possibles, quitte à renoncer à l'autre, ou à la subir. Le résultat n'est pas des plus heureux; comme nous l'avons dit, on ne peut à la fois manger son gâteau et le garder, et un moindre mal est toujours un mal. Mais malgré tout, face à une injonction contradictoire, le choix est logiquement possible. Par contre, l'injonction paradoxale *barre la possibilité même du choix*, rien n'est possible, et une suite alternée infinie est alors déclenchée.

Remarquons en passant un fait intéressant : l'effet paralysant du paradoxe pragmatique ne se limite nullement aux primates ou en général aux mammifères; même des organismes qui ne possèdent qu'un cerveau et un système nerveux rudimentaires, se montrent, eux aussi, sensibles aux effets du paradoxe. On peut se demander si n'interviendrait pas là une loi fondamentale de l'existence.

6. 435.

Pour en revenir à la pragmatique de la communication humaine, voyons brièvement quels peuvent être les effets des doubles contraintes sur le comportement. Au § 4-42, nous avons souligné que, dans toute séquence de communication, chaque échange de messages réduit le nombre des « coups » suivants possibles. Dans le cas de la double contrainte, la complexité de ce modèle offre une particulière redondance et ne laisse place qu'à un petit nombre de réactions. Citons-en quelques-unes.

Aux prises avec l'absurdité intenable de la situation dans laquelle il est plongé, un individu peut en conclure qu'il laisse échapper certains indices essentiels, inhérents à cette situation ou présentés par son entourage. Comme il est évident que pour les autres, la situation semble parfaitement logique et cohérente, il pourrait y trouver des arguments supplémentaires en faveur de sa dernière supposition. La possibilité que les autres lui cachent délibérément ces indices essentiels ne serait qu'une variante du même thème. De toute manière — et c'est là le point crucial — il sera obsédé par le besoin de découvrir ces indices, de donner un sens à ce qui se passe en lui et autour de lui, et il finira par se trouver contraint de scruter les phénomènes les plus invraisemblables et les plus dépourvus de rapport avec sa situation pour y trouver indices et sens. Ce passage progressif à côté des problèmes réels sera d'autant plus plausible, si nous nous souvenons que l'un des éléments essentiels d'une situation de double contrainte est qu'il est interdit d'avoir conscience de la contradiction en jeu.

Ou bien cet individu peut choisir ce que les recrues découvrent rapidement être la meilleure réaction possible à la logique déconcertante — ou absence de logique — de la caserne : se conformer à toutes les injonctions, quelles qu'elles soient, en les prenant au pied de la lettre, et s'abstenir délibérément de toute pensée personnelle. Ainsi, au lieu de s'engager dans la quête interminable de sens cachés, cet individu peut écarter *a priori* la possibilité de l'existence d'un aspect autre que le plus littéral, le plus superficiel des relations humaines, ou pire, qu'un message puisse avoir plus de sens qu'un autre. On peut penser que n'importe quel observateur ne manquerait pas d'être frappé par un tel comportement qu'il jugerait insensé, puisque l'incapacité à distinguer l'insignifiant de l'important, le plausible de l'invraisemblable, est l'essence même de la folie.

Une troisième réaction est possible : se retirer du jeu. On peut y parvenir en se retirant obstinément sous sa tente, et en bloquant de plus les voies de transmission de la communication, quand le seul isolement n'est pas possible autant qu'on le désire. Au sujet du blocage des « canaux récepteurs » (« inputs »), rappelons le phénomène de « défense perceptuelle » que nous avons brièvement évoqué au § 3-234. Un individu qui se défendrait de cette manière frapperait un observateur par son comportement renfermé, inabordable, autistique. Il n'est pas absurde de penser qu'on peut parvenir pratiquement au même résultat — fuir l'implication dans une double contrainte — par un comportement hyperactif, si intense et si soutenu, que la plupart des messages qui arrivent à l'individu se trouvent par là même noyés.

Ces trois formes de comportement en face de l'indécidabilité de doubles contraintes réelles ou considérées comme allant de soi, évoquent le tableau clinique des trois formes de la schizophrénie : paranoïde, hébéphrénique et catatonique (stuporeuse ou agitée). Ce que soulignent les auteurs de la théorie de la double contrainte dans leur communication *princeps*, en ajoutant :

Ces trois solutions possibles ne sont pas les seules. Le problème, c'est qu'un individu ne peut choisir la solution qui pourrait l'aider à découvrir ce que les gens veulent dire; il ne peut pas, sans recevoir une aide massive, dépouiller et commenter les messages des autres. Et lorsqu'il ne peut procéder à cette opération, l'être humain est semblable à un système autorégulé qui a perdu son régulateur; il est pris dans un mouvement en spirale qui entraîne les distorsions perpétuelles, mais toujours systématiques [1].

Comme nous l'avons souligné plusieurs fois précédemment, la communication chez les schizophrènes est elle-même paradoxale, et impose par suite le paradoxe aux autres partenaires, ce qui achève le cercle vicieux.

6 - 44. *Prévisions paradoxales* [2]

Au début des années quarante, un nouveau paradoxe, qui a exercé une fascination toute particulière, fit son apparition. Son origine est, semble-t-il, inconnue, mais il n'a pas tardé à attirer l'attention, et il a été traité en long et en large dans un grand nombre de communications. Pas moins de neuf d'entre elles ont été publiées dans la revue *Mind* [3]. Nous allons voir que ce paradoxe présente d'étroites affinités avec notre recherche, parce qu'il tire sa puissance et son attrait du fait qu'il n'a de sens que dans le cadre d'une interaction continue entre plusieurs personnes.

6. 441.

Parmi les différentes versions qui livrent l'essence de ce paradoxe, nous avons choisi la suivante :

Un directeur d'école annonce à ses élèves qu'un examen imprévu aura lieu la semaine suivante, c'est-à-dire n'importe quel jour entre lundi et vendredi. Les étudiants — qui semblent avoir l'esprit particulièrement compliqué — lui font remarquer que, à moins de violer les termes de sa propre

1. Gregory Bateson, Don D. Jackson, Jay Haley et John Weakland, « Toward a Theory of Schizophrenia », *Behavioral Science*, 1 : 251-64, 1956, p. 256.

2. Des passages de ce paragraphe ont été publiés pour la première fois dans « Paradoxical Predictions », Paul Watzlawick, *Psychiatry*, 28 : 368-74, 1965.

3. Pour un compte rendu de certains articles antérieurs et une présentation d'ensemble de ce paradoxe, cf. G. C. Nerlich, « Unexpected Examinations and Unprovable Statements », *Mind*, 70 : 503-13, 1961; cf. également Martin Gardner, « A new Paradox, and variations on it, about a man condemned to be hanged ». Dans la section « Mathematical Games », *Scientific American*, 208 : 144-54, 1963, il donne un excellent résumé de la plupart des différentes versions sous lesquelles ce paradoxe a été présenté.

annonce et de ne pas avoir l'intention de faire passer un examen *imprévu un jour quelconque* de la semaine suivante, un tel examen ne peut exister. Car, disent-ils, si l'examen n'a pas eu lieu le jeudi soir, il ne peut être « imprévu » le vendredi, puisque le vendredi est le seul jour possible qui reste. Mais si l'on écarte ainsi la possibilité d'un examen le vendredi, on peut de même l'écarter le jeudi. Le mercredi soir, il ne resterait donc très évidemment que deux possibilités : jeudi et vendredi. Vendredi, nous venons de le voir, a été écarté. Il ne reste donc que le jeudi, mais un examen qui aurait lieu le jeudi ne serait plus « imprévu ». En vertu du même raisonnement, on peut éliminer tour à tour mercredi, mardi et finalement lundi, d'où : il ne peut y avoir d'examen *imprévu*. Supposons que le directeur écoute leur « preuve » sans mot dire, puis, le jeudi matin par exemple, fasse passer un examen. Dès l'instant même de son annonce, *il* avait projeté de le faire passer ce matin-là; les *étudiants*, de leur côté, se trouvent devant un examen totalement imprévu — et imprévu pour la raison même qu'ils s'étaient persuadés qu'il ne pouvait pas être imprévu.

Dans cet exemple, on peut désormais reconnaître facilement les traits familiers du paradoxe. D'une part, les étudiants se sont engagés dans ce qui semble être une déduction logique rigoureuse à partir des prémisses posées par l'annonce du directeur; ils en ont conclu qu'il ne pouvait y avoir d'examen imprévu la semaine suivante. Le directeur, d'autre part, peut très évidemment faire passer l'examen n'importe quel jour de la semaine sans violer le moins du monde les termes de son annonce. L'aspect le plus étonnant de ce paradoxe, c'est qu'à y regarder de plus près, on s'aperçoit que l'examen peut même avoir lieu le vendredi et être pourtant imprévu. En fait, le nœud de l'histoire, c'est la situation au soir de la journée du jeudi, les autres jours de la semaine ne servant qu'à corser l'histoire et compliquer secondairement le problème. Le jeudi soir, il ne reste que le vendredi comme jour possible, ce qui rend très prévisible qu'un examen ait lieu le vendredi. « Si examen il y a, il *doit* avoir lieu demain, mais il ne *peut pas* avoir lieu demain, parce qu'alors il ne serait pas imprévu. » Ainsi raisonnent les étudiants. Or, l'acte même de déduire que l'examen est prévu, et de ce fait impossible, permet au directeur de faire passer un examen imprévu le vendredi ou, aussi bien d'ailleurs, n'importe quel autre jour de la semaine, et en se conformant strictement aux termes de son annonce. Même si les étudiants s'aperçoivent que leur conclusion qu'il ne saurait y avoir un examen imprévu, est la raison même qui le rend possible, leur découverte ne leur est d'aucune aide. Tout ce que cela prouve, c'est que si le jeudi soir, ils s'attendent à un examen le vendredi et en écartent la possibilité, en vertu des règles posées par le directeur lui-même, cet examen *peut* alors avoir lieu de manière imprévue, ce qui le rend parfaitement prévisible, ce qui le rend parfaitement imprévisible, et ainsi de suite à l'infini. Donc, il ne peut être prévu.

Là encore, nous sommes en présence d'un véritable paradoxe.

1° L'annonce du directeur contient une prévision dans la *langue-objet* (« il y aura un examen »).

2° Elle contient une prévision dans la *métalangue* qui nie la prévisibilité de 1°, à savoir : « L'examen (prévu) sera imprévisible. »

3° Ces deux prévisions s'excluent mutuellement.

4° Le directeur peut fort bien empêcher les étudiants de sortir de la situation créée par son annonce pour obtenir des informations supplémentaires qui leur permettraient de découvrir la date de l'examen.

6. 442.

Laissons de côté la structure logique de la prévision du directeur, et voyons ses conséquences pragmatiques. On aboutit à deux conclusions surprenantes. La première, c'est que pour rendre valable la prévision contenue dans son annonce, le directeur *a besoin* que les étudiants arrivent à la conclusion opposée (un examen comme celui qu'on nous annonce est logiquement impossible), car c'est seulement dans ce cas que sa prévision d'un examen imprévu peut trouver une justification. Mais cela revient à dire qu'il ne peut y avoir dilemme que parce que les étudiants ont l'esprit compliqué. Si leur esprit était plus obtus, ils ne verraient sans doute pas la complexité du problème. Ils s'attendraient probablement à l'examen comme à une chose imprévue, ce qui réduirait à l'absurde les propos du directeur. Car du moment que — illogiquement —, ils se résignent au fait que l'imprévu doit être prévu, tout examen ayant lieu n'importe quel jour entre le lundi et le vendredi, ne pourrait être pour eux imprévu. N'a-t-on pas alors l'impression qu'une logique approximative rend leur point de vue plus réaliste? Il n'y a en effet aucune raison pour que l'examen ne puisse avoir lieu de manière imprévue n'importe quel jour de la semaine; c'est seulement parce que les étudiants ont l'esprit compliqué qu'ils passent à côté de cette incontestable réalité.

Dans le travail psychothérapeutique avec des schizophrènes intelligents, on est sans cesse tenté de conclure qu'ils s'en tireraient beaucoup mieux, qu'ils seraient beaucoup plus « normaux », si seulement ils pouvaient perdre un peu de l'acuité de leur pensée et atténuer ainsi l'effet paralysant qu'elle a sur leurs actes.

Ils paraissent tous, à leur manière, des rejetons du héros troglodyte de Dostoïevski qui explique dans *le Sous-Sol* :

> Une conscience trop clairvoyante, je vous assure, Messieurs, c'est une maladie, une maladie très réelle (p. 688).

Et un peu plus loin :

> ... l'inertie nous écrase. Le fruit légal, le fruit naturel de la conscience c'est, en effet, l'inertie : on se croise sciemment les bras. J'en ai déjà parlé. Je le répète, je le répète avec insistance; tous les hommes simples et sincères, tous les hommes actifs sont actifs justement parce qu'ils sont obtus et médiocres.
> Comment expliquer cela? Voici : à cause de leur étroitesse d'esprit, ils prennent les causes secondaires, immédiates, pour les causes premières; et bien plus facilement, bien plus rapidement que les autres, ils s'imaginent avoir trouvé les raisons solides, fondamentales, de leur activité. Ils se tranquillisent donc; or, ceci est le principal. Pour pouvoir agir en effet, il faut au préalable atteindre à une parfaite tranquillité et ne plus conserver aucun doute. Mais comment parviendrais-je à cette tranquillité d'esprit? Où pourrais-je trouver les principes fondamentaux sur lesquels je puisse bâtir? Où est ma base? Où irais-je la chercher?
> Je m'exerce à penser. Autrement dit, toute cause chez moi en tire immédiatement une autre après elle, encore plus profonde, plus fondamentale, et ainsi de suite, à l'infini. Telle est l'essence de toute pensée, de toute conscience (p. 698) [1].

On peut comparer également avec *Hamlet* (acte IV, sc. IV);

> Mais sinon par oubli bestial, du moins par un scrupule timoré qui réfléchit trop minutieusement aux conséquences — réflexion composée d'un quart de sagesse et de trois quarts de couardise —, j'en suis encore à douter si je ne vis que pour me dire : « Ce geste-ci doit être fait. » Cependant que j'ai motif, volonté, force et moyen de l'accomplir [2].

Si, comme nous l'avons indiqué au § 6-435, la double contrainte détermine un comportement qui évoque respectivement les formes paranoïde, hébéphrénique et catatonique de la schizophrénie, les

1. Fédor M. Dostoïevski, *Le Sous-Sol*, trad. fr. Boris de Schloezer, *in* La Pléiade, N.R.F., Gallimard, Paris, 1956.
2. William Shakespeare, *Hamlet*, trad. fr. André Gide, N.R.F. Gallimard, Paris, 1946, p. 169.

prévisions paradoxales semblent liées à un comportement évocateur de l'inertie et de l'aboulie, typiques de la schizophrénie simple.

6. 443.

Mais la seconde conclusion qui s'impose est peut-être encore plus déconcertante que cette apparente apologie de la pensée vaseuse. Le dilemme serait tout aussi impossible si les étudiants ne faisaient pas implicitement confiance à leur directeur. Toute leur déduction est suspendue à l'hypothèse qu'on peut et doit faire confiance au directeur. Tout doute quant à sa loyauté ne dissiperait pas le paradoxe logique, mais dissiperait à coup sûr le paradoxe pragmatique. Si on ne peut pas lui faire confiance, comment prendre son annonce au sérieux? Dans ces conditions, il ne reste plus aux étudiants qu'à s'attendre à ce qu'un examen ait lieu un jour quelconque entre lundi et vendredi (ce qui veut dire qu'ils n'acceptent que le contenu de son annonce, au niveau de la langue-objet, c'est-à-dire : « Il y aura un examen la semaine prochaine », mais qu'ils négligent l'aspect du message qui se situe au niveau de la métacommunication et qui a trait à sa prévisibilité). Nous parvenons ainsi à la conclusion que non seulement la pensée logique, mais aussi le problème de la confiance déterminent la vulnérabilité à ce type de paradoxe.

6. 444.

On pensera peut-être qu'un tel paradoxe se rencontre rarement, peut-être même jamais, dans la vie réelle. On ne peut pourtant soutenir cette opinion quand on a affaire à la communication chez les schizophrènes. On peut considérer qu'un individu, portant l'étiquette diagnostique de « schizophrène », joue à la fois le rôle des étudiants et du directeur. Comme les étudiants, il est pris dans le dilemme de la logique et de la confiance, tel que nous l'avons défini ci-dessus. Mais sa position est aussi très proche de celle du directeur, car il s'emploie, comme lui, à communiquer des messages indécidables. Nerlich, visiblement sans se rendre compte combien ses conclusions peuvent s'appliquer à notre sujet, a admirablement résumé la situation : « L'une des manières de ne rien dire est de se contredire. Et si on s'arrange pour se contredire en disant qu'on ne dit rien, finalement on ne se contredit pas du tout. On *peut* manger son gâteau *et* le garder [1]. »

1. G. C. Nerlich, *op. cit.*, p. 513.

« Vous écrivez drôlement bon! »
(Sur le dessin : *Éditeur.*)

1

Photo : San José Mercuri-News

2

Photo : Baron Wolman.

Signaux représentant respectivement la contradiction et le paradoxe.

Fig. 1 : « STOP »; en-dessous : « Interdiction de stationner. »

Fig. 2 : dans le panneau : « Ne pas tenir compte de ce signal. »

Les deux injonctions de la figure 1 sont une simple contradiction. On ne peut donc obéir qu'à l'une d'entre elles. Le signal de la figure 2 (mauvaise plaisanterie, pensons-nous), crée un véritable paradoxe parce qu'il porte sur lui-même. Pour obéir à l'injonction de ne pas en tenir compte, il faut commencer par le remarquer. Mais l'acte même de le remarquer constitue une désobéissance à l'injonction elle-même. On ne peut donc obéir au signal qu'en lui désobéissant, et on lui désobéit en lui obéissant (cf. § 6-434 sur la différence entre simples contradictions et paradoxes).

Si, comme nous en avons émis l'hypothèse aux § 2-23 et 3-2, le schizophrène s'efforce de *ne pas* communiquer, la « solution » de ce dilemme est dans l'emploi de messages indécidables qui disent d'eux-mêmes qu'ils ne disent rien.

6. 445.

En dehors même du champ de la communication schizophrénique, les prévisions paradoxales ne sont pas sans faire de dégâts dans les relations humaines. C'est le cas, par exemple, lorsque un individu X, en qui un autre individu Y a implicitement confiance, menace Y de quelque chose qui le rendrait, lui X, indigne de confiance. L'exemple suivant peut servir à illustrer cette interaction.

Un couple demande une aide à un psychiatre en raison de la jalousie démesurée de la femme qui fait de leur vie commune un enfer. Le mari se révèle être un homme extrêmement rigide et « moral » qui est très fier de son style de vie ascétique, et du fait que « jamais de ma vie, je n'ai donné à quelqu'un motif de ne pas croire à ma parole ». La femme, d'une origine sociale très différente, a accepté la position complémentaire « basse », sauf sur un point : elle refuse de renoncer à son apéritif, habitude qui, pour le mari, abstinent rigoureux, lui paraît répugnante, et a été le sujet de disputes interminables, pratiquement dès le début de leur mariage. Il y a environ deux ans, le mari dans un accès de colère, avait dit : « *Si tu ne renonces pas à ton vice, moi aussi j'aurai le mien* », ajoutant qu'il aurait des aventures féminines. Cette menace ne changea rien au modèle de leur relation, et quelques mois plus tard, le mari décida pour avoir la paix de la laisser boire à sa guise. C'est à cet instant précis que la jalousie de la femme s'alluma. La raison en était, et en est, la suivante : il est absolument digne de confiance; donc il doit être en train de mettre à exécution sa menace d'infidélité, autrement dit il n'est plus digne de confiance. Le mari, de son côté, se trouve pris lui aussi au piège de sa prévision paradoxale sans pouvoir s'en sortir, car il ne peut lui donner des garanties convaincantes que sa menace n'était qu'une impulsion et ne devait pas être prise au sérieux. Ils comprennent qu'ils sont pris dans un piège qu'ils ont eux-mêmes posé, mais ne voient aucun moyen d'en sortir.

La menace du mari possède une structure identique à celle de l'annonce du directeur. Aux yeux de sa femme, c'est comme s'il disait :

1. « Je suis absolument digne de confiance. »

2. « Je vais maintenant te punir en étant indigne de confiance (infidèle, trompeur). »

3. « Je vais donc rester pour toi digne de confiance en étant indigne de confiance, car si je ne détruisais pas maintenant ta confiance dans ma fidélité conjugale, je ne pourrais plus être digne de confiance. »

Du point de vue sémantique, le paradoxe provient des deux sens différents du mot « digne de confiance ». Dans l'énoncé nº 1, ce terme est employé dans la métalangue pour désigner une propriété commune à *toutes* les actions, promesses et attitudes du mari. Dans l'énoncé nº 2, il est employé dans la langue-objet et renvoie à la fidélité conjugale. Il en était de même des deux emplois du mot « prévu » dans l'annonce du directeur. On peut s'attendre à ce que *toutes* ses prévisions se réalisent avec certitude. En d'autres termes, la prévisibilité est la propriété commune qui détermine la *classe* de ses prévisions. Aussi, si la prévisibilité d'un seul *élément* de cette classe — c'est-à-dire une prévision déterminée — est niée, c'est une prévisibilité d'un type logique différent de celle qui constitue la propriété de la classe elle-même; elle est d'un type inférieur, bien qu'elle soit désignée par le même terme. Du point de vue pragmatique, l'annonce du directeur comme la menace du mari créent des contextes qui sont intenables.

6. 446. La question de confiance. Le Dilemme des Prisonniers

Dans les relations humaines, toute prévision est liée, d'une manière ou d'une autre, au phénomène de la confiance. Si un individu X tend un chèque nominal à un individu Y, sur la foi des informations dont il dispose à ce moment-là, Y ne peut savoir si ce chèque est ou non provisionné. A ce point de vue, les positions respectives de X et de Y sont très différentes. X sait si son chèque est valable ou non; Y ne peut que lui faire confiance, ou au contraire se méfier systématiquement [1], car avant de porter le chèque à la banque, il ne saura pas s'il

1. Confiance ou méfiance de la part de Y seront naturellement influencées par ses expériences passées avec X, s'il en a déjà eues, et l'issue du problème actuellement posé influencera le degré de confiance que Y peut faire à X à l'avenir. Mais pour la question actuellement en jeu, on peut négliger cet aspect de la situation.

a eu raison ou non de l'accepter. A partir de ce moment-là, sa confiance ou sa méfiance seront remplacées par la certitude qui était celle de X dès le départ. Il n'y a dans la nature de la communication humaine aucun moyen de faire partager à autrui une information ou des perceptions que l'on est seul à connaître. Au mieux, l'autre peut faire confiance, ou se méfier, mais il ne peut jamais *savoir*. Mais l'activité humaine serait pratiquement paralysée si les gens n'agissaient qu'une fois en possession d'informations ou de perceptions de première main. Dans l'immense majorité des cas, les décisions sont fondées sur la confiance, quel que soit le type de cette confiance. La confiance porte donc toujours sur un résultat à venir, et plus précisément, sur sa prévisibilité.

Nous avons considéré jusqu'ici des interactions où l'un des partenaires possède des informations de première main et où l'autre ne peut qu'accueillir avec confiance ou méfiance la communication de ces informations. Le directeur sait qu'il fera passer un examen le jeudi matin; le mari sait qu'il n'a pas l'intention de tromper sa femme; celui qui fait un chèque sait (en principe) s'il est provisionné. Mais, dans une interaction du type « Le Dilemme des Prisonniers », *aucun des deux partenaires* ne possède d'information de première main. Tous deux doivent s'appuyer sur la confiance qu'ils font à l'autre, sur un essai d'évaluation de la confiance qu'ils suscitent chez l'autre, et sur leurs efforts pour prévoir les décisions que va prendre l'autre, processus qui, ils le savent, est dans une large mesure réciproque. Ces prévisions, comme nous allons le montrer, finissent toujours par aboutir à des paradoxes.

Le Dilemme des Prisonniers [1] peut être représenté par une matrice du type suivant :

	b^1	b^2
a^1	5,5	— 5,8
a^2	8, — 5	— 3, — 3

1. Rappelons que le Dilemme des Prisonniers est un jeu à sommation non nulle. Aussi le but de chaque joueur est d'obtenir un gain absolu, sans se préoccuper du gain ou de la perte de l'autre. Donc, non seulement la coopération n'est pas

Deux joueurs, A et B, peuvent jouer deux coups chacun. C'est-à-dire que A peut choisir a_1 ou a_2, et B peut choisir b_1 ou b_2. Tous deux sont parfaitement au courant des gains ou des pertes définis par la matrice. Donc, A sait que s'il choisit a_1, et B, b_1, ils gagneront cinq points chacun ; mais si B choisit l'autre possibilité b_2, A perdra cinq points et B gagnera huit points. B se trouve dans une situation semblable en face de A. S'il y a dilemme, c'est parce que ni l'un ni l'autre ne savent quelle solution choisira l'adversaire, puisque leur choix doit être simultané et qu'ils ne peuvent communiquer au sujet de leur décision.

On a coutume de dire que la décision $a_2 b_2$ est la plus sûre — que le jeu soit joué une seule fois ou une centaine de fois — même si cette décision entraîne une perte de trois points pour les deux joueurs [1]. Il serait naturellement plus raisonnable de choisir la solution $a_1 b_1$, qui assure aux deux joueurs un gain de cinq points. Mais pour parvenir à cette décision, il faut qu'existe une confiance mutuelle. En effet, si le joueur A, par exemple, ne joue qu'en vue de maximaliser ses gains et minimiser ses pertes, *et* si ce joueur A a des motifs suffisants de croire que le joueur B a confiance en lui et choisira en conséquence b_1, le joueur A a toutes les raisons de choisir a_2, puisque la décision commune $a_2 b_1$ donne à A un gain maximum. Mais si A est suffisamment lucide, il ne peut manquer de prévoir que B suivra le même raisonnement et jouera donc b_2, et non b_1, surtout si B pense lui aussi que A lui fait suffisamment confiance, et s'il a lui-même suffisamment confiance en A pour penser qu'il jouera a_1. Une conclusion bien mélancolique s'impose donc : la décision commune $a_2 b_2$, entraînant une perte pour les deux joueurs, est la seule solution possible.

Ce résultat n'a rien de théorique. C'est peut-être la meilleure représentation abstraite d'un problème qu'on ne cesse de rencontrer en psychothérapie conjugale. Les psychiatres connaissent bien ces

---

une stratégie à écarter (ce qui est le cas dans un jeu à sommation nulle), mais ce peut être même la meilleure des stratégies. Jouer au hasard (dans le cas de parties successives) ne constitue pas non plus une stratégie nécessairement souhaitable.

1. Voir le détail de cette discussion dans Rapoport et Schelling.

(Anatole Rapoport et Albert M. Chammah, avec la collaboration de Carol J. Orwant, *Prisonner's Dilemma; a study in conflict and cooperation*, Ann Arbor, University of Michigan Press, 1965.)

Thomas C. Schelling, *The Strategy of Conflict*, Harvard University Press, Cambridge, 1960.

conjoints qui vivent une vie de silencieux désespoir, tirant le minimum de satisfactions de leurs expériences communes. Mais il est de tradition de chercher la raison de leur détresse dans un trouble pathologique *individuel* supposé chez l'un d'eux, ou chez les deux. On peut poser le diagnostic de dépression, d'auto-punition, de sado-masochisme, d'attitude passive-agressive, etc. Mais il est évident que ces diagnostics passent à côté de l'*interdépendance* de leur dilemme, qui peut surgir tout à fait indépendamment de la structure de leur personnalité et résider exclusivement dans la nature de leur «jeu» relationnel. Tout se passe comme s'ils disaient : « La confiance me rendrait vulnérable; il faut donc que je joue serré », et la prévision implicite est, de ce fait : « L'autre *va* l'emporter sur moi. »

La plupart des conjoints (ou, tout aussi bien, des nations) s'en tiennent là dans l'évaluation et la définition de leur relation. Mais ceux dont la pensée est plus exigeante ne peuvent s'en tenir là, et c'est alors que le paradoxe du Dilemme des Prisonniers saute aux yeux. La solution $a_2\, b_2$ devient déraisonnable quand A comprend que cette solution n'est qu'un moindre mal, mais qu'elle est cependant un mal, et quand B ne peut pas ne pas aboutir à la même conclusion : c'est un mal. B n'a donc pas plus de raisons que A de désirer une telle issue, et il est certain que A est capable de prévoir cette conclusion. Une fois que A et B sont parvenus tous deux à cet « insight », ce n'est plus la solution $a_2\, b_2$ qui est la décision la plus raisonnable, mais la solution $a_1\, b_1$ qui demande une coopération. Seulement avec la solution $a_1\, b_1$, tout le cycle recommence une fois de plus. Quelle que soit leur attitude, dès qu'on parvient par déduction à la « décision la plus raisonnable », une décision « encore plus raisonnable que la plus raisonnable » surgit toujours. Ce dilemme est donc semblable à celui des étudiants pour qui l'examen n'est prévisible que s'il est imprévisible.

6-5

RÉSUMÉ

Un paradoxe est une contradiction logique venant au terme d'une déduction cohérente à partir de prémisses correctes. Il y a trois types de paradoxes : logico-mathématiques, sémantiques et pragmatiques.

Ceux-ci nous intéressent particulièrement en raison de leurs implications sur le comportement. La différence essentielle entre les paradoxes pragmatiques et la simple contradiction réside dans le fait que le choix est une solution possible dans le cas de la contradiction, alors qu'une telle solution n'est même pas possible dans le cas du paradoxe. Les paradoxes pragmatiques se répartissent en *injonctions paradoxales* (doubles contraintes) et *prévisions paradoxales*.

7

Le paradoxe en psychothérapie

7 - 1

L'ILLUSION DU CHOIX POSSIBLE

7 - 11.

Dans le *Conte de la Femme de Bath*, Chaucer raconte l'histoire d'un des chevaliers du Roi Arthur qui, « un jour qu'il rentrait en chevauchant gaiement après une chasse au faucon », rencontre sur son chemin une jeune fille et la viole. Ce crime, « qui suscita une vive indignation », manque de lui coûter la vie, mais le Roi Arthur laisse la reine décider du sort du chevalier, et la reine et ses dames d'honneur désirent qu'il soit épargné. La reine dit au chevalier qu'il aura la vie sauve s'il trouve la réponse à cette question : « Qu'est-ce que la plupart des femmes désirent? » Elle lui donne un délai d'un an et un jour pour revenir au château. Placé dans l'alternative d'être condamné à mort ou de chercher la réponse à la question posée, le chevalier choisit cette deuxième solution. Comme on s'en doute, l'année s'écoule, le dernier jour arrive, et le chevalier reprend le chemin du château sans avoir trouvé la réponse. Cette fois, c'est une vieille femme qu'il rencontre « sorcière aussi laide qu'on pût l'imaginer »; elle est assise dans un pré, et lui adresse la parole en ces termes, singulièrement prophétiques : « Messire chevalier, vous êtes ici dans une impasse. » Après avoir écouté le récit de sa fâcheuse situation, elle lui dit qu'elle connaît la réponse à la question posée, et qu'elle la lui révèlera s'il jure que « quoi que ce soit que je vous demande ensuite, vous le ferez autant que cela est en votre pouvoir ». Placé de nouveau devant un choix (la décapitation ou accéder au désir de la sorcière, quel qu'il soit), il choisit naturellement la deuxième solution, et le secret lui est révélé

(« La plupart des femmes désirent exercer la souveraineté, avoir empire et autorité sur leur époux et agir à leur guise en amour »). Cette réponse satisfait pleinement les dames de la cour, mais la sorcière, ayant rempli son propre engagement, exige alors que le chevalier l'épouse. La nuit de noces arrive, et le chevalier, désespéré, est étendu à côté d'elle, dans l'incapacité de surmonter la répulsion que lui inspire sa laideur. Finalement, la sorcière lui donne à nouveau le choix entre deux possibilités : ou bien il l'accepte laide comme elle est, et elle sera toute sa vie son humble et fidèle épouse, ou bien elle se transforme en une belle jeune fille, mais elle ne lui sera jamais fidèle. Le chevalier pèse longuement les termes de ce choix, et finalement *ne choisit aucune des deux solutions et rejette le principe même du choix.* Le point culminant du conte est contenu dans ce seul vers : « Je ne choisis ni l'un ni l'autre. » A ce moment, non seulement la sorcière se transforme en une belle jeune fille, mais elle sera aussi la plus fidèle et la plus docile des épouses.

Pour le chevalier, la femme apparaît sous les traits de la jeune fille innocente, de la reine, de la sorcière et de la putain, mais sous toutes ces apparences, la femme continue à exercer le même pouvoir sur lui, jusqu'au moment où il ne se sent plus obligé de choisir, et de se mettre ainsi dans des situations de plus en plus difficiles, mais où il finit par récuser la nécessité même du choix [1]. Le *Conte de la Femme de Bath* est également très révélateur de la psychologie féminine, et Stein [2] en a fait de ce point de vue une très intéressante analyse. Selon le cadre conceptuel qui est le nôtre, nous dirions que, tant qu'une femme de ce genre est capable d'imposer à l'homme une double contrainte au moyen de l'illusion sans cesse renouvelée du choix possible (et naturellement tant que l'homme ne peut y échapper), elle-même n'est pas libre non plus; elle reste prise dans une « illusion du choix possible » où il n'y a d'autre alternative que la laideur ou le libertinage.

1. Comparer avec une célèbre *koan Zen* (méditation paradoxale) imposée par Tai-hui avec une tige de bambou : « Si tu dis, c'est une tige, tu affirmes; si tu dis, ce n'est pas une tige, tu nies. Dépassant affirmation et négation, qu'en dirais-tu? »

2. L. Stein, « Loathsome Women », *Journal of analytical Psychology*, 1 : 59-77, 1955-56.

7 - 12.

L'expression *illusion du choix possible* a été employée pour la première fois par Weakland et Jackson dans une communication, déjà mentionnée, sur les circonstances interpersonnelles d'un épisode schizophrénique. Ils font observer qu'en s'efforçant de faire un *bon* choix entre deux solutions possibles, les schizophrènes se trouvent devant un dilemme caractéristique; de par la nature même de la situation où a lieu la communication, ils ne peuvent pas faire un *bon* choix, parce que les deux solutions font partie intégrante d'une double contrainte, et le patient est donc « condamné s'il le fait et condamné s'il ne le fait pas ». Il n'existe pas de réelle alternative où l'on « devrait » choisir la « bonne » solution; c'est l'hypothèse elle-même qu'un choix est possible et qu'on doit le faire qui est une illusion [1]. Mais comprendre qu'il n'y a pas de choix possible reviendrait à identifier non seulement les « solutions » effectivement proposées, mais la véritable nature de la double contrainte. Or, comme nous l'avons montré au § 6-431, bloquer toute possibilité d'échapper à une situation de double contrainte, avec l'impossibilité qui en résulte de la voir de l'extérieur, est un élément essentiel de la double contrainte. Ceux qui se trouvent plongés dans de telles situations sont tout aussi pris au piège que l'accusé à qui on demande : « Avez-vous cessé de battre votre femme? Répondez par oui ou non », et qu'on menace d'être condamné pour outrages à magistrats s'il tente de rejeter cette alternative comme dénuée de sens, étant donné qu'il n'a jamais battu sa femme. Mais dans cet exemple, le magistrat qui pose la question sait qu'il est en train de jouer un mauvais tour à l'accusé, alors que dans la réalité de la vie quotidienne, ce savoir et cette intention sont en principe absents. Les communications paradoxales, nous l'avons déjà souligné, enchaînent toujours tous les intéressés : la sorcière est tout aussi « piégée » que le chevalier, le mari de l'exemple du § 6-445 l'est tout autant que sa femme, etc. Le point commun de ces différents modèles, c'est qu'aucun changement ne peut se faire *de l'intérieur*; si un changement est possible, il ne peut se produire qu'*en sortant* de ce modèle. Nous allons maintenant examiner ce problème du succès d'une intervention : provoquer un changement dans un système.

1. C'est évidemment toute la différence entre une double contrainte et une simple contradiction (cf. § 6-434).

7-2

LE JEU SANS FIN

Commençons par imaginer un exemple très théorique. Deux personnes inventent un jeu dont la règle est de substituer une négation à une affirmation, et vice versa, dans tout ce qu'elles se communiquent : le oui devient non, « je ne veux pas » signifie « je veux », et ainsi de suite. Ce codage de leurs messages est une convention sémantique, comme il en existe des quantités entre deux personnes partageant le même langage. Mais une fois ce jeu commencé, il n'est pas du tout évident que les joueurs pourront facilement revenir à leur ancien mode de communication. Conformément à la règle de l'inversion du sens, le message : « Cessons de jouer » signifiera « Continuons à jouer ». Pour arrêter le jeu, il faudrait sortir du jeu, et communiquer sur le jeu lui-même. Un tel message devrait évidemment être construit comme un métamessage, mais tout discriminant que l'on essaierait d'employer dans cette intention, serait lui-même soumis à la règle d'inversion du sens, et donc inutilisable. Le message : « Cessons de jouer » est indécidable pour plusieurs raisons : 1° Il a un sens à la fois au niveau de la langue-objet (il fait partie du jeu) et au niveau de la métalangue (il dit quelque chose *sur* le jeu). 2° Ces deux significations sont contradictoires. 3° La nature spéciale de ce jeu ne prévoit pas de règles qui permettraient aux joueurs de se décider pour l'une ou l'autre signification. Cette indécidabilité fait qu'il leur est impossible de cesser le jeu, une fois qu'il a commencé. Nous appelons de telles situations : *Jeux sans fin*.

On objectera peut-être qu'il serait possible d'échapper au dilemme, et de mettre un terme au jeu au gré des partenaires, simplement en ayant recours au message opposé : « Continuons le jeu ». Mais un examen plus attentif montre que tel n'est pas le cas, du strict point de vue logique. En effet, comme nous l'avons vu souvent, aucun énoncé formulé à l'intérieur d'un cadre donné (ici le jeu de l'inversion du sens) ne peut constituer en même temps une affirmation valide sur ce cadre. Même si le message : « Continuons le jeu » était émis par l'un des joueurs, et en vertu de la règle de l'inversion du sens, compris par l'autre comme « Cessons le jeu », le message resterait indécidable, à condition de faire preuve d'une logique rigoureuse. Tout simplement parce que les règles du jeu ne laissent pas place aux métamessages, et un message proposant de terminer le jeu est obligatoirement un métamessage. En vertu des règles du jeu, tout message fait partie du jeu, et aucun message ne peut se situer en dehors du jeu.

Si nous nous sommes attardés sur cet exemple, c'est parce qu'on peut y voir un paradigme, non seulement des exemples saisissants que nous avons cités au § 5-43, mais d'innombrables dilemmes ayant trait à la relation dans la vie réelle. Il met en lumière un aspect important du type de système que nous étudions maintenant : une fois que les deux joueurs se sont mis d'accord au départ sur la règle de l'inversion du sens, ils ne peuvent pas, eux-mêmes, modifier cette règle et cet accord; pour ce faire, il faudrait qu'ils communiquent, or leurs communications sont la matière même du jeu. Ce qui signifie que dans un tel système, *aucun changement ne peut être apporté de l'intérieur.*

7 - 21.

Qu'auraient pu faire les joueurs pour éviter de se trouver devant un tel dilemme? On peut envisager trois possibilités :

1. Les joueurs, prévoyant qu'ils pourraient avoir besoin de communiquer sur le jeu après le début du jeu, auraient pu convenir qu'ils joueraient le jeu en anglais, mais utiliseraient le français pour leurs métacommunications. Tout énoncé en français, comme par exemple la proposition d'arrêter le jeu, se trouverait donc incontestablement en dehors du corps de messages soumis à la règle de l'inversion du sens, c'est-à-dire en dehors du jeu lui-même, ce qui constituerait une procédure de décision d'une efficacité parfaite pour ce jeu. Mais ce serait inapplicable dans la communication réelle, puisque dans ce cas, il n'existe pas de métalangue réservée uniquement à la communication sur la communication. Dans la réalité, le comportement, et de façon plus restreinte, le langage naturel, sont employés pour communiquer à la fois dans la langue-objet et dans la métalangue, ce qui aboutit à certains des problèmes que nous étudions (cf. § 1-5).

2. Avant de commencer, les joueurs auraient pu convenir d'une

durée de leur jeu; au-delà de cette limite, ils reviendraient à leur mode normal de communication. Remarquons que, si cette solution est impraticable dans la communication humaine réelle, elle implique toutefois l'intervention d'un facteur extérieur — le temps — qui n'est pas emprisonné dans leur jeu.

3. Ceci nous conduit à la troisième possibilité. Il semble que ce soit la seule méthode, en principe efficace, et qui possède l'avantage supplémentaire de pouvoir être appliquée après le début du jeu; les joueurs peuvent exposer leur dilemme à une tierce personne avec qui tous deux ont conservé un mode normal de communication, et lui demander de prendre la décision de terminer le jeu.

L'aspect thérapeutique de l'intervention du médiateur apparaîtra peut-être plus clairement par comparaison avec un autre jeu sans fin, dans lequel, de par la nature même des choses, il n'y a pas de médiateur dont on puisse invoquer l'intervention.

La constitution d'un pays imaginaire garantit aux membres du parlement le droit à un débat illimité sur les questions qui viennent en discussion. On s'aperçoit vite que cette règle est impraticable, car n'importe quel parti peut suspendre indéfiniment un projet de loi en s'engageant dans des discours interminables. Un amendement de la constitution est de toute évidence nécessaire, mais l'adoption de cet amendement est elle-même soumise à ce droit au débat illimité qu'il a pour but d'amender; elle peut donc être indéfiniment différée au moyen d'un débat illimité. Par suite, les rouages du gouvernement de ce pays sont paralysés; le gouvernement ne peut changer ses propres règles puisqu'il est pris dans un jeu sans fin.

Dans ce cas, il n'existe évidemment pas de médiateur qui se tiendrait en dehors des règles fixées par la constitution. Le seul changement concevable est alors le recours à la violence, à la révolution, qui permet à un parti de l'emporter sur l'autre et d'imposer une nouvelle constitution. Dans le domaine des relations entre des individus pris dans un jeu sans fin, l'équivalent du recours à la violence serait la séparation, le suicide ou l'homicide. Nous avons vu au chapitre 5 une variante moins violente de ce thème : le « meurtre » par George du fils imaginaire, par lequel il détruit les anciennes règles du jeu conjugal qui se joue entre Martha et lui.

7 - 22.

Selon nous, cette troisième possibilité (intervention extérieure) est le paradigme de l'intervention psychothérapeutique. Autrement dit, le thérapeute, parce qu'il est à l'extérieur, peut apporter ce que le système lui-même ne peut engendrer : une modification de ses règles. Ainsi, dans l'exemple que nous avons donné au § 6-445, le couple est pris dans un jeu sans fin dont la règle fondamentale a été établie par la prétention du mari à être absolument digne de confiance, et l'acceptation sans réserve par la femme de cette définition de soi. Dans ce jeu relationnel, un paradoxe, impossible à dénouer, a surgi au moment où le mari a promis de n'être plus digne de confiance (c'est-à-dire infidèle). S'il est impossible de revenir en arrière, c'est parce que, comme dans tout jeu sans fin, ce jeu avait bien des règles, mais pas de métarègles permettant d'en modifier les règles. Dans un pareil cas, l'essence de l'intervention psychothérapeutique consiste, pourrait-on dire, à constituer un système nouveau et plus large (mari, femme, thérapeute), dans lequel non seulement on peut considérer de l'extérieur l'ancien système (la dyade conjugale), mais où le thérapeute peut faire usage de la puissance du paradoxe en vue d'améliorer les choses; dans ce nouveau jeu relationnel, le thérapeute peut imposer les règles qui serviront le mieux ses intentions thérapeutiques [1].

1. Toutefois, d'après notre expérience et celle de bien d'autres en ce domaine, le succès d'une intervention thérapeutique dépend d'un facteur important : le temps. Le thérapeute ne dispose que d'un moment de grâce assez limité pour atteindre son but; cela semble faire partie de la nature des relations humaines. Le nouveau système se fige lui-même relativement vite, au point que le thérapeute risque d'être pris lui-même inextricablement dans ce système, et que sa marge de manœuvre est alors beaucoup plus réduite pour provoquer une modification qu'au tout début du traitement. C'est vrai surtout des familles de schizophrènes; leur pouvoir d' « absorption » de tout ce qui menace leur rigide stabilité (en dépit de manifestations chaotiques superficielles) est véritablement extraordinaire. Il est caractéristique, et très normal, que le thérapeute consulte un autre thérapeute chaque fois qu'il sent qu'il s'est laissé prendre au jeu de son patient (ou de ses patients). Ce n'est qu'en exposant le problème à un autre thérapeute qu'il peut sortir du cadre où il s'est laissé enfermer.

7 - 3

PRESCRIRE LE SYMPTÔME

7 - 31.

Il faut donc que la communication thérapeutique dépasse les conseils, aussi courants qu'inefficaces, que les protagonistes donnent eux-mêmes, ou que leur prodiguent amis et parents. Des recommandations du type : « Soyez gentils l'un avec l'autre », ou « N'ayez pas d'histoires avec la police », etc., peuvent être difficilement qualifiées de thérapeutiques, tout en donnant une définition naïve du changement souhaitable. Ces messages se fondent sur l'hypothèse qu'avec « un peu de volonté », on peut changer les choses, donc qu'il appartient à l'individu, ou aux individus, en question, de choisir entre la santé et la misère morale. Pourtant cette hypothèse relève de « l'illusion du choix possible », dans la mesure du moins où le patient peut toujours la repousser par ces paroles qui coupent court à tout : « Je n'y peux rien. » Les patients de bonne foi — c'est-à-dire que nous excluons les simulateurs délibérés — ont généralement essayé sans succès tous les types d'auto-discipline et tous les exercices de volonté, longtemps avant de faire part de leur détresse à quelqu'un et de s'entendre dire : « Mais voyons, reprenez-vous! » Il est de la nature du symptôme d'échapper à la volonté, et donc d'avoir une certaine autonomie. Mais ce n'est qu'une autre manière de dire qu'un symptôme est un segment de comportement spontané, si spontané en fait, que le patient lui-même l'éprouve comme quelque chose qu'il ne peut maîtriser. C'est cette oscillation entre spontanéité et contrainte qui rend le symptôme paradoxal, dans l'expérience du malade comme dans son effet sur autrui.

Si l'on veut influencer le comportement de quelqu'un, il n'y a essentiellement que deux manières d'y parvenir. La première consiste à persuader cette personne de se comporter autrement. Nous venons de voir que cette méthode échoue avec les symptômes parce que le patient ne peut volontairement maîtriser son comportement. La seconde méthode (dont nous donnerons des exemples au § 7-5) consiste à l'inciter à se comporter comme il le fait déjà. A la lumière des chapitres précédents, ceci équivaut au paradoxe : « Soyez spontané. » Si l'on demande à quelqu'un d'adopter un certain type de comportement, jugé jusque-là comme spontané, il ne peut plus être spontané, parce que le fait de l'exiger rend sa spontanéité impossible [1]. En vertu de ce principe, si le thérapeute demande au patient d'agir son symptôme, il exige par là un comportement spontané, et cette injonction paradoxale, par elle-même, impose au patient une modification de son comportement. Son comportement symptomatique n'est plus spontané; en se soumettant à l'injonction du thérapeute, le patient sort du cadre de son jeu sans fin, qui jusque-là ne possédait pas de métarègles permettant de modifier ses propres règles. C'est toute la différence qu'il y a entre faire quelque chose « parce que je ne peux pas m'en empêcher », et adopter le même comportement « parce que mon thérapeute me l'a dit ».

7 - 32.

Prescrire le symptôme (double contrainte visant à le faire disparaître) est une technique qui peut sembler en contradiction ouverte avec les principes de la psychothérapie d'inspiration psychanalytique qui proscrit toute intervention directe portant sur les symptômes. Pourtant, au cours de ces dernières années, les preuves se sont accumulées qui permettent de penser que si l'on se borne à faire disparaître le symptôme, il n'en découle aucune conséquence fâcheuse; tout dépend évidemment de la manière dont on aborde le comportement symptomatique [2]. Il ne fait pas de doute, par exemple, que si l'on force

1. Le résultat inévitable de ce type de communication peut se vérifier facilement. Si X fait à Y la remarque suivante : « Vous paraissez très décontracté, tel que vous êtes assis là, sur cette chaise », et continue à regarder Y, il ne lui a rien demandé, il a simplement décrit son comportement. Pourtant Y ne va pas tarder à se sentir gêné et mal à l'aise, et il devra changer de posture pour retrouver une sensation de confort et de détente. Ceci rappelle la fable du cancrelat et du mille-pattes : le cancrelat demande au mille-pattes comment il s'y prend pour faire marcher ses mille-pattes avec autant d'aisance et d'élégance, et avec une si parfaite coordination. A l'instant même, le mille-pattes se trouve dans l'incapacité de marcher.

2. Ne pas aborder le comportement symptomatique consisterait par exemple à ne provoquer un changement que *chez un seul* des partenaires d'une relation étroite (cf. § 7-33).

un anorexique à manger, il peut devenir dépressif ou suicidaire; aussi bien, n'est-ce pas ce type d'intervention thérapeutique que nous avons en vue. Il ne faut pas oublier par ailleurs que ce que l'on attend d'une intervention dépend de la philosophie de la thérapie que l'on a adoptée. Ce que l'on appelle « thérapie de comportement », par exemple (cf. Wolpe, Eysenck, Lazarus et coll.) est plus une application aux troubles affectifs d'une théorie de l'apprentissage que de la théorie psychanalytique; par suite, elle se soucie fort peu des effets fâcheux éventuels d'un traitement qui ne porte que sur les symptômes. Lorsque ces thérapeutes prétendent que faire disparaître le symptôme ne provoque pas l'apparition de symptômes de remplacement bien pires, et que leurs patients ne deviennent pas suicidaires, on est bien obligé maintenant de les croire. De manière analogue, si un patient se voit recommander d'agir son symptôme, et ce faisant, découvre qu'il peut s'en débarrasser, c'est pratiquement l'équivalent, à notre avis, du résultat de la prise de conscience *(insight)* dans la psychanalyse classique, bien qu'aucune espèce de prise de conscience ne semble avoir été obtenue. Mais dans la vie réelle elle-même, le caractère incessant du changement s'accompagne rarement d'une prise de conscience; le plus souvent, on change et on ne sait pas comment ni pourquoi. Nous irions même jusqu'à dire, que du point de vue de la communication, qui est le nôtre, il est vraisemblable que la plupart des formes traditionnelles de psychothérapie s'attachent beaucoup plus aux symptômes qu'on ne pourrait le croire à première vue. Le thérapeute qui, régulièrement et délibérément, laisse de côté les plaintes que formule son patient sur son symptôme, signifie par là, plus ou moins ouvertement, que, pour le moment, ça ne fait rien si le patient a ce symptôme, et que la seule chose qui importe, c'est de savoir ce qu'il y a « derrière ». On accorde sans doute trop peu d'attention à l'aspect curatif de cette attitude « permissive » à l'égard du symptôme.

7 - 33.

Cependant, comme nous envisageons la psychopathologie comme système et comme interaction, nous sommes obligés d'aborder la discussion d'un point important, que semble négliger la thérapie de comportement, et qui, au sens large, confirme la mise en garde des théories psychodynamiques contre le pur et simple allègement des symptômes. Si nous sommes convaincus de l'efficacité de la thérapie de comportement (ou déconditionnement) quand on considère le malade comme une monade, nous ne pouvons que noter l'absence, dans la théorie comme dans les cas rapportés, de toute espèce de remarques concernant l'effet de l'amélioration souvent radicale du patient sur l'interaction des partenaires. Si nous nous fions à notre expérience (cf. § 4-44 et 4-443), un tel changement s'accompagne très souvent de l'apparition d'un nouveau problème, ou de l'aggravation d'un état déjà existant, chez un autre membre de la famille. Quand on lit les ouvrages qui traitent de la thérapie de comportement, on recueille l'impression que le thérapeute (parce qu'il ne s'occupe que d'un individu) ne verrait aucun rapport de cause à effet entre ces deux phénomènes, et si on le lui demandait, aborderait le nouveau problème, une fois de plus, comme celui d'une monade isolée.

7 - 34.

Il est probable que depuis longtemps des psychiatres se servent intuitivement de la technique que nous appelons « Prescrire le symptôme ». Autant que nous le sachions, elle a été introduite officiellement dans la littérature médicale par Dunlap en 1925 [1], dans un passage traitant de la suggestion négative. Il n'en donne qu'une brève description : sa méthode consiste à dire au patient qu'il ne pourrait pas agir de manière à motiver son action. Frankl [2] qualifie cette intervention d' « intention paradoxale », mais ne donne aucune raison d'être de son efficacité. Dans la psychothérapie de la schizophrénie, la même technique est une tactique importante de *l'analyse directe* de Rosen [3]. Il la qualifie de « réduction à l'absurde » ou de « re-production de la psychose »; la longue étude critique que lui a consacrée

1. Knight Dunlap, « A revision of the fundamental law of habit formation », *Science*, 67 : 360-2, 1928. « Repetition in the breaking of habits », *Scientific Monthly*, 30 : 66-70, 1930.

2. Victor E. Frankl, *The Doctor and the Soul*, Alfred A. Knopf, New York, 1957. « Paradoxical intention », *American Journal of Psychotherapy*, 14 : 520-35, 1960.

3. John N. Rosen, *Direct Analysis*, Grune and Stratton, New York, 1953.

Scheflen [1] donne une description détaillée de cette technique. L'expression « prescrire le symptôme » a été introduite pour la première fois dans les travaux du groupe de recherche de Bateson sur « La thérapie familiale dans la schizophrénie ». Ce groupe a mis explicitement en lumière la nature paradoxale de cette technique et la double contrainte qu'elle implique. Haley [2], par exemple, a montré le rôle capital de ce type d'injonction paradoxale dans presque toutes les techniques d'hypnose; il donne de nombreux exemples de son usage en hypnothérapie, à partir de l'observation qu'il a pu faire de la technique de Milton Erickson, et à partir de ses propres expériences. Jackson a consacré plusieurs communications à l'emploi de cette méthode, chez les paranoïaques notamment [3]; nous parlerons plus longuement de ce travail au cours de ce chapitre. Dans une communication antérieure, Jackson et Weakland examinent la valeur de semblables techniques en thérapie familiale [4].

7-4

LES DOUBLES CONTRAINTES THÉRAPEUTIQUES

Prescrire le symptôme n'est qu'une forme possible des multiples et différentes interventions paradoxales que l'on peut subsumer sous l'expression « doubles contraintes thérapeutiques »; celles-ci, en retour, ne sont qu'une catégorie, entre autres, de communications thérapeutiques, et bien d'autres méthodes ont été traditionnellement em-

1. Albert E. Scheflen, *A Psychotherapy of Schizophrenia : Direct Analysis*, Charles C. Thomas ed., Springfield, Illinois, 1961.
2. Jay Haley, *Strategies of Psychotherapy*, *op. cit.*, p. 20-59.
3. Don D. Jackson, « Interactional psychotherapy », in Morris I. Stein, *Contemporary Psychotherapies*, The Free Press, Glencoe, Illinois, 1962, p. 256-71. « A suggestion for the technical handling of Paranoid Patients », *Psychiatry*, 26 : 306-7, 1963.

Don D. Jackson et Paul Watzlawick, « The Acute Psychosis as a manifestation of growth experience », *Psychiatric Research Reports*, 16 : 83-94, 1963.

4. Don D. Jackson et John H. Weakland, « Conjoint Family Therapy. Some considerations on theory, technique and results », *Psychiatry*, 24 : 30-45, supplément au nº 2, 1961.

ployées en psychothérapie. Si, dans ce chapitre, nous nous attachons à la valeur curative des communications paradoxales, c'est parce que, du point de vue de la communication, ce sont à notre connaissance les interventions les plus complexes et les plus efficaces, et aussi parce qu'on peut difficilement imaginer que des doubles contraintes symptomatiques puissent être brisées autrement que par des « contre-doubles contraintes », ou des jeux sans fin terminés autrement que par un « contre-jeu », tout aussi complexe [1]. *Similia similibus curantur*, autrement dit, ce qui, pense-t-on, a rendu quelqu'un fou doit être éventuellement utilisable pour le rendre sain d'esprit. Nous ne nions pas du tout par là l'énorme importance de l'attitude humaine du thérapeute envers son patient; nous ne voulons pas dire non plus que la fermeté, la compréhension, la sincérité, la chaleur et la sympathie n'ont pas leur place dans ce contexte, ni que tout n'est qu'une question d'adresse, de jeux et de tactique. La psychothérapie serait impensable si le thérapeute ne possédait pas les qualités que nous venons d'énumérer, et nous verrons dans les exemples qui vont suivre que les techniques plus traditionnelles d'explication et de compréhension sont souvent employées de concert avec les interventions du type double contrainte. Ce que nous voulons dire, par contre, c'est que les qualités du thérapeute ne suffisent pas à elles seules pour débrouiller la complexité paradoxale d'une interaction perturbée.

Du point de vue structurel, une double contrainte thérapeutique est l'image en miroir d'une double contrainte pathogène (cf. § 6-431) :

1. Elle présuppose l'existence d'une relation intense — dans ce cas, la situation psychothérapeutique — qui a pour le patient une très grande valeur vitale, et dont il attend beaucoup.

2. Dans ce contexte, on formule une injonction dont la structure est telle qu'elle renforce le comportement que le patient s'attend à voir changer; elle implique que ce renforcement est le véhicule même du changement; elle crée par là un paradoxe, puisqu'on demande au patient de changer en restant inchangé. Eu égard à ses troubles pathologiques, il se trouve placé dans une situation intenable. S'il obéit, il ne peut plus dire : « Je ne peux pas m'en empêcher »; il « agit » son symptôme, ce qui, nous avons essayé de le montrer, « le » rend im-

1. Alan Wilson Watts, « The Counter Game », in *Psychotherapy, East and West*, Pantheon Books, New York, 1961, p. 127-67.

possible, but que poursuit la thérapie. S'il refuse d'obéir à l'injonction, il ne peut y parvenir qu'en *ne se comportant pas* symptomatiquement, but que poursuit la thérapie. Si dans une double contrainte pathogène, le patient est « condamné s'il le fait et condamné s'il ne le fait pas », dans une double contrainte thérapeutique, le patient « change s'il le fait et change s'il ne le fait pas. »

3. La situation thérapeutique est bâtie de manière à empêcher le patient de se retirer du jeu ou de dissiper le paradoxe en le critiquant [1] Donc, même si logiquement, l'injonction est absurde, elle a néanmoins une réalité pragmatique; le patient ne peut pas *ne pas* y réagir, mais il ne peut pas non plus y réagir selon son mode habituel, c'est-à-dire par ses symptômes.

Les exemples qui vont suivre ont pour but de montrer comment une double contrainte thérapeutique oblige toujours le patient à sortir du cadre que lui fixe son dilemme. Ce pas, il ne peut le faire seul, mais la possibilité lui en est donnée quand le système primitif est élargi; lorsqu'il n'est plus le système d'un individu et de son symptôme, ou de deux ou plusieurs personnes et de leur jeu sans fin (le plus souvent une combinaison des deux), mais un système plus vaste qui comprend maintenant un étranger, qui est aussi un spécialiste. Non seulement, il est alors possible pour tous les intéressés de regarder l'ancien système de l'extérieur, mais on peut désormais introduire ces métarègles que l'ancien système ne pouvait engendrer lui-même de l'intérieur.

Restons-en là pour les aspects théoriques du rôle thérapeutique des doubles contraintes. L'application pratique est un sujet beaucoup plus épineux. Disons simplement que le point le plus difficile est de bien choisir l'injonction paradoxale : si on laisse la plus petite échappatoire, le patient aura tôt fait, en principe, de la repérer, ce qui lui permettra de fuir la situation, soi-disant intenable, combinée par le thérapeute.

1. Ceci peut ne pas paraître très convaincant, mais il est, en fait, extrêmement rare de rencontrer un patient qui n'accepterait pas les injonctions, même les plus absurdes (par exemple : « Je veux que vous souffriez davantage ») sans poser une foule de questions.

7-5

EXEMPLES DE DOUBLES CONTRAINTES THÉRAPEUTIQUES

Nous ne prétendons pas que la série d'exemples que nous allons donner soit particulièrement représentative, ni qu'elle soit plus éclairante que les exemples que l'on pourra trouver dans les travaux que nous avons cités au § 7-34. Mais nous pensons que ces exemples peuvent illustrer certaines applications possibles de cette technique thérapeutique, car les cas exposés sont empruntés à des thérapies individuelles et des thérapies de groupe et présentent une certaine diversité nosologique.

Exemple 1 : En discutant la théorie de la double contrainte, nous avons déjà dit que le paranoïaque, dans sa quête minutieuse du sens, va souvent jusqu'à faire passer au crible des phénomènes totalement secondaires et sans rapport entre eux, puisqu'il a été mis dans l'impossibilité de percevoir et de critiquer correctement le véritable problème (c'est-à-dire le paradoxe). On ne peut manquer d'être frappé, devant le comportement paranoïaque, par une extrême méfiance associée à l'incapacité de fait de mettre une bonne fois à l'épreuve ses soupçons, ce qui résoudrait la question dans un sens ou dans l'autre. Ainsi, alors que le patient prend des airs distants et entendus, il souffre en réalité de « trous » énormes dans son expérience réelle, et l'injonction répétée d'avoir à se méfier d'une perception correcte a un double effet : elle empêche le patient de combler ces « trous » avec une bonne information, et elle renforce ses soupçons. En se fondant sur le concept de communication paradoxale, Jackson [1] a décrit une technique spéciale pour nouer une interaction avec des paranoïaques, technique qu'il appelle tout simplement « *Apprendre au patient à être plus méfiant* ». Nous en donnons quelques exemples :

a) Un malade exprime la crainte que quelqu'un ait caché un microphone dans le cabinet du thérapeute. Au lieu d'essayer d'inter-

1. Don D. Jackson, *op. cit.*

préter ce soupçon, le thérapeute exprime un souci « de circonstance », et place le malade dans une double contrainte thérapeutique en lui suggérant d'explorer avec lui tous les coins et recoins de son cabinet avant de poursuivre la séance. Ceci donne au malade « l'illusion du choix possible » : ou bien il accepte l'exploration proposée, ou bien il abandonne ses idées paranoïaques. Le malade choisit la première solution. Au fur et à mesure que se déroule cette minutieuse exploration, l'incertitude et le trouble le gagnent au sujet de ses soupçons; mais le thérapeute ne lui laisse pas de répit; ils doivent explorer ensemble le moindre recoin du cabinet du thérapeute. Le malade se lance alors dans une description hautement significative de son mariage, et il se révèle que *dans ce domaine-là,* il avait de bonnes raisons d'avoir des soupçons. Mais, par suite d'une polarisation sur un soupçon sans rapport avec le problème réel, il s'était mis dans l'incapacité d'entreprendre quoi que ce soit ayant effectivement un rapport avec ses inquiétudes et ses doutes. Si, par ailleurs, le malade avait rejeté la proposition du thérapeute : explorer le cabinet, il aurait lui-même implicitement disqualifié ses soupçons, ou aurait dit que ça ne valait pas la peine d'en parler. Dans les deux cas, la fonction thérapeutique du doute pouvait permettre d'aborder le problème réel.

b) Une présentation de cas, à l'usage d'internes en psychiatrie, avait pour but de leur montrer par quelles techniques on pouvait entrer en contact avec des schizophrènes autistiques. L'un des malades était un jeune homme de haute taille et barbu, qui se prenait pour Dieu, et se tenait complètement à l'écart des autres malades et du personnel. En entrant dans la salle de conférences, le malade plaça ostensiblement sa chaise à cinq mètres environ du thérapeute, et ignora toute question et toute observation. Le thérapeute lui dit alors qu'il n'était pas sans danger de se prendre pour Dieu; le malade pouvait facilement se trouver bercé par un sentiment erroné d'omniscience et d'omnipotence, ce qui le conduirait à négliger de se tenir sur ses gardes et de vérifier sans cesse ce qui se passait autour de lui. Il lui fit comprendre clairement que s'il voulait prendre ce risque, c'était son affaire, et s'il voulait être traité comme Dieu, le thérapeute n'y faisait pas d'objection. Pendant que se structurait cette double contrainte, le malade devint de plus en plus nerveux, mais en même temps, de plus en plus intéressé par ce qui se passait. Le thérapeute sortit alors de sa poche la clef du service, s'agenouilla devant le malade et lui tendit la clef, en lui disant que, puisqu'il était Dieu, il n'avait pas besoin de la clef, mais que s'il était vraiment Dieu, il lui revenait beaucoup plus à lui qu'au médecin d'avoir la clef. Le thérapeute ne fut pas plus tôt revenu à son bureau que le malade se saisit brusquement de sa chaise et la tira à moins de soixante centimètres du thérapeute. En se penchant en avant, il lui dit avec le plus grand sérieux et une réelle inquiétude : « Dites donc, mon vieux, l'un de nous deux doit être cinglé. »

Exemple 2 : Non seulement la situation psychanalytique, mais aussi la plupart des situations psychothérapeutiques, abondent en doubles contraintes implicites. L'un des tout premiers collaborateurs de Freud, Hans Sachs, s'est aperçu de la nature paradoxale de la psychanalyse; on lui attribue la formule selon laquelle *une analyse se termine quand le patient se rend compte qu'elle pourrait continuer indéfiniment.* Cette formule n'est pas sans rappeler curieusement l'un des dogmes du bouddhisme Zen, qui veut que l'illumination surgisse quand le disciple comprend qu'il n'y a pas de secret, pas de réponse définitive, et donc aucune raison de continuer à poser des questions. Pour une étude approfondie de ce sujet, nous renvoyons le lecteur à Jackson et Haley [1], dont nous allons résumer ici très brièvement les travaux.

La tradition veut que, dans la situation de transfert, le patient « régresse » à des modèles antérieurs et « inadéquats » du comportement. Là encore, Jackson et Haley ont abordé le problème par l'autre bout, et se sont demandé : que serait donc un comportement adéquat dans la situation psychanalytique? On pourrait penser que la seule réaction « adulte » à tout le rituel psychanalytique : divan, associations libres, spontanéité obligée, honoraires, horaires stricts, etc., serait de tout rejeter en bloc. Mais c'est précisément ce que le patient, qui a besoin d'aide, ne peut faire. Le décor est planté pour un contexte de communication très spécial. Énumérons quelques-uns des paradoxes, parmi les plus marquants, qu'implique une telle situation :

a) Le patient voit en son analyste un spécialiste qui ne manquera pas de lui dire ce qu'il doit faire. L'analyste répond en renvoyant le patient à lui-même, en le rendant responsable du déroulement du traitement, et en lui demandant d'être spontané, tout en fixant des règles

1. Don D. Jackson et Jay Haley, « Transference revisited », *Journal of nervous and mental disease*, 137 : 363-71, 1963.

qui circonscrivent entièrement le comportement du patient. C'est bien un cas où l'on dit au patient : « Soyez spontané. »

b) Quoi que fasse le patient dans cette situation, il se trouvera en présence d'une réponse paradoxale. S'il remarque qu'il ne voit pas d'amélioration, on lui dira que cela tient à ses résistances, mais que c'est une bonne chose parce que cela fournit l'occasion de mieux comprendre son problème. S'il dit qu'il pense constater une amélioration, on lui dira qu'il résiste à nouveau au traitement, en tentant « la fuite dans la santé », avant que son problème réel n'ait été analysé.

c) Le patient se trouve dans une situation où il ne peut se comporter en adulte, et pourtant l'analyste interprète son comportement de type infantile comme un résidu de l'enfance, et donc comme un comportement inadapté.

d) Un paradoxe supplémentaire surgit quand on aborde la question très délicate de savoir si la relation analytique est volontaire ou obligatoire. D'une part, on ne cesse de répéter au patient que sa relation est volontaire, qu'il s'agit donc d'une relation *symétrique*. Mais, que le patient soit en retard, qu'il manque une séance, ou viole de toute autre manière l'une des règles fixées, il devient évident que la relation est du type obligatoire, *complémentaire*, l'analyste occupant la position « haute ».

e) Cette position « haute » de l'analyste est particulièrement éclatante chaque fois qu'intervient le concept d'inconscient. Si le patient rejette une interprétation, l'analyste peut toujours dire qu'il ne fait que souligner quelque chose que le patient, par définition, ignore, puisque c'est inconscient. Si, par contre, le patient tente de se réclamer de l'inconscient, l'analyste peut rejeter cette proposition, en disant que si c'était inconscient, le patient ne pourrait s'en prévaloir [1].

D'après ce que nous venons de dire, on voit que, mettant entre parenthèses tout ce que peut faire par ailleurs l'analyste pour provoquer un changement, la situation psychanalytique est par elle-même une double contrainte thérapeutique complexe dans laquelle le patient « change s'il le fait et change s'il ne le fait pas ». On voit également que cela n'est pas propre à la situation psychanalytique au sens strict, mais plus largement à toute psychothérapie.

1. Souligner les implications interpersonnelles du concept d'inconscient ne signifie pas pour autant nier l'existence de l'inconscient, ou la commodité de ce concept (cf. § 1-62).

Exemple 3 : Les médecins sont censés guérir. Si l'on a en vue l'interaction, ils se trouvent placés par là dans une position tout à fait singulière. Tant que leur traitement réussit, ils occupent franchement la position « haute », dans la relation médecin-malade. Par contre, si leurs efforts échouent, les positions sont inversées. Le fait que le malade se montre réfractaire à tout traitement colore toute la relation médecin-malade, et le médecin se trouve dans la position « basse ». Le médecin risque alors de se laisser prendre dans une double contrainte par des malades qui, pour des raisons souvent très obscures, ne peuvent accepter une amélioration, ou pour qui l'important est d'avoir, dans toute relation, y compris avec le médecin, la position « haute », au prix même de la douleur et de la gêne. Dans les deux cas, tout se passe comme si ces malades, à travers leurs symptômes, transmettaient ce message : « Aidez-moi, mais je ne vous laisserai pas m'aider. »

Une malade de ce genre, femme d'un certain âge, avait été adressée à un psychiatre en raison de maux de tête persistants et qui constituaient un handicap. Les douleurs avaient commencé quelque temps après un accident où elle avait été victime d'un traumatisme crânien (occipital). Les choses s'étaient arrangées sans complications, et des examens médicaux approfondis n'avaient rien révélé qui puisse rendre compte de ses maux de tête. La patiente avait été dédommagée en bonne et due forme par une compagnie d'assurances, et aucune action judiciaire ou demande de dommages-intérêts n'était en instance. Avant d'être adressée au psychiatre, elle avait été examinée et traitée par un certain nombre de spécialistes dans un grand établissement hospitalier. Au fil de ces consultations, elle avait ainsi constitué un dossier d'un volume impressionnant, et elle avait été source de fortes frustrations professionnelles pour ces médecins.

En étudiant son cas, le psychiatre comprit, qu'étant donné ce passé d' « échecs » des médecins, toute allusion à une *aide* que pourrait lui apporter la psychothérapie vouerait le traitement à l'échec dès le départ. Il commença donc par informer la patiente que, vu les résultats de tous les examens antérieurs et le fait qu'aucun traitement n'avait réussi à la soulager, il fallait se rendre à l'évidence que son état était incurable. Ce fait très regrettable l'amenait à lui dire que tout ce qu'il pouvait faire, c'était de l'aider à apprendre à vivre avec ses douleurs. En entendant ces paroles, la patiente sembla plus furieuse que bouleversée, et d'un ton assez mordant, elle demanda si c'était là tout ce que la psychiatrie avait à offrir. Le psychiatre riposta en brandissant son volumineux dossier, et répéta qu'en face de telles preuves, il n'y avait vraiment aucun espoir d'amélioration, et qu'elle devrait apprendre à s'y résigner. Une semaine plus tard, la patiente revint pour son second entretien; elle annonça au psychiatre que, dans l'intervalle, elle avait beaucoup moins souffert de ses maux de tête. En entendant cela, le psychiatre se montra très inquiet; il se critiqua pour ne pas l'avoir prévenue de l'éventualité d'une telle rémission temporaire, purement subjective, de ses douleurs, et il exprima la crainte que les douleurs ne reprennent fatalement leur intensité d'autrefois; et dans ce cas, la patiente serait encore plus malheureuse, parce qu'elle aurait mis des espoirs injustifiés dans une rémission purement temporaire de ses sensations douloureuses. De nouveau, il mit en avant son dossier, souligna son caractère exhaustif, et répéta que, plus vite elle abandonnerait tout espoir d'amélioration, plus vite elle apprendrait à vivre avec ses douleurs. A partir de ce moment-là, la psychothérapie prit un tour assez orageux, le psychiatre se montrant de plus en plus sceptique sur l'aide qu'il pouvait lui apporter puisqu'elle n'acceptait pas que « son état soit incurable », et la malade proclamant avec colère et impatience qu'il y avait une amélioration régulière. Entre ces « reprises » du jeu, un temps non négligeable de l'entretien a pu, malgré tout, être mis à profit pour explorer d'autres aspects importants des relations interpersonnelles de cette femme. Elle finit par cesser le traitement, de son plein gré, et très améliorée, après avoir incontestablement compris que son jeu avec le psychiatre pouvait continuer indéfiniment.

Exemple 4 : Les cas de douleurs psychogènes, comme celui que nous venons de citer, sont en général tout particulièrement justiciables d'une psychothérapie brève, fondée sur la communication paradoxale. On peut souvent imposer une double contrainte thérapeutique dès le tout premier contact, souvent même au moment où le malade demande un rendez-vous par téléphone. Si le thérapeute a de bonnes raisons d'être sûr du caractère psychogène des plaintes formulées (il peut acquérir cette certitude en en parlant auparavant avec le médecin qui lui adresse le malade), il peut, au téléphone, prévenir le malade qu'il n'est pas rare que les gens se sentent beaucoup mieux avant même leur premier entretien; mais que cette amélioration est purement temporaire, et qu'il ne faut y placer aucun espoir. Si, avant le premier rendez-vous, le malade ne ressent aucune amélioration, cela n'a pas d'importance, et le malade sera sensible à l'attention prévoyante du thérapeute. Mais s'il se sent mieux, le décor est planté pour structurer davantage une double contrainte thérapeutique. L'étape suivante peut consister à expliquer que la psychothérapie ne peut soulager la douleur, mais qu'en général, le malade lui-même peut « déplacer l'heure de la douleur » et « télescoper son intensité ». On demande, par exemple, au malade de citer une période de deux heures dans une journée où cela le dérangerait le moins de ressentir une douleur *plus forte*. On lui demande alors de ressentir une vive douleur pendant ces deux heures-là, étant sous-entendu qu'il se sentira mieux le restant de la journée. Ce qu'il y a de plus extraordinaire, c'est que les malades s'arrangent d'habitude pour se sentir plus mal aux heures fixées, suivant ce qui leur a été suggéré; mais à travers cette expérience, ils ne peuvent pas ne pas s'apercevoir que, dans une certaine mesure, ils sont capables de maîtriser leur douleur. Bien entendu, à aucun moment le thérapeute ne leur suggère d'essayer de se sentir mieux; au contraire, il persiste dans l'attitude sceptique, que nous avons décrite dans l'exemple 3, pour tout ce qui concerne une quelconque amélioration. Pour de nombreux exemples de cette technique paradoxale (énurésie, insomnie, tics et divers), nous renvoyons le lecteur à Haley [1].

Exemple 5 : Une jeune étudiante courait le risque de se faire « coller » à ses examens parce qu'elle était incapable de se lever assez tôt, de manière à être au cours à huit heures du matin. Elle avait tout essayé, mais rien à faire, elle ne pouvait arriver au cours avant dix heures. Le thérapeute lui dit qu'il y avait une manière assez simple de s'attaquer à ce problème, mais ce serait déplaisant et il était sûr qu'elle refuserait de coopérer. Ceci poussa la jeune fille (qui se faisait beaucoup de souci pour son avenir immédiat, et qui avait acquis une confiance suffisante envers le thérapeute lors d'entretiens précédents) à promettre qu'elle ferait tout ce qu'il lui dirait. Le thérapeute lui demanda alors de mettre son réveil à sept heures. Le matin, quand son réveil s'arrêterait, elle se trouverait en face de deux choix possibles : ou bien se lever, prendre son petit déjeuner et être au cours à huit heures, auquel cas tout serait réglé, ou bien rester au lit, comme d'habitude.

1. Jay Haley, *Strategies of Psychotherapy*, p. 41-59.

Mais dans ce cas, elle ne devrait pas se lever un peu avant dix heures, comme elle en avait l'habitude; elle devrait remettre le réveil sur *onze heures* et rester couchée ce matin-là et le matin suivant, jusqu'à ce que le réveil sonne et s'arrête. Pendant ces deux matinées, elle ne devrait ni lire, ni écrire, ni écouter la radio, ni faire quoi que ce soit, sinon dormir ou simplement rester couchée; passé onze heures, elle pourrait faire ce qu'elle voudrait. Le soir du deuxième jour, elle devrait mettre de nouveau le réveil à sept heures, et si elle ne pouvait toujours pas se lever, elle devrait de nouveau rester au lit jusqu'à onze heures ce matin-là, et le matin suivant, et ainsi de suite. Enfin, le thérapeute acheva de nouer la double contrainte en lui disant que si elle ne remplissait pas ce contrat, qu'elle avait accepté de son plein gré, il ne pourrait plus lui être d'aucune aide et devrait donc interrompre le traitement. La jeune fille partit très contente de ces recommandations, apparemment agréables. A sa séance suivante, trois jours plus tard, elle dit que, comme d'habitude, elle n'avait pu se lever à l'heure le premier matin, qu'elle était restée au lit jusqu'à onze heures, conformément à ses prescriptions, mais que ce repos forcé au lit (et surtout entre dix et onze heures) avait été pour elle d'un ennui quasiment insupportable. Le second matin avait été pire, et, au-delà de sept heures, elle n'avait pu dormir une minute de plus, bien que le réveil n'ait sonné naturellement qu'à onze heures. A partir de ce moment-là, elle fut à l'heure au cours du matin, et c'est seulement alors qu'il devint possible d'explorer les raisons qui, apparemment, l'obligeaient à manquer ses cours.

Exemple 6 : La psychothérapie de groupe d'une famille, composée des parents et de leurs deux filles (âgées de 17 ans et 15 ans), en était arrivée au point où un vieux problème relationnel des parents commençait à émerger. A ce moment-là, se produisit un changement notoire dans le comportement de la fille aînée. Elle se mit à discutailler et à faire obstruction aux entretiens de toutes les manières possibles. Tous les efforts de son père pour maîtriser ce comportement restèrent sans effet, et la jeune fille finit par dire au thérapeute qu'elle refusait désormais de coopérer à la thérapie. Le thérapeute riposta en lui disant qu'il comprenait son angoisse, et qu'il *souhaitait* qu'elle coopère le moins possible, et qu'elle perturbe les choses le plus possible. Par cette simple injonction, il la mettait dans une situation intenable : si elle continuait à perturber le cours de la thérapie, elle coopérait, ce qu'elle ne voulait faire à aucun prix; mais si elle voulait désobéir à l'injonction du thérapeute, elle ne pouvait le faire qu'en *n'étant pas* non-coopérative et *en ne perturbant pas* le cours des choses, ce qui permettrait de poursuivre sans accroc la psychothérapie. Naturellement, elle aurait pu refuser de continuer à venir aux séances, mais le thérapeute avait bloqué cette issue en laissant entendre que, dans ce cas, elle serait au centre des débats familiaux, perspective qui, il le savait, lui était insupportable.

Exemple 7 : Le mari, ou la femme, qui boit maintient en général un modèle de communication assez stéréotypé avec l'autre conjoint. Par commodité, nous supposerons, dans l'exemple suivant, que c'est le mari qui boit, mais les rôles pourraient être inversés sans entraîner de modification importante du schéma général.

La difficulté première réside souvent dans une ponctuation discordante de la séquence des faits. Le mari peut dire, par exemple, que sa femme est très dominatrice, et qu'il se sent davantage un homme après quelques verres. La femme riposte vivement à pareille affirmation, en disant qu'elle renoncerait volontiers à la direction du ménage, si seulement il montrait un peu plus de sens des responsabilités, mais puisqu'il s'enivre tous les soirs, elle est bien obligée de s'occuper de lui. Elle peut continuer en disant que, sans elle, son mari serait très capable de mettre le feu à la maison en s'endormant avec une cigarette allumée, et que ça a failli se produire bien des fois. Il riposterait sans doute qu'il ne s'aviserait jamais de courir un tel risque, s'il était célibataire. Il ajouterait peut-être que c'est un bon exemple de son influence castratrice. De toute manière, après quelques « rounds » de ce genre, leur jeu sans fin crève les yeux d'un observateur impartial. Derrière cette façade de mécontentement, de frustration et d'accusations, ils se confirment mutuellement au moyen d'un *quiproquo* [1]; lui, en la mettant à même d'être sobre, raisonnable et protectrice; elle, en lui donnant la possibilité de se montrer irresponsable, puéril, et d'une manière générale, un raté incompris.

L'une des doubles contraintes thérapeutiques possibles où l'on pourrait prendre un tel couple, consisterait à leur prescrire de boire ensemble, mais à la condition que la femme ait toujours un verre d'avance sur son mari. Introduire cette nouvelle règle dans leur

1. Don D. Jackson, « Family rules : the marital Quid pro Quo », *Archives of general Psychiatry*, 12 : 589-94, 1965.

interaction aboutit pratiquement à démolir l'ancien modèle. Tout d'abord, boire est maintenant un devoir, et non plus quelque chose dont « il ne peut s'empêcher ». Deuxièmement, ils doivent compter continuellement le nombre de verres qu'ils boivent. Troisièmement, la femme qui n'a pas l'habitude de boire, atteint rapidement un degré d'ivresse qui nécessite que ce soit *lui* qui s'occupe d'*elle*. Il ne s'agit pas seulement d'un complet renversement des rôles habituels : le mari se trouve placé dans une position intenable pour ce qui est de son penchant à la boisson. S'il respecte les prescriptions du thérapeute, il doit désormais s'arrêter de boire, ou bien obliger sa femme à boire encore, au risque de la rendre malade, encore plus impuissante, etc. Si, au moment où sa femme refuse de continuer à boire, il veut rompre la règle (elle doit toujours avoir un verre d'avance sur lui), et continue à boire seul, il se trouve dans une situation tout à fait inhabituelle : il est privé de son ange gardien, et même il devient responsable de lui-même et d'elle également (naturellement, nous ne disons pas que ce soit chose facile d'amener un couple à coopérer avec une prescription de ce genre; nous ne voulons pas dire non plus que cette intervention soit par elle-même une « guérison » de l'alcoolisme).

Exemple 8 : Un couple demande une aide en raison de scènes beaucoup trop fréquentes. Au lieu de centrer son attention sur une analyse de leurs conflits, le thérapeute donne une nouvelle définition de leurs disputes en leur disant qu'en réalité ils s'aiment, et que plus ils se disputent, plus ils s'aiment; s'ils étaient indifférents, ils ne se querelleraient pas, et se disputer comme ils le font, suppose un profond engagement affectif. Le couple aura beau trouver cette interprétation ridicule — ou précisément *parce qu*'elle leur paraît parfaitement ridicule —, mari et femme se mettront en devoir de prouver au thérapeute qu'il se trompe complètement. La meilleure manière de le faire, c'est de cesser leurs disputes, tout simplement pour prouver qu'*ils ne s'aiment pas*. Mais au moment même où ils cessent de se disputer, ils découvrent qu'ils s'entendent beaucoup mieux qu'ils ne pensaient.

Exemple 9 : L'effet thérapeutique de la communication paradoxale n'est nullement une découverte récente. C'est ce que montre cette histoire du bouddhisme Zen qui contient tous les éléments d'une double contrainte thérapeutique :

Une jeune femme qui allait mourir dit à son mari :
— Je t'aime tant que je ne veux pas te perdre. Ne me trompe pas avec

une autre femme. Si tu le fais, mon fantôme viendra te hanter et ne te laissera jamais en paix.

Lorsqu'elle fut morte, son mari respecta son souhait pendant trois mois, mais ensuite il s'éprit d'une autre femme et se fiança avec elle. Dès ce jour-là, un fantôme lui apparut chaque nuit, lui reprochant de n'avoir pas tenu sa promesse. Ce fantôme savait beaucoup de choses : il disait à l'homme tout ce qui se passait entre sa fiancée et lui. Chaque fois que l'homme offrait un présent à sa fiancée, le fantôme le décrivait en détail, et il répétait chacune de leurs conversations. L'homme en était à ce point agacé qu'il en perdit le sommeil. C'est alors que quelqu'un lui conseilla de soumettre son problème à un Maître du Zen qui vivait près du village.

— Ton ancienne femme est donc devenue un fantôme, et elle sait tout ce que tu fais, tout ce que tu dis ou offres à ta bien-aimée? dit le Maître. Ce doit être un fantôme très instruit, et que tu devrais admirer. La prochaine fois que tu le verras, propose-lui un marché. Dis-lui que, puisque tu ne peux rien lui cacher, tu rompras tes fiançailles s'il veut répondre à la question que tu lui poseras. Sur quoi tu prendras une grosse poignée de baies de soja et tu lui demanderas combien de baies tu as dans ta main. S'il ne peut te répondre, tu sauras que ce fantôme n'est que le fruit de ton imagination, et il ne viendra plus t'ennuyer.

La nuit suivante, lorsque le fantôme apparut, l'homme le flatta, comme l'avait dit le Maître, de son savoir.

— En effet, répliqua le fantôme. Je sais même que tu es allé voir le Maître du Zen aujourd'hui.

— Puisque tu sais tant de choses, dit l'homme, dis-moi combien de baies de soja j'ai dans cette main.

Il n'y eut plus aucun fantôme pour répondre à sa question [1].

7 - 6

LE PARADOXE DANS LE JEU, L'HUMOUR ET LA CRÉATIVITÉ

Pourquoi les organismes, depuis les invertébrés jusqu'à l'homme, sont-ils si sensibles aux effets du paradoxe? La réponse est fort loin d'être claire, mais de toute évidence, ces effets dépassent largement les facteurs culturels, ou des facteurs propres à l'espèce Comme nous avons essayé de le montrer dans ce chapitre, au niveau humain surgit une complexité supplémentaire, parce que le paradoxe peut avoir des

1. Nancy Wilson Ross, *The world of Zen*, 1960 (trad. fr. *Le Monde du Zen*, Stock, 1968).

effets thérapeutiques, et non seulement pathogènes. Mais ceci n'épuise nullement les aspects positifs du paradoxe; il est facile de constater que nombre des recherches et des réalisations les plus nobles de l'esprit humain sont étroitement liées à l'aptitude que possède l'homme de faire l'expérience du paradoxe. L'imagination, le jeu, l'humour, l'amour, le symbolisme, l'expérience religieuse au sens le plus large du terme (des rites au mysticisme), et la *créativité* surtout, dans les arts et dans les lettres, présentent un caractère foncièrement paradoxal.

Mais nous avons affaire là à des domaines si vastes, et dépassant si manifestement la portée de ce livre, que nous ne pourrons y faire que de très brèves allusions, et nos références seront ici très élémentaires. En 1954, Bateson a présenté l'esquisse d'une théorie du *jeu* et de l'*imagination*, fondée sur la théorie des types logiques (ce qui inclut le paradoxe). Parlant des observations qu'il a pu faire au Fleishaker Zoo de San Francisco, il note qu'il

a vu deux jeunes singes *jouer*, c'est-à-dire engagés dans une séquence d'interaction dont les éléments, actions et signaux, étaient analogues mais non pas identiques, à ceux du combat. Même pour un observateur humain, il ne pouvait pas échapper que l'ensemble de cette séquence n'était pas un combat, et que pour les singes qui y participaient, cette séquence était en quelque sorte un « non-combat ».

Or, pour qu'un tel phénomène, le jeu, puisse avoir lieu, il fallait que les organismes qui y participaient soient, dans une certaine mesure, capables d'une métacommunication, c'est-à-dire capables d'échanger des signaux qui transmettraient le message : « C'est un jeu. »

Nous avons ensuite étudié le message : « C'est un jeu », et nous nous sommes aperçu que ce message contient les éléments qui engendrent inévitablement un paradoxe du type du paradoxe de Russell ou du paradoxe d'Épiménide, autrement dit un énoncé négatif renfermant implicitement un méta-énoncé négatif. Si on le développe, l'énoncé : « C'est un jeu », donne à peu près ceci : « Les actions auxquelles nous nous livrons maintenant ne signifient pas ce que signifieraient les actions *qu'elles représentent*[1]. »

Fry, l'un des collaborateurs de Bateson, a appliqué cette conception au phénomène de l'*humour*, et dans une longue étude des diverses formes de plaisanterie, résume ainsi ses conclusions :

Au moment où se révèle l'humour de l'histoire, on se trouve brusquement en présence d'un renversement, à la fois explicite et implicite, quand le dénouement final qui provoque le rire est exprimé. Ce renversement permet

1. Gregory Bateson, « A Theory of Play and Fantasy », *Psychiatric Research Reports*, 2 : 39-51, 1955, p. 41.

de distinguer l'humour du jeu, du rêve, etc. Des renversements brusques, comme ceux qui sont typiques du dénouement des histoires humoristiques, font éclater quelque chose, et sont étrangers au jeu, etc. (il n'y a qu'en psychothérapie que ce type de renversement est compatible avec la structure générale de l'expérience). Mais ce renversement possède aussi la propriété singulière d'obliger les amateurs de l'humour à une redéfinition intérieure de la réalité. Inévitablement, le dénouement final qui provoque le rire, allie communication et métacommunication. On reçoit la communication explicite du dénouement final. Mais, à un niveau supérieur d'abstraction, ce dénouement final transmet aussi une métacommunication implicite sur lui-même et sur la réalité, telle qu'elle est présentée dans la plaisanterie en question... Ce matériel, implicite et désormais explicite, fourni par le dénouement final, devient un message de l'ordre de la métacommunication concernant le contenu même de la plaisanterie (pensée comme échantillon de communication). Dans ce renversement du contenu, ce qui semble être la réalité peut être présenté sous les traits de l'irréalité. Le contenu communique le message : « C'est irréel », et ce faisant, renvoie au tout dont il est une partie. De nouveau, nous sommes donc en présence du paradoxe de la partie négative définissant le tout. Le réel est irréel, et l'irréel est réel. Le dénouement final déclenche le paradoxe *interne propre au contenu de la plaisanterie*, et il fait se réfléchir le paradoxe engendré par l'ensemble du cadre ludique [1].

La *créativité*, enfin, a fait l'objet de nombreuses études non négligeables, dont l'une des plus récentes est *The Act of Creation* d'Arthur Kœstler. Dans cet ouvrage monumental, l'auteur avance l'idée que l'humour et la découverte scientifique, tout comme la création artistique, résultent d'un processus mental qu'il appelle « biassociation ». Il définit la « biassociation » comme « La perception d'une situation ou d'une idée sur deux plans de référence dont chacun a sa logique interne mais qui sont habituellement incompatibles... »

L'auteur établit une distinction entre le raisonnement routinier qui s'exerce pour ainsi dire, sur un seul « plan » et l'acte créateur qui opère toujours sur plus d'un plan. Dans le premier cas, la pensée irait dans une seule direction; dans le second, il s'agirait d'un état transitoire d'équilibre instable, partagé entre deux directions, le déséquilibre affectant à la fois l'émotion et la pensée [2] (p. 21).

A aucun moment, l'auteur n'envisage la possibilité que la « biassociation » puisse présenter la structure du paradoxe (c'est-à-dire que les

1. William F. Fry Jr., *Sweet Madness : a study of humor*, Pacific Books, Palo Alto, 1963, p. 153-4.
2. Arthur Kœstler, *The Act of Creation* 1964 (traduit en français sous le titre *Le Cri d'Archimède*, Calmann-Lévy, 1965).

« deux cadres de référence par eux-mêmes cohérents, mais habituellement incompatibles » puissent avoir entre eux une relation de niveau à « métaniveau »). Pourtant, sa conception de la créativité présente beaucoup d'affinités avec les hypothèses que nous avons avancées, ou dont nous avons fait état, dans le domaine de la pathologie et de la thérapie. A titre de comparaison, voici un résumé partiel présenté par Kœstler dans l'un de ses chapitres de conclusion :

> L'une des thèses essentielles que nous soutenons dans ce livre est que la vie organique, dans toutes ses manifestations, depuis la morphogenèse jusqu'à la pensée symbolique, est régie par des « règles du jeu », qui lui confèrent cohérence, ordre et unité dans la diversité. Ces règles (ou fonctions au sens mathématique du terme), qu'elles soient innées ou acquises, sont représentées par un code à différents niveaux, des chromosomes à la structure du système nerveux, responsable de la pensée symbolique... Ces règles sont fixes, mais chaque jeu peut être l'objet de variations infinies, et cette variabilité suit un ordre ascendant... Il y a également une règle d'ensemble du jeu qui dit qu'aucune règle n'est absolument définitive; dans certaines conditions, elles peuvent être modifiées et combinées pour jouer un jeu plus compliqué, qui est à la fois l'occasion d'une forme supérieure d'unité, et en même temps d'une plus grande diversité. C'est ce qu'on appelle les virtualités créatrices du sujet *(c'est nous qui traduisons)*.

Connaissant l'ampleur encyclopédique des recherches de l'auteur, on peut regretter, mais non critiquer, qu'il n'ait pas poussé ces recherches au-delà des limites de l'individu considéré comme une monade.

CONCLUSION

Point de vue sur l'existentialisme et la théorie de la communication humaine

Ce ne sont pas les choses qui nous troublent, mais l'opinion que nous nous faisons des choses. Epictète (Ier siècle apr. J.-C.)

8 - 1

Dans tout ce qui précède, nous avons considéré les individus engagés dans leurs liens sociaux, c'est-à-dire dans une interaction avec d'autres être humains, et nous avons vu que le véhicule de cette interaction, c'est la communication. Il est possible qu'une théorie de la communication humaine ne trouve que là son point d'application En tout cas, il nous paraît évident que si l'on ne considère l'homme que comme « un animal social », on ne peut pas rendre compte de ses liens *existentiels*, dont son engagement dans la vie sociale n'est qu'un aspect, quoique très important.

On peut alors se demander si les principes de notre théorie de la pragmatique de la communication humaine peuvent être valables lorsqu'on passe de l'interpersonnel à l'existentiel, et si oui, en quel sens. Nous ne répondrons pas à la question dans ce livre, et peut-être au fond n'y a-t-il pas de réponse, puisque en poursuivant notre réflexion, nous sommes dans l'obligation de quitter le domaine de la science pour celui de la subjectivité, ce que nous reconnaissons ouvertement. L'existence de l'homme n'étant pas observable au même sens que le sont ses relations sociales, nous nous trouvons contraints d'abandonner la position objective, « extérieure », qui a été la nôtre, dans la mesure du possible, dans tous les chapitres précédents de ce livre. A ce point de notre recherche, il n'y a plus d' « extérieur ». L'homme ne peut transcender les limites que lui impose son propre esprit; sujet et objet finissent par être identiques, l'esprit s'étudie lui-même. Aussi tout énoncé concernant l'homme pris dans ses liens existentiels court le risque d'être un énoncé portant sur soi-même, ce qui, nous l'avons vu, engendre le paradoxe.

En ce sens, ce chapitre est une sorte d'acte de foi : la croyance que l'existence de l'homme est une relation vaste, complexe et personnelle à la vie. Nous formulons l'espoir qu'il soit possible d'utiliser certains de nos concepts pour explorer ce domaine, trop souvent négligé dans les théories purement psychologiques de l'homme.

8 - 2

En biologie moderne, il serait impensable d'étudier un organisme, même le plus primitif, en l'isolant artificiellement de son milieu. En vertu des hypothèses formulées notamment par la Théorie générale des Systèmes (cf. § 4-2 et sq), les organismes sont des systèmes ouverts qui maintiennent leur équilibre (ou stabilité), et peuvent même évoluer vers des états de plus grande complexité, grâce à un échange incessant d'énergie et d'information avec leur milieu. Si nous comprenons que tout organisme, pour survivre, doit non seulement se procurer les substances nécessaires à son métabolisme, mais aussi une bonne information sur le monde environnant, nous voyons alors que communication et existence sont des concepts inséparables. Subjectivement, le milieu est vécu comme un ensemble d'instructions concernant l'existence de l'organisme; en ce sens, les effets du milieu sont analogues au programme d'un ordinateur. Norbert Wiener a dit quelque part que le monde « pouvait être considéré comme d'innombrables *messages personnels*». Il y a cependant une différence non négligeable : le programme de l'ordinateur est présenté en un langage que la machine « comprend » parfaitement, alors que l'impact du milieu sur un organisme renferme un ensemble d'instructions dont le sens n'est pas immédiatement clair; c'est à l'organisme qu'il revient de les décoder du mieux qu'il peut. Si nous ajoutons à cela, fait évident, que les réactions de l'organisme affectent en retour le milieu, on voit que, même aux niveaux les plus primitifs de la vie, se produisent des interactions complexes et continues qui ne sont pas laissées au hasard, et qui sont donc réglées par un programme, ou pour employer un terme existentiel, par un *sens*.

Vue sous ce jour, l'existence est alors une *fonction* (selon la définition donnée au § 1-2) de la relation entre l'organisme et son milieu. Au niveau humain, cette interaction de l'organisme et de son milieu atteint son plus haut degré de complexité. Si, dans les sociétés modernes, les problèmes de survie biologique sont passés à l'arrière-plan et si le milieu, au sens écologique du terme, est dans une large mesure maîtrisé par l'homme, les messages d'importance vitale en provenance du milieu et qu'il faut décoder correctement n'ont fait que glisser du domaine biologique à un domaine plus psychologique.

8-3

L'homme semble avoir un penchant, profondément enraciné, à hypostasier la réalité, à y voir une amie ou un adversaire avec qui il faut pactiser. Dans l'étude classique de Zilboorg sur le suicide, on trouve quelques réflexions qui se rattachent directement à ce sujet :

> A l'origine, il semble que l'homme ait accepté la vie aux conditions fixées par lui. Aussi, une maladie, un malaise de quelque ordre que ce soit, une forte tension affective le conduisaient à penser que *la vie avait violé les termes du contrat passé avec l'homme*, et qu'il pouvait donc laisser tomber ce partenaire déloyal... Très évidemment (l'idée du) Paradis a été forgée par l'humanité, non pas à la suite de l'histoire d'Adam et Eve, mais à la suite de l'acceptation de la mort par l'homme primitif qui *préférait mourir volontairement plutôt que de renoncer à l'idéal* qu'il s'était fait de la vie[1] *(c'est nous qui soulignons)*.

La vie — ou la réalité, le destin, Dieu, la nature, l'existence ou quel que soit le nom qu'on veuille lui donner — est un partenaire que nous acceptons ou rejetons, et par qui nous nous sentons acceptés ou rejetés, soutenus ou trahis. A ce partenaire existentiel, plus encore peut-être qu'à un partenaire humain, l'homme propose sa définition de soi-même, et découvre qu'elle est confirmée ou déniée : et de ce partenaire, l'homme s'efforce d'obtenir des indices concernant la « vraie » nature de leur relation.

1. Gregory Zilboorg, « Suicide among civilized and primitive Races », *American Journal of Psychiatry*, 92 : 1347-69, 1935-6, p. 1364-6.

8 - 4

Mais que dire alors de ces messages d'importance vitale que l'homme doit décoder au mieux pour assurer sa survie en tant qu'être humain? Reprenons brièvement l'exemple du chien de Pavlov (cf. § 6-434), et tentons à partir de là de franchir le pas qui nous sépare du domaine de l'expérience spécifiquement humaine. Nous savons tout d'abord qu'il existe deux types de savoir : un savoir *des* choses et un savoir *sur* les choses. Le premier, c'est cette conscience des objets que nous transmettent nos sens; ce que Bertrand Russell a appelé « connaissance par familiarité », et Langer « connaissance la plus immédiatement sensible ». C'est le type de connaissance que peut acquérir le chien de Pavlov quand il apprend à percevoir un cercle et une ellipse-connaissance qui ne sait rien *sur* le perçu. Mais dans la situation expérimentale en question, le chien apprend également très vite quelque chose sur ces deux figures géométriques : elles sont comme des indices du plaisir et de la douleur, et elles ont donc pour lui un sens vital. Ainsi, si l'on appelle savoir du premier degré la conscience sensible, le savoir sur un objet sera un savoir au second degré; c'est un savoir sur le savoir du premier degré, donc un « métasavoir » (distinction semblable à celle que nous avons proposée au § 1-4, en remarquant que connaître une langue et savoir quelque chose sur une langue constituent deux degrés du savoir très différents [1]). Une fois que le

1. Tout au long de ce livre, nous avons eu l'occasion de souligner l'existence d'une hiérarchie de niveaux qui semble imprégner le monde dans lequel nous vivons, et notre expérience de notre propre moi et celle d'autrui. Nous avons dit également qu'on ne peut formuler des énoncés valables sur un niveau qu'en se plaçant au niveau immédiatement supérieur. Cette hiérarchie apparaît dans les cas suivants :

1° Relation entre mathématiques et métamathématique (§ 1-5), et entre communication et métacommunication (§ 1-5 et 2-3).

2° « Contenu » et « relation » dans toute communication (§ 2-3 et § 3-3).

3° Définition de soi et d'autrui (§ 3-33).

4° Paradoxes logico-mathématiques et théorie des types logiques (§ 6-2).

5° Théorie des niveaux du langage (§ 6-3).

6° Paradoxes pragmatiques, doubles contraintes et prévisions paradoxales (§ 6-4).

7° Illusion du choix possible (§ 7-1).

8° Le « Jeu sans fin » (§ 7-2).

9° Doubles contraintes thérapeutiques (§ 7-4).

chien a compris le sens, vital pour lui, du cercle et de l'ellipse, il se comportera comme s'il en avait conclu : « Je suis en sécurité dans ce monde tant que je peux faire la discrimination entre le cercle et l'ellipse. » Mais cette conclusion n'appartiendrait plus au savoir du second degré; ce serait un savoir obtenu sur le savoir du second degré; donc un savoir du troisième degré. Dans le cas de l'homme, ce processus d'acquisition du savoir, ce processus par lequel il attribue des degrés de sens à son milieu et à la réalité, est foncièrement analogue.

Chez un homme adulte, un savoir borné au premier degré est probablement très rare. Cela reviendrait à une perception pour laquelle ni l'expérience passée, ni le contexte actuel ne fourniraient d'explication; inexplicabilité et imprévisibilité rendraient sans doute cette perception très anxiogène. L'homme est continuellement en quête d'un savoir sur les objets de son expérience, il cherche à en comprendre le sens et à réagir conformément à la compréhension qu'il a acquise. Finalement, de la somme des sens qu'il a pu déduire de ses contacts avec de nombreux objets de son milieu pris un à un, naît une vue unifiée du monde dans lequel il se trouve « jeté » (pour employer un autre terme existentialiste), et cette vue relève du troisième degré du savoir. Il y a de solides raisons de penser qu'il n'y a vraiment pas lieu de se demander en quoi consiste cette conception du monde au troisième degré, du moment qu'elle fournit des prémisses signifiantes pour l'existence de chacun d'entre nous. Le système délirant du paranoïaque semble remplir sa fonction de principe explicatif de l'univers du malade, tout autant qu'une conception « normale » de l'univers pour quelqu'un d'autre [1]. Ce qui importe, par contre, c'est que l'homme agit en fonc-

1. On peut objecter que cette conception dite « normale » est mieux adaptée à la réalité qu'un système délirant. Mais le critère, si souvent invoqué, de la « réalité » invite à beaucoup de prudence. On rencontre là un sophisme répandu qui consiste à dire, tacitement, qu'il existe une « réalité objective » et que les gens « normaux » en sont plus conscients que les fous. Cette hypothèse, dans l'ensemble, rappelle, de façon quelque peu gênante, l'hypothèse semblable concernant la géométrie euclidienne. Pendant deux mille ans, on n'a pas contesté que les axiomes d'Euclide circonscrivaient correctement et totalement la réalité de l'espace, et puis on s'est aperçu que la géométrie d'Euclide n'était qu'une des nombreuses géométries possibles, qui non seulement pouvaient être différentes, mais même incompatibles. Citons Nagel et Newman : « La croyance traditionnelle selon laquelle les axiomes de la géométrie (et d'ailleurs, les *axiomes de toute discipline*) pouvaient être formulés en raison de leur apparente évidence, s'est trouvée ainsi minée dans ses fondements. Par ailleurs, on s'aperçut progressivement que le travail propre au mathématicien

tion d'un ensemble de prémisses sur les phénomènes qu'il perçoit, et qu'au sens très large, son interaction avec la réalité (c'est-à-dire pas seulement avec d'autres êtres humains) sera déterminée par ces prémisses. Autant que nous puissions le conjecturer, ces prémisses elles-mêmes sont le fruit de la gamme infinie des expériences de l'individu, et leur genèse se situe donc pratiquement en dehors du champ d'une exploration possible. Mais sans aucun doute, non seulement l'homme ponctue la séquence des faits dans une relation interpersonnelle, mais il met en œuvre une ponctuation analogue dans le processus nécessaire et incessant qui consiste à évaluer et trier les dix mille impressions sensorielles par seconde que reçoit l'homme de son milieu interne et du milieu extérieur. Répétons ce que nous avons avancé au § 3-42 : la réalité, dans une très large mesure, est ce que nous la faisons. Les philosophes existentialistes proposent une relation entre l'homme et son monde qui a beaucoup d'analogie : ils voient l'homme comme jeté dans un monde opaque, informe et absurde, et c'est à partir de là que l'homme se crée sa situation. Sa manière propre « d'être-au-monde » résulte donc de son choix; c'est le sens que, *lui*, donne à ce qui, selon toute vraisemblance, se situe hors de la compréhension objective de l'homme.

8 - 41.

Dans les sciences du comportement, d'autres chercheurs ont défini des concepts équivalents ou analogues à celui de « prémisses du troisième degré ». Dans la théorie de l'apprentissage, des niveaux d'apprentissage correspondant aux niveaux du savoir, que nous avons admis dans les paragraphes précédents, ont été identifiés et étudiés, indépendamment, par Hull et coll. en 1940 [1], par Bateson en 1942 [2] et en 1960,

pur consiste à *dériver des théorèmes d'hypothèses considérées comme admises.* En tant que mathématicien, il ne lui appartient pas de décider si les axiomes qu'il admet sont effectivement vrais » *(c'est nous qui soulignons)*, Ernst Nagel et James R. Newman, *Gödel's Proof*, New York University Press, New York, 1958, p. 11.

1. C. L. Hull, C. L. Howland, R. T. Ross et coll., *Mathematico-deductive theory of Role Learning : a study in scientific methodology*, Yale University Press, New Haven, 1940.

2. Gregory Bateson, « Social planning and the concept of "deuterolearning", in relation to the democratic way of life », *Science, Philosophy and Religion, Second Symposium*, Harper and Brothers, New York, 1942, p. 81-97.

et par Harlow en 1949 [1], pour ne citer que les études les plus importantes. Disons en quelques mots que cette branche de la théorie de l'apprentissage formule l'hypothèse qu'en même temps que s'acquiert un savoir ou un savoir-faire, a lieu un processus qui, progressivement, facilite l'acquisition même du savoir. Autrement dit, on ne se borne pas à apprendre, *on apprend à apprendre.* Pour désigner ce type d'apprentissage d'un degré supérieur, Bateson a forgé le terme de *deutéro-apprentissage*, qu'il décrit ainsi :

Dans une phraséologie à demi-gestaltiste ou à demi-anthropomorphique, nous pourrions dire que le sujet apprend à se diriger vers certains types de contextes, ou qu'il acquiert une perception *(insight)* maîtrisée des contextes qui ont trait à la résolution des problèmes... Nous pourrions dire que le sujet a acquis l'habitude de s'attacher à tel contexte ou à telle séquence plutôt qu'à tels autres, l'habitude de « ponctuer » le cours des événements de manière à obtenir la répétition d'un certain type de séquence signifiante *(op. cit., p. 88).*

C'est sur un concept analogue que repose l'ouvrage monumental de Kelly : *Psychology of Personal Constructs*, (W. W. Norton and Co., New York, 1955), bien que l'auteur ne s'attache pas au problème des niveaux et présente sa théorie presque exclusivement en fonction d'une psychologie intra-psychique, et non d'une psychologie de l'interaction. Dans leur ouvrage : *Plans and the Structure of Behavior*, Miller, Galanter et Pribam [2] ont suggéré qu'un comportement intentionnel est guidé par un plan, un peu comme un ordinateur est guidé par un programme. Leur concept de *plan* est directement en rapport avec les idées avancées dans ce chapitre, et sans exagération, on peut dire que leur étude vient d'ouvrir l'une des voies nouvelles les plus importantes pour comprendre le comportement. En liaison avec ce travail, citons certaines expériences très remarquables de *récompense aléatoire*, menées à l'université de Stanford sous la direction du Dr Bavelas, même si leur but déclaré est étranger aux sujets examinés dans ce chapitre. L'une de ces expériences mérite une mention particulière [3]; le

---

Gregory Bateson, « Minimal Requirements for a theory of schizophrenia », *Archives of General Psychiatry*, 2 : 477-91, 1960.

1. H. F. Harlow, « The Formation of Learning Sets », *Psychological Review*, 56 : 51-65, 1949.

2. George A. Miller, Eugene Galanter et Karl H. Pribam, *Plans and the Structure of Behavior*, Henry Holt and Co., New York, 1960.

3. John C. Wright, *Problem solving and Search Behavior under non-contingent rewards*, thèse de doctorat (exemplaire dactylographié), Stanford University, 1960.

dispositif expérimental est constitué par un tableau de boutons de contact. On dit au sujet qu'il faut appuyer sur ces boutons selon un certain ordre, qu'il lui appartient de découvrir au cours d'un certain nombre d'essais. On lui dit ensuite qu'une sonnerie signalera l'ordre correct. Mais en réalité, les boutons de contact ne sont reliés à rien, et la sonnerie retentit sans aucun rapport avec la performance des sujets, et avec une fréquence croissante, c'est-à-dire de manière assez espacée au début de l'expérience, et de plus en plus souvent vers la fin de l'expérience. A tout coup, un individu, soumis à cette expérience, s'empresse de formuler ce que nous avons appelé des prémisses du troisième degré, et manifeste une extraordinaire répugnance à les abandonner quand on lui prouve ensuite qu'il n'y avait aucune espèce de lien entre sa performance et la sonnerie. D'une certaine manière, on pourrait donc voir dans ce dispositif expérimental un micro-modèle de l'univers dans lequel, tous, nous avons élaboré nos propres prémisses du troisième degré, c'est-à-dire notre manière d'être-au-monde.

8 - 5

Une différence frappante apparaît si l'on compare l'aptitude de l'homme à accepter ou supporter des changements dans ses prémisses du second degré et dans celles du troisième degré. L'homme possède une aptitude presque incroyable à s'adapter aux changements du second degré; quiconque a eu l'occasion d'observer la résistance de l'homme dans les conditions les plus atroces en conviendra. Mais il semble que cette résistance ne soit possible qu'autant que ne sont pas bafouées ses prémisses du troisième degré concernant son existence et le sens du monde dans lequel il vit [1]. C'est à cela que devait penser Nietzsche quand il a dit que celui qui a une réponse au *pourquoi* de son existence pourra en supporter presque toutes les *modalités*. Mais

1. Cette différence se reflète, par exemple, dans les lettres écrites par des prisonniers condamnés par les Nazis pour crime politique, d'importance variable. Ceux qui estimaient que leurs actions avaient contribué à renverser le régime étaient capables d'affronter la mort avec une certaine sérénité. Par contre, les cris les plus tragiques et les plus désespérés venaient de ceux qui avaient été condamnés à mort

l'homme, plus encore peut-être que le chien de Pavlov, semble bien mal équipé pour faire face aux incohérences qui menacent ses prémisses du troisième degré. Psychologiquement, l'homme ne peut survivre dans un univers dont de telles prémisses ne peuvent rendre compte, dans un univers qui pour lui n'a pas de sens. Nous avons vu que la double contrainte aboutissait à cette funeste conséquence; mais on peut arriver au même résultat par suite de circonstances ou d'événements qui échappent à la maîtrise ou à l'intention de l'homme. Les écrivains existentialistes se sont attardés sur ce thème, de Dostoïevski à Camus, thème qu'on peut faire remonter au moins jusqu'au livre de Job. Kirillov, l'un des personnages des *Démons* de Dostoïevski, a décidé que « Dieu n'existe pas », et il ne voit par suite aucune raison de continuer à vivre :

« ...Écoute! » Kirillov s'arrêta, regardant droit devant lui comme en extase. « Écoute, une grande idée : Un jour, on dressa trois croix. Un de ceux qui étaient crucifiés avait une foi si forte qu'il dit à celui qui était à sa droite : « Aujourd'hui même tu seras avec moi au Paradis. » Le jour s'acheva, ils moururent tous deux, et ne trouvèrent ni paradis, ni résurrection. La parole du crucifié ne se réalisa pas. Écoute! Cet homme était le plus grand de toute la terre; il était la raison de l'existence de la terre. La planète avec tout ce qu'il y a dessus, n'est que folie sans cet homme. Il n'y a jamais eu avant lui, et il n'y aura jamais après lui, d'être semblable à cet homme, même s'il devait y avoir un miracle. Le miracle, c'est précisément qu'il n'a jamais existé, qu'il n'existera jamais d'homme tel que lui. Et si c'est ainsi, si les lois de la nature n'ont pas épargné même *Celui-là*, si elles n'ont pas épargné même leur miracle et l'ont obligé à vivre au milieu du mensonge et à mourir pour un mensonge, alors toute cette planète n'est qu'un mensonge et repose sur le mensonge et la dérision, alors les lois mêmes de cette planète ne sont qu'un mensonge et un vaudeville diabolique! A quoi bon vivre alors? Réponds si tu es un homme!

Et Dostoïevski fait donner par l'homme, à qui la question s'adresse, cette réponse frappante :

C'est une tout autre question. Il me semble que vous confondez ici deux choses différentes, et cela ne me dit rien de bon [1]...

---

pour des délits aussi insignifiants qu'écouter la radio alliée ou faire une remarque hostile sur Hitler. Leur mort leur paraissait être la violation d'une importante prémisse du troisième degré : la mort d'un homme doit avoir un sens, elle ne peut pas être dérisoire (cf. Helmut Gollwitzer et coll., *Dying we live, The final messages and records of the Resistance*, Pantheon Books, New York, 1956).

1. Fédor M. Dostoïevski, *Les Démons* (trad. fr. de Boris de Schloezer, *in* La Pléiade, N.R.F., Gallimard 1952, p. 648).

Nous affirmons que, chaque fois que surgit ce thème, c'est la question du *sens* qui est en jeu, et « sens » n'a pas ici une connotation sémantique, mais existentielle. L'absence de sens, c'est l'horreur du Néant existentiel. C'est cet état subjectif où la réalité s'efface ou disparaît complètement, et avec elle toute conscience de soi et d'autrui. Pour Gabriel Marcel, « la Vie est un combat contre le Néant ». Et, il y a plus de cent ans, Kierkegaard écrivait : « Je veux aller dans un asile d'aliénés pour voir si la profondeur de la folie ne pourra m'apporter la solution à l'énigme de la vie. »

En ce sens, la situation de l'homme face à son mystérieux partenaire n'est pas foncièrement différente de celle du chien de Pavlov. Le chien apprend rapidement quel est le *sens* du cercle et de l'ellipse, et son monde vole en éclats quand brusquement l'expérimentateur détruit ce sens. Si nous scrutons notre expérience subjective, dans des situations comparables, nous découvrons que nous sommes enclins à supposer qu'un « expérimentateur » secret est à l'œuvre derrière les vicissitudes de notre vie. La perte ou l'absence d'un sens de la vie est peut-être le plus commun dénominateur de toutes les formes de détresse affective; c'est le cas notamment de ce « mal du siècle » dont on parle tant. Douleur, maladie, perte, désespoir, déception, peur de la mort, tout simplement ennui, toutes ces expériences conduisent au sentiment que la vie n'a pas de sens. Nous pensons que la définition la plus profonde du désespoir existentiel est cette douloureuse discordance entre ce qui *est* et ce qui *devrait être*, entre ce que nous percevons et nos prémisses du troisième degré.

8-6

Rien ne nous oblige à ne postuler que trois niveaux d'abstraction dans l'expérience que fait l'homme du réel. En théorie du moins, ces niveaux se superposent dans une régression infinie. Aussi, lorsque l'homme veut changer ses prémisses du troisième degré, ce qui nous paraît être une fonction essentielle de la psychothérapie, *il ne peut le faire qu'en se plaçant à un quatrième niveau.* Mais on peut douter que l'esprit humain soit équipé pour manier des niveaux d'abstraction supérieurs sans l'aide du symbolisme mathématique ou d'un ordinateur. Il est significatif qu'on ne puisse parvenir qu'à des éclairs de compréhension à ce quatrième niveau, et que l'articulation devienne extrêmement difficile, sinon même impossible. Le lecteur se souvient sans doute combien il était déjà difficile de saisir le sens de « la classe des classes qui ne sont pas membres d'elles-mêmes » (cf. § 6-2), énoncé dont la complexité est de l'ordre des prémisses du troisième degré. Ou bien, de manière analogue, s'il est encore possible de comprendre le sens de « Voici comment je vous vois me voir vous voir » (cf. § 3-34), le niveau immédiatement supérieur, c'est-à-dire le quatrième niveau, échappe pratiquement à la compréhension (« Voici comment je vous vois me voir vous voir me voir »).

Répétons ce point capital : communiquer ou même réfléchir *sur* des prémisses du troisième degré n'est possible qu'en se plaçant au quatrième niveau. Mais ce quatrième niveau frôle les limites de l'esprit humain, et il est rarement accessible à la conscience, si même il l'est jamais. Il nous semble que c'est le domaine de l'intuition, de l'empathie, de l'expérience « mystique », peut-être de cette conscience immédiate que procurent le L.S.D. et d'autres drogues du même genre; c'est sans nul doute dans ce domaine que se produit le changement thérapeutique, changement dont, après une thérapie réussie, on ne peut dire ni comment ni pourquoi, il s'est produit, et en quoi finalement il consiste. La psychothérapie a en effet pour objet les prémisses du troisième degré, et c'est à ce niveau qu'il faut provoquer un changement. Mais pour changer ses prémisses du troisième degré, pour devenir conscient du schème des séquences de son propre comportement et du milieu où l'on évolue, il faut pouvoir dominer la situation en se plaçant au niveau immédiatement supérieur, c'est-à-dire le quatrième niveau. C'est seulement de ce niveau que l'on peut s'apercevoir que la réalité n'est pas quelque chose d'objectif, d'inaltérable, quelque chose « là-bas en dehors de moi», comportant un sens faste ou néfaste pour notre survie, mais qu'à tous égards, la réalité, c'est l'expérience subjective que nous faisons de l'existence; la réalité est le schème que nous construisons pour désigner quelque chose qui, selon toutes probabilités, échappe totalement à une vérification humaine objective.

8 - 61.

Des hiérarchies comme celles que nous étudions en ce moment, ont été explorées à fond par une branche des mathématiques modernes qui présente une grande affinité avec notre recherche, à part le fait que les mathématiques ont une cohérence et une rigueur incomparablement plus grandes que celles que nous pouvons jamais espérer atteindre. Cette branche de mathématiques, c'est la théorie de la preuve, ou métamathématique. Comme le laisse entendre ce terme, ce domaine des mathématiques traite des mathématiques elles-mêmes, c'est-à-dire des lois propres aux mathématiques et du problème de savoir si les mathématiques sont ou non une théorie « consistante ». Il n'est donc pas surprenant que les conséquences, fondamentalement les mêmes, féies à l'auto-référence, aient été rencontrées et travaillées par les mathématiciens, bien avant que les analystes de la communication humaine n'aient même conscience de leur existence. En fait, les travaux dans ce domaine remontent à Schröder (1895), Löwenheim (1915) et surtout Hilbert (1918). La théorie de la preuve, ou métamathématique, était alors l'objet d'études très abstraites d'un groupe brillant, mais restreint, de mathématiciens qui se tenaient pour ainsi dire à l'écart du courant principal des recherches mathématiques. Deux faits ont, semble-t-il, conduit ensuite à faire de la théorie de la preuve le centre même de l'attention. L'un a été la publication, en 1931, du mémorable article de Gödel [1] sur les propositions formellement indécidables, article que l'université de Harvard considère comme le progrès le plus important accompli dans la logique mathématique depuis un quart de siècle [2]. L'autre fait, c'est, si l'on peut s'exprimer ainsi, « l'explosion » des ordinateurs depuis la fin de la Seconde Guerre mondiale. Rapidement, ces machines se sont transformées pour passer de l'état d'automates à programme fixe à celui d'organismes artificiels d'une souplesse extraordinaire. Mais ils ont commencé à

1. Kurt Gödel, « Über formal unentscheidbare Sätze der Principia Mathematica und verwandter Systeme I », *Monatshefte für Mathematik und Physik*, 38 : 173-98, 1931 (trad. anglaise : *On Formally Undecidable Propositions of Principia Mathematica and related Systems I*, Oliver and Boyd, Edimbourg et Londres, 1962).
2. Ernst Nagel et James R. Newman, *Gödel's Proof*, New York University Press, New York, 1958.

poser des problèmes fondamentaux concernant la théorie de la preuve, à partir du moment où leurs structures ont atteint une complexité telle qu'on pouvait leur faire choisir eux-mêmes la méthode de calcul la meilleure possible. Autrement dit, on s'est posé la question de savoir si l'on pourrait construire des ordinateurs qui ne se contenteraient pas d'exécuter un programme, mais qui pourraient également modifier leur programme.

Dans la théorie de la preuve, l'expression *procédure de décision* renvoie aux méthodes permettant de découvrir les preuves de la vérité ou de la fausseté d'un énoncé, ou de toute une classe d'énoncés, formulés à l'intérieur d'un système formalisé donné. L'expression, liée à la précédente, de *problème de la décision* renvoie à la question de savoir s'il existe ou non une procédure du type que nous venons de décrire. Un tel problème a donc une solution positive, si l'on peut trouver une procédure de décision pour le résoudre, alors qu'une solution négative consiste à prouver qu'il n'existe pas de procédure de décision de ce genre. En conséquence, on dira de tels problèmes ou qu'il existe un algorithme pour les résoudre ou qu'ils sont insolubles.

Mais il existe une troisième possibilité. Des solutions déterminées (positives ou négatives) d'un problème de décision ne sont possibles que si le problème en question se trouve *à l'intérieur du domaine* (champ d'application) de cette procédure-là de décision. Si on applique cette procédure de décision à un problème situé *hors de son domaine*, le calcul pourra se poursuivre à l'infini sans jamais prouver qu'aucune solution (positive ou négative) puisse jamais se présenter [1]. En ce point, nous rencontrons de nouveau le concept d'*indécidabilité.*

8 - 62.

Ce concept est au centre de l'article de Gödel que nous avons cité, et qui traite des propositions formellement indécidables. Le système formalisé qu'il a choisi pour formuler son théorème est celui des *Principia mathematica,* l'ouvrage monumental de Whitehead et

1. C'est ce qu'on appelle le *problème de l'arrêt* (« halting problem ») dans la procédure de décision. Il n'est pas sans évoquer analogiquement notre concept du jeu sans fin dans la communication humaine (cf. § 7-2).

Russell qui explore les fondements des mathématiques. Gödel a pu montrer que dans ce système, ou un système équivalent, il est possible de construire une proposition, G, qui : 1° est démontrable d'après les prémisses et les axiomes du système, mais qui : 2° dit d'elle-même qu'elle est indémontrable. Ce qui signifie que si G est démontrée dans le système, son «indémontrabilité» (qui est ce qu'elle dit d'elle-même) pourrait également être démontrée. Mais si on peut déduire à la fois qu'elle est démontrable et qu'elle ne l'est pas à partir des axiomes du système, et si les axiomes eux-mêmes sont « consistants » (ce qui fait partie de la preuve de Gödel), alors G est *indécidable dans les termes du système*, tout comme la prévision paradoxale du § 6-441 était indécidable dans les termes de son « système », qui était l'information contenue dans l'annonce du directeur et le contexte dans lequel cette annonce était faite [1]. La preuve de Gödel a des conséquences qui débordent largement le cadre de la logique mathématique; elle prouve, en fait, une fois pour toutes, que tout système formel (mathématique, symbolique, etc.,) est nécessairement incomplet au sens posé plus haut, et que, en outre, on ne peut prouver la « consistance » d'un tel système qu'en recourant à des méthodes de preuve plus générales que celles que le système lui-même peut engendrer.

8 - 63.

Si nous nous sommes étendu assez longuement sur l'œuvre de Gödel, c'est parce que nous y voyons l'analogie mathématique de ce que nous pourrions appeler le paradoxe fondamental de l'existence de l'homme. L'homme est en fin de compte sujet et objet de sa recherche. S'il est vraisemblablement impossible de dire si l'on peut considérer son esprit comme analogue à un système formalisé, tel que nous l'avons défini

1. Nous renvoyons le lecteur intéressé par ces questions à l'excellente présentation non mathématique de la preuve de Gödel faite par Nagel et Newman *(op. cit.)*. A notre connaissance, c'est Nerlich * qui, le premier, a signalé la similitude entre le théorème de Gödel et les prévisions paradoxales. Nous pensons que ce paradoxe est sans doute l'analogie non-mathématique la plus remarquable de ce théorème, préférable même à la présentation non arithmétique de Findlay **.

* G. C. Nerlich, « Unexpected examinations and unprovable statements », *Mind*, 70 : 503-13, 1961.

** J. Findlay, « Goedelian Sentences : a non-numerical approach », *Mind*, 51, 259-65, 1942.

au paragraphe précédent, par contre, sa quête d'une compréhension du sens de son existence est *une tentative de formalisation.* En ce sens, et en ce sens seulement, il nous semble que certains résultats de la théorie de la preuve (notamment les idées d'auto-référence et d'indécidabilité) peuvent être pertinents. Cette découverte ne nous appartient nullement; en fait, dix ans avant que Gödel ne présente son brillant théorème, un autre grand esprit de notre siècle avait déjà formulé ce paradoxe en termes philosophiques : Ludwig Wittgenstein dans le *Tractatus logico-philosophicus*[1]. Nulle part ailleurs, sans doute, ce paradoxe existentiel n'a été défini avec plus de lucidité, et nulle part ailleurs, sans doute, on n'a accordé à l'aspect *mystique* une position plus digne, comme ce qui finalement transcende ce paradoxe.

Wittgenstein montre que nous ne pourrions connaître quelque chose sur le monde comme totalité que si nous pouvions en sortir; mais si cela était possible, ce monde ne serait plus *le tout* du monde. Cependant notre logique ne peut rien connaître en dehors du monde :

> La logique remplit le monde : les limites du monde sont aussi ses propres limites.
> Par conséquent, nous ne saurions dire en logique : il y a telle et telle chose dans le monde, non pas telle chose.
> Cela semblerait en effet présupposer que nous excluions certaines possibilités, ce qui ne saurait être le cas, puisque alors la logique devrait transgresser les limites du monde : comme si elle pouvait aussi considérer ces limites de l'autre côté.
> Ce que nous ne pouvons penser, nous ne saurions le penser; donc nous ne pouvons *dire* ce que nous ne saurions penser *(op. cit.,* 5-61).

Le monde est donc à la fois fini et illimité, illimité précisément parce qu'il n'existe rien en dehors du monde qui pourrait délimiter une frontière avec ce qui est dans le monde. Mais s'il en est ainsi, il suit que « le monde et la vie sont un. Je suis mon monde *(op. cit.,* 5-621 et 5-63*).* » Le sujet et le monde ne sont donc plus des entités dont la relation est, d'une certaine manière, régie par l'auxiliaire *avoir* (on *a* l'autre, on le contient ou on lui appartient), mais par le verbe existentiel *être* : « Le sujet *n'appartient pas* au monde, mais il *constitue* une limite du monde » *(op. cit.,* 5-632. *C'est nous qui soulignons).*

A l'intérieur de cette limite, on peut poser des questions qui ont un

1. Ludwig Wittgenstein, *Tractatus logico-philosophicus* (trad. fr. P. Klossowski, Gallimard).

sens et y répondre : « Si une question se peut absolument poser, elle *peut* aussi trouver sa réponse *(op. cit.*, 6-5*)*. » Mais « la solution de l'énigme de la vie dans l'espace et le temps se trouve *hors* de l'espace et du temps *(op. cit.*, 6-4312*)*. » Car, comme il doit être plus qu'évident désormais, rien *à l'intérieur* d'un cadre ne permet de formuler quelque chose, ou même *de poser des questions*, *sur* ce cadre. La solution ne consiste donc pas à trouver une réponse à l'énigme de l'existence, mais à comprendre qu'il n'y a pas d'énigme. C'est l'essence même des admirables maximes finales du *Tractatus*, qui font penser un peu au bouddhisme Zen :

Une réponse qui ne peut être exprimée suppose une question qui elle non plus ne peut être exprimée.

L'énigme n'existe pas (...) (6-5).

Nous sentons que même si *toutes les possibles* questions scientifiques ont trouvé leur réponse, nos problèmes de vie n'ont pas même été effleurés. Assurément il ne subsiste plus alors de question; et cela même constitue la réponse (6-52).

La solution du problème de la vie se remarque à la disparition du problème. (N'est-ce pas la raison pour laquelle des hommes pour qui le sens de la vie est devenu clair au terme d'un doute prolongé, n'ont pu dire ensuite en quoi consistait ce sens?) (6-521).

Il y a assurément de l'inexprimable. Celui-ci se *montre*, il est l'élément mystique (...) (6-522).

Ce dont on ne peut parler, il faut le taire (7).

Glossaire

Ce glossaire [1] ne contient que les termes qui ne sont pas définis dans le corps du livre, ou qui ne font pas partie du langage quotidien. Quand nous indiquons les sources, il s'agit du *Dorland's Medical Dictionary* (D.M.D.) et du *Psychiatric Dictionary* de Hinsie et Shatzsky (H. et S.).

ABOULIE : Perte ou insuffisance de la volonté (D.M.D.).

ACTING-OUT : Expression de la tension affective par la mise en acte d'un comportement dans une situation qui peut être totalement étrangère à l'origine de cette tension; est habituellement appliqué à un comportement impulsif, agressif, ou plus généralement anti-social (adapté de H. et S.).

ANOREXIE : Absence ou perte de l'appétit. Plus précisément, état nerveux présenté par un malade qui perd l'appétit, et se nourrit si peu qu'il en est réduit à l'état de squelette (adapté de D.M.D.).

AUTISME (ADJ. AUTISTIQUE) : État dans lequel le sujet est plongé dans des pensées ou un comportement totalement subjectifs et centrés sur lui-même.

BÉNÉFICE SECONDAIRE : Terme psychanalytique désignant les avantages indirects, interpersonnels, que le névrosé tire de son état, par exemple, sympathie, marques d'attention, libération des responsabilités quotidiennes, etc.

COMPLEXE D'ŒDIPE : Œdipe-Roi, personnage de la mythologie grecque, élevé par un père nourricier, tua son père réel au cours d'une querelle et épousa sa mère. En découvrant la véritable nature de cette relation, il se creva les yeux (D.M.D.). Ce mythe a été introduit en psychiatrie par Freud comme le paradigme de l'attrait éprouvé par l'enfant pour le parent du sexe opposé, et pour désigner les conflits spécifiques intra-familiaux qui en découlent, et ses implications plus larges pour le développement psycho-sexuel d'un individu.

COMPULSION (COMPULSIF) : Impulsion irrésistible à accomplir un acte contraire au bon sens ou à la volonté du sujet (D.M.D.).

DÉPERSONNALISATION : Processus par lequel un individu se désagrège, perd son identité, sa personnalité, son « moi ». Phénomène mental

1. Pour les termes proprement psychanalytiques, le lecteur français peut consulter le *Vocabulaire de la Psychanalyse*, Laplanche et Pontalis, P.U.F., 1967. Pour les termes psychiatriques, le *Manuel alphabétique de Psychiatrie*, A. Porot, P.U.F. *(N.d.T).*

caractérisé par la perte du sens de sa propre réalité. Il s'accompagne souvent de la perte du sens de la réalité d'autrui et du milieu environnant (H. et S.).

DÉPRESSION : Sentiment complexe, allant de la misère morale à un profond abattement et un profond désespoir; s'accompagne souvent de sentiments plus ou moins irraisonnés de culpabilité, d'échec et d'indignité, ainsi que de tendances à l'auto-destruction; physiquement, s'accompagne généralement de troubles du sommeil et de l'appétit, et d'un ralentissement de l'ensemble des processus physiologiques.

DYADE : Unité élémentaire désignant *la relation entre* deux entités, par opposition à « monade »; de même « triade » désigne une unité constituée de trois éléments.

EMBALLEMENT : Perte d'équilibre d'un système due à une amplification non-maîtrisée des écarts.

ENTÉLÉCHIE : Propriété, innée ou virtuelle, qu'un être vivant est supposé posséder, lui permettant de se développer pour atteindre un stade final précis.

ÉTHOLOGIE : Étude du comportement animal (D.M.D.).

FOLIE A DEUX : Expression due à deux psychiatres français (cf. p. 148). Employée lorsque deux personnes, qui ont entre elles des liens étroits, souffrent simultanément d'une psychose, et lorsque l'une d'elles semble avoir influencé l'autre. Cet état n'est nullement restreint à deux personnes, il peut impliquer trois personnes et plus (« folie à trois, etc. ») (H. et S.).

GESTALT (PLURIEL GESTALTEN) : Forme, modèle, structure ou configuration.

« GESTALT PSYCHOLOGIE » : Étude des processus mentaux et du comportement en tant que « formes », et non comme des unités isolées ou fragmentées.

HYSTÉRIE : État névrotique caractérisé par la conversion des conflits affectifs en manifestations somatiques, par exemple douleur, anesthésie, paralysie, spasmes toniques, sans altération physique réelle du ou des organes atteints.

JEUX A SOMMATION NON-NULLE : Cf. *Théorie des Jeux*.

JEUX A SOMMATION NULLE : Cf. *Théorie des Jeux*.

KINESTHÉSIE : 1) Communication non-verbale (langage du corps, etc.). 2) L'étude de ce type de communication.

MALADE DÉSIGNÉ : Le membre de la famille qui porte l'étiquette de malade mental ou de « déviant ».

MÉTA- : Préfixe signifiant « changé d'état », « au-delà de », « supérieur », « transcendant », etc. Dans ce livre, désigne généralement un ensemble de connaissances *sur* un ensemble de connaissances ou un domaine de recherche, par exemple métamathématique, métacommunication.

MONADE (ADJ. MONADIQUE) : Unité élémentaire constituée *d'un seul* individu, considéré isolément. Employé dans ce livre pour désigner surtout l'individu en dehors de ses liens de communication. Opposé à dyade, triade.

PARALYSIE GÉNÉRALE : Paralysie générale des aliénés, « dementia paralytica », maladie de Bayle. État relevant de la psychiatrie et caractérisé par des symptômes physiques et mentaux, dus à une atteinte syphilitique du système nerveux central (H. et S.).

PATHOGENÈSE : Propriété de produire, ou aptitude à produire des modifications pathologiques ou maladies (D.M.D.).

PHÉNOMÉNOLOGIQUE : Qui concerne une manière spécifique (la phénoménologie) d'aborder le réel, où on l'explore sans tenter de l'expliquer.

PHOBIE (PHOBIQUE) : Peur pathologique associée à un objet ou à une situation déterminés.

PSYCHOGÈNE (PSYCHOGENÈSE) : D'origine intra-psychique; ayant une origine affective ou psychologique (en parlant d'un symptôme), par opposition à un fondement organique (D.M.D.).

PSYCHONÉVROTIQUE : Qui concerne un trouble affectif, caractérisé par sa nature psychogène et ses symptômes fonctionnels (plus qu'organiques), p. ex. : phobie, hystérie.

PSYCHOPATHOLOGIE : 1) Terme générique désignant des troubles ou des maladies d'ordre affectif et/ou mental. 2) Branche de la médecine traitant de ces états.

PSYCHOSOMATIQUE : Qui concerne la relation de l'esprit et du corps; symptôme corporel d'origine psychique, affective ou mentale (D.M.D.).

PSYCHOTHÉRAPIE CONJUGALE : Psychothérapie de couples.

PSYCHOTHÉRAPIE DE GROUPE : Psychothérapie de couples ou de familles entières dont les membres sont traités ensemble dans des séances de groupe qui réunissent tous les intéressés (cf. Jackson et Weakland).

PSYCHOTIQUE : Qui concerne les psychoses, c'est-à-dire les états relevant de la psychiatrie dont la nature est organique ou fonctionnelle (cf. « psychogène »), et qui atteignent un degré tel que les activités personnelles, intellectuelles, professionnelles, sociales du malade sont gravement altérées, alors que chez le malade psychonévrotique, cette altération n'est que partielle et se limite à certains domaines de sa vie.

SADO-MASOCHISME (SYMBIOSE SADO-MASOCHISTE) : Forme de relation humaine caractérisée par le fait que l'un des partenaires inflige à l'autre une douleur physique et/ou morale.

SCHIZOPHRÉNIE : État relevant de la psychiatrie et touchant la moitié environ des malades des hôpitaux psychiatriques, et le quart environ de tous les malades hospitalisés aux États-Unis. Le terme est dû au psychiatre suisse E. Bleuler; il désigne une psychose caractérisée par des troubles profonds dans la perception que le malade a de la réalité, dans la formation des concepts, dans les affects, et par suite dans tout le comportement. Selon la symptomatologie, on divise habituellement la schizophrénie en plusieurs sous-groupes, p. ex. paranoïde, hébéphrénique, catatonique ou simple.

THÉORIE DES JEUX : Outil mathématique servant à l'analyse des relations sociales de l'homme; introduit en 1928 par von Neumann et appliqué, à l'origine, aux stratégies de la prise de décisions dans le comportement économique, il est maintenant utilisé pour toutes sortes de comportements interpersonnels.

1) *Jeux à sommation nulle :* situations dans lesquelles le gain d'un joueur égale toujours la perte de son adversaire, ce qui veut dire qu'on se trouve en présence de la rivalité pure, puisque la perte d'un joueur est le gain de l'autre.

2) *Jeux à sommation non nulle :* situations dans lesquelles le gain et la perte ne sont pas fixés en raison inverse l'un de l'autre : ils ne s'annulent donc pas forcément; ils peuvent être fixés soit entièrement (collaboration pure), soit en partie seulement (motifs combinés).

THÉRAPIE DE COMPORTEMENT : Forme de psychothérapie fondée sur la théorie de l'apprentissage; le comportement, y compris le comportement symptomatique, est considéré comme le résultat d'un processus d'apprentissage et il est donc justiciable d'un « dès-apprentissage » (déconditionnement).

TRANSFERT : En psychanalyse, re-production des expériences oubliées et refoulées de la première enfance. Cette re-production ou reviviscence prend en général la forme de rêves ou de réactions se produisant au cours de la cure psychanalytique (H. et S.).

TRAUMATISME AFFECTIF : Choc d'ordre affectif qui laisse une marque durable dans l'esprit du sujet (D.M.D.).

TRIADE : Cf. « dyade ».

Table

3. LA COMMUNICATION PATHOLOGIQUE

4. STRUCTURE DE L'INTERACTION HUMAINE

5. QUI A PEUR DE VIRGINIA WOOLF? LITTÉRATURE ET THÉORIE DE LA COMMUNICATION

6. LA COMMUNICATION PARADOXALE

7. LE PARADOXE EN PSYCHOTHÉRAPIE

CONCLUSION : POINT DE VUE SUR L'EXISTENTIALISME ET LA THÉORIE DE LA COMMUNICATION HUMAINE

FIRMIN-DIDOT S.A. - PARIS-MESNIL.
D.L. 2e TRIM. 1979. No 5220 (4107).

Collection Points

EXTRAITS

63. Mort de la famille, *par David Cooper*
64. A quoi sert la Bourse?, *par Jean-Claude Leconte*
65. La Convivialité, *par Ivan Illich*
66. L'Idéologie structuraliste, *par Henri Lefebvre*
67. La Vérité des prix, *par Hubert Lévy-Lambert*
68. Pour Gramsci, *par M.-A. Macciocchi*
69. Psychanalyse et Pédiatrie, *par Françoise Dol o*
70. S/Z, *par Roland Barthes*
71. Poésie et Profondeur, *par Jean-Pierre Richard*
72. Le Sauvage et l'Ordinateur, *par Jean-Marie Domenach*
73. Introduction à la littérature fantastique, *par Tzvetan Todorov*
74. Figures I, *par Gérard Genette*
75. Dix Grandes Notions de la sociologie, *par Jean Cazeneuve*
76. Mary Barnes, un voyage à travers la folie
    par Mary Barnes et Joseph Berke
77. L'Homme et la Mort, *par Edgar Morin*
78. Poétique du récit, *par Roland Barthes, Wayne Booth, Philippe Hamon, Wolfgang Kayser*
79. Les Libérateurs de l'amour, *par Alexandrian*
80. Le Macroscope, *par Joël de Rosnay*
81. Délivrance, *par Maurice Clavel et Philippe Sollers*
82. Système de la peinture, *par Marcelin Pleynet*
83. Pour comprendre les media, *par Marshall McLuhan*
84. L'Invasion pharmaceutique
    par Jean-Pierre Dupuy et Serge Karsenty
85. Huit Questions de poétique, *par Roman Jakobson*
86. Lectures du désir, *par Raymond Jean*
87. Le Traître, *par André Gorz*
88. Psychiatrie et Anti-Psychiatrie, *par David Cooper*
89. La Dimension cachée, *par Edward T. Hall*
90. Les Vivants et la Mort, *par Jean Ziegler*
91. L'Unité de l'homme, *par le Centre Royaumont*
    1. Le primate et l'homme, *par E. Morin et M. Piatelli-Palmarini*
92. L'Unité de l'homme, *par le Centre Royaumont*
    2. Le cerveau humain, *par E. Morin et M. Piatelli-Palmarini*
93. L'Unité de l'homme, *par le Centre Royaumont*
    3. Pour une anthropologie fondamentale,
    par E. Morin et M. Piatelli-Palmarini
94. Pensées, *par Blaise Pascal*
95. L'Exil intérieur, *par Roland Jaccard*
96. Σημειωτική, Recherches pour une sémanalyse, *par Julia Kristeva*
97. Sur Racine, *par Roland Barthes*
98. Structures syntaxiques, *par Noam Chomsky*
99. Le Psychiatre, son « fou » et la psychanalyse, *par Maud Mannoni*
100. L'Écriture et la Différence, *par Jacques Derrida*
101. Le Pouvoir africain, *par Jean Ziegler*